D0447443
rororo

ro
ro
ro

«Ungemein witzig, elegant geschrieben und dabei hinreißend albern.» *Max*

«Ein wirklich überraschendes und witziges Buch!» *NDR*

«Höchst amüsant!» *Hamburger Morgenpost*

David Safier, 1966 geboren, wurde bekannt durch seine Drehbücher zu TV-Hits wie «Berlin, Berlin», «Nikola» und «Mein Leben & ich». Er wurde unter anderem mit dem Grimme-Preis, dem Deutschen Fernsehpreis und dem Emmy, dem amerikanischen Fernseh-Oscar, ausgezeichnet. David Safier lebt und arbeitet in Bremen. «Mieses Karma» ist sein erster Roman und stand wochenlang auf der Bestsellerliste.

David Safier

MIESES KARMA

Roman

Rowohlt Taschenbuch Verlag

29. Auflage Dezember 2011

Veröffentlicht im Rowohlt Taschenbuch Verlag,
Reinbek bei Hamburg, Mai 2008

Umschlaggestaltung any.way, Barbara Hanke / Cordula Schmidt
(Illustration: Ulf K.)
Druck und Bindung CPI – Clausen & Bosse, Leck
Printed in Germany
ISBN 978 3 499 24455 1

**Das für dieses Buch verwendete FSC®-zertifizierte Papier
Lux Cream liefert Stora Enso, Finnland.**

Für Marion, Ben und Daniel –
ihr seid mein Nirwana

1. KAPITEL

Der Tag, an dem ich starb, hat nicht wirklich Spaß gemacht. Und das lag nicht nur an meinem Tod. Um genau zu sein: Der schaffte es gerade so mit Ach und Krach auf Platz sechs der miesesten Momente des Tages. Auf Platz fünf landete der Augenblick, in dem Lilly mich aus verschlafenen Augen ansah und fragte: «Warum bleibst du heute nicht zu Hause, Mama? Es ist doch mein Geburtstag!»

Auf diese Frage schoss mir folgende Antwort durch den Kopf: «Hätte ich vor fünf Jahren gewusst, dass dein Geburtstag und die Verleihung des Deutschen Fernsehpreises mal auf einen Tag fallen würden, hätte ich dafür gesorgt, dass du früher zur Welt gekommen wärst. Mit Kaiserschnitt!»

Stattdessen sagte ich nur leise zu ihr: «Es tut mir leid, mein Schatz.» Lilly knabberte traurig am Ärmel ihres Pumuckl-Pyjamas, und da ich diesen Anblick nicht länger ertragen konnte, fügte ich schnell den magischen Satz hinzu, der jedes traurige Kindergesicht wieder zum Lächeln bringt: «Willst du dein Geburtstagsgeschenk sehen?»

Ich hatte es selbst noch nicht gesehen. Alex musste es besorgen, da ich vor lauter Arbeit in der Redaktion schon seit Monaten nicht mehr irgendwo einkaufen war. Ich vermisste das auch nicht. Für mich gab es kaum etwas Nervigeres als in der Supermarktschlange wertvolle Lebenszeit zu vergeuden. Und für all die schönen Dinge des Lebens, von Kleidung über Schuhe bis hin zu Kosmetika, musste ich nicht einkaufen gehen. Die bekam ich dankenswerterweise als Kim Lange, Moderatorin von Deutschlands wichtigster Polit-Talkshow, von den nobelsten Firmen gestellt. Die «Gala» zählte mich dementsprechend zu den «bestangezogenen Frauen um die dreißig», während eine andere große Boulevardzeitung mich weniger schmeichelhaft als «leicht stämmige Brünette mit deutlich zu dicken Schenkeln» bezeichnete. Ich lag mit der Zeitung im Clinch, weil ich verboten hatte, Fotos von meiner Familie abzudrucken.

«Hier ist eine kleine, wunderschöne Frau, die will ihr Geschenk haben», rief ich durchs Haus. Und aus dem Garten tönte es zurück: «Dann soll diese wunderschöne kleine Frau mal herauskommen!» Ich nahm meine aufgeregte Tochter an die Hand und sagte zu ihr: «Zieh dir aber deine Hausschühchen an.»

«Ich will die nicht anziehen», motzte Lilly.

«Du erkältest dich sonst!», warnte ich. Aber sie antwortete nur: «Ich hab mich gestern auch nicht erkältet. Und da hatte ich auch keine Hausschuhe an.»

Und eh ich ein vernünftiges Gegenargument für diese abstruse, aber in sich geschlossene Kinderlogik gefunden hatte, lief Lilly auch schon barfuß in den vom Morgentau glänzenden Garten.

Geschlagen folgte ich ihr und atmete tief ein. Es roch nach «bald ist Frühling», und ich freute mich zum tausendsten Mal mit einer Mischung aus Verblüffung und Stolz darüber, dass ich meiner Tochter so ein tolles Potsdamer Haus mit einem Riesengarten bieten konnte, war ich doch selbst in einem Berliner Plattenbau aufgewachsen. Unser Garten dort hatte lediglich aus drei Blumenkästen bestanden, bepflanzt mit Geranien, Stiefmütterchen und Zigarettenkippen.

Alex erwartete Lilly an einem von ihm selbst zusammengezimmerten Meerschweinchenkäfig. Er sah mit seinen dreiunddreißig Jahren immer noch verdammt gut aus – wie eine jüngere Version von Brad Pitt, nur dankenswerterweise ohne dessen langweiligen Schlafzimmerblick. Ich wäre wohl von seinem Aussehen hin und weg gewesen, wenn noch alles okay zwischen uns gewesen wäre. Doch leider war unsere Beziehung zu diesem Zeitpunkt so stabil wie die Sowjetunion 1989. Und sie hatte ähnlich viel Zukunft.

Alex kam nicht damit klar, mit einer erfolgreichen Frau verheiratet zu sein, und ich nicht damit, mit einem frustrierten Hausmann zusammenzuleben, den es von Tag zu Tag fertiger machte, dass er sich auf dem Spielplatz von anderen Müttern anhören musste: «Es ist ja sooo toll, wenn ein Mann sich um die Kinder kümmert, anstatt dem Erfolg hinterherzujagen.»

Entsprechend begannen Gespräche zwischen uns oft mit «Deine Arbeit ist dir wichtiger als wir» und endeten noch häufiger mit «Wehe, du wirfst jetzt den Teller, Kim!».

Früher folgte darauf wenigstens noch Versöhnungssex. Jetzt hatten wir schon seit drei Monaten keinen mehr. Was schade war, denn unser Sex war ordentlich bis großartig, je nach Tagesform. Und das will was heißen, denn mit all den Männern, die ich vor Alex hatte, war Sex nicht gerade ein Anlass gewesen, die innere La-Ola-Welle zu machen.

«Hier ist dein Geschenk, wunderschönes Mädchen», sagte Alex lächelnd und zeigte auf das mümmelnde Meerschweinchen im Stall. Lilly rief begeistert: «Ein Meerschweinchen!» Und ich ergänzte entsetzt in Gedanken: «Ein verdammt schwangeres Meerschweinchen!»

Während Lilly ihr neues Haustier voller Freude betrachtete, packte ich Alex an der Schulter und zog ihn zur Seite.

«Das Vieh ist kurz davor, sich zu vermehren», sagte ich zu ihm.

«Nein, Kim, es ist nur etwas dick», wiegelte er ab.

«Wo hast du es denn her?»

«Von einer gemeinnützigen Tierfarm», kam die pampige Antwort.

«Warum hast du es denn nicht in einem Zooladen gekauft?»

«Weil die Tiere da genauso am Rad drehen wie deine Fernsehtypen.»

Peng! Das sollte mich treffen, und das tat es auch. Ich atmete durch, schaute auf die Uhr und sagte mit gepresster Stimme: «Keine dreißig Sekunden.»

«Wie ‹keine dreißig Sekunden›?», fragte Alex irritiert.

«Du hast keine dreißig Sekunden mit mir geredet, ohne mir Vorwürfe zu machen, dass ich heute zu der Verleihung gehe.»

«Ich mach dir keine Vorwürfe, Kim. Ich stell nur deine Prioritäten in Frage», erwiderte er.

Das alles regte mich wahnsinnig auf, denn eigentlich hätte ich mir doch gewünscht, dass er mit zu der Fernsehpreis-Verleihung kommen würde. Schließlich sollte das der größte Moment in meinem Berufsleben werden. Und da hätte mein Mann verdammt nochmal an meine Seite gehört! Aber ich konnte ja schlecht seine Prioritäten in Frage stellen, denn die bestanden ja darin, Lillys Kindergeburtstag auszurichten.

Und so sagte ich sauer: «Und das blöde Meerschweinchen ist doch schwanger!»

Alex erwiderte trocken: «Mach doch einen Schwangerschaftstest», und ging zum Käfig. Ich blickte ihm wütend nach, während er das Meerschweinchen rausholte und es der überglücklichen Lilly in die Arme legte. Die beiden fütterten es mit Löwenzahn. Und ich stand daneben. Gewissermaßen im Abseits, das mehr und mehr zu meinem Stammplatz in unserer kleinen Familie wurde. Kein schöner Ort.

Und hier im Abseits musste ich an meinen eigenen Schwangerschaftstest zurückdenken. Als meine Regel damals ausblieb, schaffte ich es sechs Tage lang mit fast übermenschlicher Verdrängungskraft, diese Tatsache zu ignorieren. Am siebten sprintete ich gleich morgens mit einem «Scheiße, Scheiße, Scheiße» auf den Lippen in die Apotheke, kaufte einen Schwangerschaftstest, sprintete zurück nach Hause, ließ den Test vor lauter Nervosität ins Klo fallen, rannte wieder zur Apotheke, kaufte einen neuen Test, rannte erneut zurück, pinkelte auf das Stäbchen und musste eine Minute warten.

Es war die längste Minute meines Lebens.

Eine Minute beim Zahnarzt ist ja schon lang. Eine Minute Musikantenstadl ist noch länger. Aber die Minute, die so ein blöder Schwangerschaftstest braucht, um sich zu entscheiden, ob er nun einen zweiten Strich haben wird oder nicht, ist die härteste Geduldsprobe der Welt.

Noch härter war es aber für mich, den zweiten Strich zu sehen.

Ich überlegte abzutreiben, aber ich konnte den Gedanken daran kaum ertragen. Ich hatte gesehen, wie meine beste Freundin Nina das mit neunzehn Jahren nach unserem Italienurlaub tun musste und wie sehr sie dabei gelitten hatte. Mir war durchaus klar, dass ich bei aller Härte, die ich mir als Talkshow-Moderatorin angewöhnt hatte, mit diesen Gewissensqualen viel schlechter klarkommen würde als Nina.

Es folgten also neun Monate, die mich sehr verunsicherten: Während ich Panik schob, kümmerte sich Alex extrem lieb um mich und freute sich unglaublich auf das Kind. Das machte mich irgendwie wütend, fühlte ich mich dadurch doch umso mehr als Rabenschwangere.

Überhaupt war für mich der ganze Schwangerschaftsprozess unheimlich abstrakt. Ich sah Ultraschallaufnahmen und fühlte Tritte gegen die Bauchwand. Aber dass da ein kleiner Mensch in mir wuchs, konnte ich nur in ganz wenigen, kurzen Momenten des Glücks begreifen.

Die meiste Zeit war ich damit beschäftigt, mich mit Übelkeiten und Hormonschwankungen herumzuschlagen. Und mit Schwangerschaftskursen, in denen man «seinen Uterus abspüren» sollte.

Sechs Wochen vor der Geburt hörte ich auf zu arbeiten und bekam auf unserem Sofa einen Eindruck davon, wie sich gestrandete Wale fühlen mussten. Die Tage waren zäh, und als meine Fruchtblase platzte, wäre ich vielleicht sogar erleichtert gewesen, dass es endlich losging, hätte ich nicht gerade in der Kassenschlange im Supermarkt gestanden.

Ich legte mich, wie von meinem Arzt für einen solchen Fall angeordnet, sofort auf den kalten Boden. Die umstehenden Kunden kommentierten das mit Sätzen wie: «Ist das nicht Kim Lange, die olle Moderatorin?», «Mir egal, Hauptsache, die machen noch ’ne zweite Kasse auf!» und «Bin ich froh, dass ich den Schweinkram nicht wegwischen muss.»

Der Krankenwagen kam erst nach dreiundvierzig Minuten, in denen ich ein paar Autogramme gab und der Kassiererin erklären musste, dass sie ein falsches Bild von männlichen Nachrichtensprechern hatte. («Nein, die sind nicht alle schwul.»)

Im Kreißsaal angekommen, begann eine fünfundzwanzigstündige Geburt. Die Hebamme spornte mich zwischen den fürchterlichen Wehen ständig an: «Sei positiv. Heiß jede

Wehe willkommen!» Und ich dachte mir im Schmerzenswahn: «Wenn ich das hier überleb, bring ich dich um, du blöde Schnepfe!»

Ich glaubte, ich müsste sterben. Ohne Alex und seine beruhigende Art hätte ich es wohl kaum durchgestanden. Er wiederholte immer wieder mit fester Stimme: «Ich bin bei dir. Immer!» Und ich quetschte seine Hand dabei so fest, dass er sie noch Wochen später nicht richtig bewegen konnte. (Die Schwestern verrieten mir nachher, dass sie immer Noten vergeben, wie liebevoll Männer sich in den Stressstunden der Geburt gegenüber ihren Frauen verhalten. Alex erreichte eine sensationelle 9,7. Der allgemeine Notendurchschnitt lag bei 2,73.)

Als die Ärzte mir nach all der Qual die kleine – von der Geburt ganz zerknautschte – Lilly auf den Bauch legten, waren alle Schmerzen vergessen. Ich konnte sie nicht sehen, da mich die Ärzte noch versorgten. Aber ich spürte ihre weiche, faltige Haut. Und dieser Augenblick war der glücklichste in meinem ganzen Leben.

Nun, fünf Jahre später, stand Lilly im Garten vor mir, und ich konnte ihren Geburtstag nicht mitfeiern, weil ich zu der Fernsehpreis-Verleihung nach Köln musste.

Ich schluckte und ging schweren Herzens zu meiner Kleinen, die sich gerade einen Namen für das Meerschweinchen ausdachte («Entweder heißt es Pipi, Püpschen oder Barbara»). Ich gab ihr ein Küsschen und versprach: «Ich verbringe morgen den ganzen Tag mit dir.»

Alex kommentierte das abfällig: «Wenn du deinen Preis gewinnst, gibst du doch morgen die ganze Zeit Interviews.»

«Dann verbring ich eben den Montag mit Lilly», erwiderte ich angefressen.

«Da hast du Redaktionssitzung», konterte Alex.

«Dann lass ich die eben sausen.»

«Sehr wahrscheinlich», sagte er mit einem sarkastischen Grinsen, das bei mir den tiefen Wunsch auslöste, ihm eine Dynamitstange in den Mund zu stopfen. Er krönte das Ganze mit: «Du hast nie Zeit für die Kleine.»

Als Lilly das hörte, sagten ihre traurigen Augen: «Papa hat recht.» Das traf mich bis ins Mark. So sehr, dass ich zitterte.

Verunsichert streichelte ich Lilly über die Haare und sagte: «Ich schwör dir hoch und heilig, wir werden uns bald einen ganz tollen Tag machen.»

Sie lächelte schwach. Alex wollte etwas sagen, aber ich blickte ihn so durchdringend an, dass er sich das schlauerweise anders überlegte. Höchstwahrscheinlich konnte er die Dynamitstangen-Phantasie in meinen Augen lesen. Ich drückte Lilly nochmal fest an mich, ging über die Terrasse* ins Haus, atmete einmal kräftig durch und bestellte mir ein Taxi zum Flughafen.

Zu diesem Zeitpunkt ahnte ich noch nicht, wie schwer es werden würde, meinen Schwur gegenüber Lilly zu erfüllen.

* Aus Casanovas Erinnerungen: In meinem hundertunddreizehnten Leben als Ameise begab ich mich mit einer Kompanie an die Erdoberfläche. Wir sollten im Auftrag der Königin das Terrain rund um unser Reich erkunden. Wir marschierten durch die sengende Hitze auf heißem, sonnenerwärmtem Gestein, da verfinsterte sich binnen Sekunden die Sonne auf fast schon apokalyptische Art und Weise. Meine Augen spähten gen Himmel, und ich erblickte die Sohle einer Frauensandale, die sich unaufhaltsam auf uns herabsenkte. Es war so, als fiele uns der Himmel auf den Kopf. Und ich dachte bei mir: «Schon wieder muss ich sterben, weil ein Mensch nicht angemessen auf seine Schritte achtet.»

2. KAPITEL

Auf Platz vier der miesesten Momente des Tages landete mein Blick in den Spiegel der Flughafentoilette. Der Moment war nicht etwa mies, weil ich wieder mal feststellte, dass ich für eine Zweiunddreißigjährige enorm viele Falten um die Augen hatte. Auch nicht, weil meine strohigen Haare sich standhaft weigerten, vernünftig zu liegen – für all das würde ich zwei Stunden vor der Verleihung des Fernsehpreises einen Termin bei meiner Stylistin Lorelei haben. Es war ein schlimmer Augenblick, weil ich mich bei der Frage ertappte, ob ich für Daniel Kohn attraktiv sein würde.

Daniel war ebenfalls in der Kategorie «Beste Moderation Informationssendung» nominiert und seines Zeichens ein geradezu obszön gutaussehender, dunkelhaariger Mann, der im Gegensatz zu den meisten Moderatoren in unserem Lande auf natürliche Art und Weise charmant war. Daniel wusste um seine Wirkung auf Frauen und nutzte sie auch mit großer Freude aus. Und jedes Mal, wenn er mich auf irgendwelchen Medienpartys traf, blickte er mir tief in die Augen und sagte: «Ich würde auf alle diese Frauen verzichten, wenn du mich erhörst.»

Natürlich hatte der Satz ähnlich viel Wahrheitsgehalt wie die Aussage: «Am Südpol gibt es rosa Elefanten.»

Aber ein Teil von mir wünschte sich, dass es doch stimmte. Und ein weiterer Teil von mir träumte davon, den Fernsehpreis zu gewinnen, anschließend souverän und mit leicht triumphalem Grinsen an Daniels Tisch vorbeizuschlendern und nachts mit ihm im Hotel wildesten Sex zu haben. Stundenlang. Bis die Hotelleitung an die Tür hämmert, weil sich eine Rockband nebenan über den Lärm beschwert.

Der größte Teil von mir aber hasste mich für die Gedanken der ersten beiden Teile. Würde ich mit Daniel im Bett landen, würde die Presse von so einer Affäre garantiert Wind bekommen, Alex würde sich scheiden lassen, und ich hätte als Rabenmutter meiner kleinen Lilly endgültig das Herz gebrochen. Mein Wunsch, mit Daniel zu schlafen, bereitete mir daher ein so schlechtes Gewissen, dass ich das Gesicht im Spiegel die nächsten zwanzig Jahre nicht mehr sehen wollte.

Ich wusch mir schnell die Hände, verließ die Flughafentoilette und ging zum Gate. Dort begrüßte mich Benedikt Carstens mit einem überschwänglichen «Das wird unser Tag, Süße!» und kniff mir kräftig in die Wange.

Der stets im feinsten Zwirn gekleidete Carstens war mein Chefredakteur und mein Mentor. Quasi mein persönlicher Meister Yoda, nur mit deutlich besserem Satzbau. Er hatte mich in der Berliner Radiostation entdeckt, in der ich nach dem Studium gearbeitet hatte. Ich war dort anfangs nur eine kleine Redakteurin. Doch eines Sonntagmorgens erschien der Moderator nicht zum Dienst. Er hatte bei einer Discotour in der Nacht zuvor gegenüber einem türkischen Türsteher die Theorie geäußert, dass es sich bei dessen Mutter um eine räudige Hündin handle.

Ich musste spontan für den nachhaltig indisponierten Mann «On Air» gehen und sagte das erste Mal in meinem Leben: «Es ist sechs Uhr, guten Morgen.» Von diesem Augenblick an war ich süchtig. Ich liebte den Adrenalinrausch bei Rot-Licht. Ich hatte meine Bestimmung gefunden!

Carstens verfolgte meine Arbeit ein paar Monate, suchte mich schließlich auf, sagte: «Sie haben die beste Stimme, die ich je gehört habe», und gab mir einen Job in Deutschlands aufregendstem Fernsehsender. Er brachte mir bei, wie man sich vor der Kamera am besten präsentiert. Und er zeigte mir das Allerwichtigste in diesem Geschäft: wie man seine Kollegen aussticht. In letzterer Disziplin reifte ich dank seiner Führung zu einer Großmeisterin und erhielt in der Redaktion den Beinamen: «Die, die über Leichen geht und dabei auch noch nachtritt». Aber wenn das der Preis war, um meine Bestimmung zu leben, zahlte ich ihn gerne.

«Ja, das wird unser Tag», sagte ich mit einem gequälten Lächeln zu Carstens. Er blickte mich an und fragte: «Ist was mit dir, Süße?» Da ich schlecht antworten konnte: «Ja, ich will mit Daniel Kohn von der Konkurrenz schlafen», sagte ich nur: «Nein, alles in Ordnung.»

«Du musst dich nicht verstellen. Ich weiß genau, was los ist», erwiderte er.

Panik schoss in mir hoch: Wusste er von mir und Daniel Kohn? Hatte er gesehen, wie Daniel mich auf dem Medienempfang im Kanzleramt angeflirtet hatte? Und dass ich dabei rot wurde wie eine Frau, die von Robbie Williams auf die Konzertbühne geholt wird?

Carstens lächelte: «Ich wär an deiner Stelle auch aufgeregt. Man ist nicht alle Tage für den Fernsehpreis nominiert.» Für eine Sekunde war ich erleichtert: Es ging nicht um Kohn. Doch gleich darauf musste ich schlucken. Ich war tatsächlich tierisch nervös, hatte es nur wegen meines schlechten Gewissens gegenüber Lilly den ganzen Morgen komplett verdrängt. Aber nun war die Aufregung wieder mit voller Kraft da: Würde ich heute Abend den Preis gewinnen? Würden alle Kameras mein strahlendes Siegerlächeln einfangen? Oder bin ich in der morgigen Sonntagszeitung nur «die leicht stämmige Verliererin mit deutlich zu dicken Schenkeln»?

Meine Finger näherten sich nervös dem Mund, und ich

konnte meine Zähne gerade noch in letzter Sekunde davon abbringen, meine Nägel zu kauen.

In Köln angekommen, checkten wir im Hyatt ein, dem Nobelhotel, in dem alle Nominierten für den Deutschen Fernsehpreis untergebracht waren. Ich warf mich in meinem Zimmer aufs weiche Bett, zappte im Zehntel-Sekunden-Rhythmus durch die Fernsehprogramme, landete dabei beim Pay-TV und fragte mich: Wer zum Teufel gibt zweiundzwanzig Euro aus für einen Pornofilm mit dem Titel «Ich tanze für Sperma»?

Ich beschloss, auf dem Altar dieser Frage nicht allzu viele graue Zellen zu opfern und in die Hotellobby zu gehen, um einen dieser chinesischen Beruhigungstees zu trinken, die leicht nach Fischsuppe schmecken.

In der Lobby spielte ein Pianist so nervtötend Balladen von Richard Clayderman, dass ich mir ausmalte, wie er und ich uns in einem Wild-West-Saloon befanden: er seine Weisen spielend, ich einen Lynchmob organisierend.

Und als ich in Gedanken gerade mit meinen Jungs beim Hufschmied von Dodge City Teer und Federn organisierte, sah ich plötzlich ... Daniel Kohn.

Er checkte an der Rezeption ein, und mein Puls begann zu rasen. Ein Teil von mir hoffte, dass Kohn mich sieht. Ein weiterer Teil betete darum, dass er sich sogar zu mir setzt. Doch der größte Teil von mir fragte sich, wie er die beiden anderen blöden, nervigen, mein Leben durcheinanderbringenden Teile endlich zum Schweigen bringen konnte.

Tatsächlich sah mich Daniel und lächelte mir zu. Der Teil von mir, der sich das gewünscht hatte, verfiel in einen enthemmten Freudentaumel und schrie – wie weiland Fred Feuerstein: «Yapadapaduh!»

Daniel kam auf mich zu und setzte sich mit einem netten

«Hi, Kim» an den Tisch. Der Teil, der darum gebetet hatte, schnappte sich daraufhin Teil eins und sang nun gemeinsam mit ihm: «Oh Happy Day!»

Als Teil drei Protest einlegen wollte, schnappten sich ihn die beiden anderen Teile, knebelten ihn und zischten ihm zu: «Halt endlich dein Maul, du olle Spaßbremse!»

«Schon aufgeregt wegen heute Abend?», fragte Daniel, und ich bemühte mich, meine Nervosität zu überspielen und eine möglichst schlagfertige Antwort zu bringen. Nach langen Sekunden erwiderte ich «Nein» und musste feststellen, dass diese Antwort in Sachen Schlagfertigkeit doch etwas zu wünschen übrigließ.

Daniel blieb gelassen: «Musst du auch nicht, denn du gewinnst garantiert.» Er sagte es so charmant, ich hätte ihm beinahe geglaubt, dass er es aufrichtig meint. Aber natürlich war er felsenfest davon überzeugt, selbst zu gewinnen.

«Und wenn du gewonnen hast, müssen wir darauf anstoßen», sagte er.

«Das müssen wir», entgegnete ich. Diese Antwort war zwar auch nicht gerade brillant, aber immerhin hatte ich drei Worte sinnvoll aneinandergereiht. Das war schon ein kleiner Fortschritt in Sachen Souveränität.

«Stoßen wir auch an, wenn ich gewinne?», fragte Daniel nach.

«Natürlich tun wir das», erwiderte ich mit leichtem Zittern in der Stimme.

«Dann wird es in jedem Fall ein schöner Abend.»

Daniel stand sichtlich zufrieden auf – er hatte, was er wollte – und sagte: «Sorry, ich muss los. Ich muss mich frisch machen.»

Ich schaute ihm nach, sah seinen tollen Hintern und phantasierte, wie der wohl unter der Dusche aussah. Und bei diesem Gedanken knabberte ich nun doch an meinen Fingernägeln.

«Was ist denn mit deinen Nägeln passiert, die sehen ja aus wie nach einer Hungersnot?», fragte Lorelei, meine Stylistin, als ich mich von ihr im Friseursalon des Hotels aufpeppen ließ. Neben mir war die geballte Weiblichkeit der Branche versammelt: Schauspielerinnen, Moderatorinnen, Dekoschnecken von Prominenten. Keine von ihnen war für irgendeinen Preis nominiert, es ging ihnen nur darum, beim «Sehen und Gesehenwerden» die Konkurrenz auszustechen. Sie wünschten mir alle viel Glück und meinten es natürlich nicht ernst. Genauso wenig, wie ich es ernst meinte, wenn ich sagte: «Du siehst wunderbar aus», oder: «Deine Figur ist großartig», oder: «Du übertreibst, deine Nase hat nicht das Zeug zum Hubschrauberlandeplatz.»

So plapperten wir alle heuchlerisch durcheinander. Bis Sandra Kölling den Salon betrat.

Sandra sah aus wie die Viertplatzierte bei einem «Sabine Christiansen Look Alike»-Wettbewerb und war meine Vorgängerin als Moderatorin des «Late Talk». Ich hatte ihren Job bekommen, weil ich besser war als sie. Und weil ich fleißiger war. Und weil ich die Chefetage dezent darauf hingewiesen hatte, dass sie ein kleines Kokainproblem hatte.

Jeder in dem Salon wusste, dass Sandra und ich seitdem eine Feindschaft pflegten, wie man sie sonst nur aus amerikanischen Soaps kennt. Entsprechend hörten alle Frauen in dem Salon auf zu plappern und blickten uns an. Sie erwarteten den erbitterten Verbalkampf zweier hasserfüllter Hyänen. Und freuten sich darauf.

Sandra fauchte mich an: «Du bist das Letzte.»

Ich antwortete nichts. Stattdessen fixierte ich ihre Augen.

Lange. Hart. Eiskalt. Die Raumtemperatur sank um mindestens fünfzehn Grad.

Sandra begann zu frösteln. Ich starrte sie weiter an. Bis sie es nicht mehr ertragen konnte und den Salon verließ.

Die Frauen begannen wieder zu plappern. Lorelei stylte mir wieder die Haare. Und mein Spiegelbild lächelte mir zufrieden zu.

Als Lorelei ihr Werk vollendet hatte, lagen meine Haare perfekt, und nur Archäologen hätten unter der Schminke meine Augenfalten finden können. Selbst meine abgeknabberten Fingernägel wurden unter künstlichen Nägeln versteckt. Jetzt fehlte nur noch das Kleid, das mir gleich aufs Zimmer geliefert werden sollte. Von Versace! Ich freute mich wie irre auf den Fummel, der mehr kostete als ein Kleinwagen und den Versace mir für die Verleihung natürlich kostenlos anfertigte. Ich hatte in einer Berliner Boutique bereits die Anprobe gemacht und war der festen Überzeugung, an diesem Abend das beste Kleid der Welt zu tragen: Es hatte ein wunderschönes Rot, lag sanft auf der Haut, ließ meine Brüste größer aussehen und kaschierte meine Schenkel – was will eine Frau mehr von einem Kleid?

Ich saß voller Vorfreude in meinem Hotelzimmer und dachte stolz daran, dass ich einen weiten Weg gekommen bin: vom Kind in der Plattenbausiedlung, in der man Versace wahrscheinlich für einen italienischen Fußballer gehalten hätte, bis hin zur erfolgreichen Polit-Talkerin, die vielleicht in zwei Stunden den Deutschen Fernsehpreis gewinnen würde, umhüllt von einem traumhaften Versace-Kleid, das ihr Daniel Kohn in der Nacht vom Leib reißen würde, um dann wilden Sex mit ihr zu haben ...

In diesem Augenblick klingelte mein Handy. Es war Lilly.

Ein Tsunami des schlechten Gewissens überrollte mich: Lilly hatte Sehnsucht nach mir. Und ich dachte daran, meinen Mann – ihren Vater – zu betrügen!

Die Geburtstagsparty war in vollem Gange, und Lilly plapperte fröhlich drauflos: «Erst haben wir Sackhüpfen gemacht, dann Eierlaufen und dann eine Tortenschlacht ohne Torten.»

«Tortenschlacht ohne Torten?», fragte ich verwirrt nach.

«Wir haben uns mit Ketchup bespritzt ... und mit Mayo ... und mit Spaghetti Bolognese geworfen», erklärte sie. Ich stellte mir lächelnd die mäßige Begeisterung der anderen Mütter vor, wenn sie ihre Kinder abholen würden.

«Oma hat angerufen und mir auch gratuliert», sagte Lilly dann, und das Lächeln fiel mir aus dem Gesicht. Seit Jahren ließ ich nichts unversucht, meine kaputten Eltern aus unserem Familienleben herauszuhalten.

Mein nichtsnutziger Vater hatte uns für eine seiner vielen Eroberungen verlassen, als ich so alt war wie Lilly jetzt. Seitdem steigerte meine Mutter den Alkoholumsatz in dem Quick-Shop ihrer Plattenbausiedlung um jährlich circa zwölf Prozent. Wenn sie einen auf «liebe Oma» machte, tat sie das in der Regel nur, um noch mehr Geld herauszuschinden, als ich ihr ohnehin schon monatlich überwies.

«Wie war Oma denn drauf?», fragte ich vorsichtig, hatte ich doch Angst, dass sie schon besoffen war, als sie mit Lilly sprach.

«Sie hat gelallt», antwortete Lilly mit dem gelassenen Tonfall eines Kindes, das seine Oma nie anders erlebt hat. Ich suchte nach den richtigen Worten, um das Lallen zu erklären. Doch bevor ich auch nur ein einziges gefunden hatte, schrie Lilly plötzlich: «Oh, nein!»

Ich zuckte zusammen. «Was ist?», fragte ich hektisch,

und tausend Katastrophenszenarien schossen mir gleichzeitig durch den Kopf.

«Der blöde Nils brennt die Ameisen mit einer Lupe nieder!»*

Lilly legte hastig auf, und ich atmete durch, nichts Schlimmes war passiert.

Wehmütig dachte ich an die Kleine, und mir war eins klar: Heute Abend durfte es auf gar keinen Fall ein «Versace-Kleid-vom-Leib-Reißen» für Daniel Kohn geben.

Ich überlegte, ob ich Alex anrufen sollte, um ihm zu danken, dass er Lilly so einen schönen Geburtstag ausrichtete. Aber je mehr ich darüber nachdachte, desto klarer wurde mir, dass wir uns garantiert wieder streiten würden.

Kaum zu glauben, dass wir beide einmal glücklich miteinander waren.

Alex und ich hatten uns bei meiner Nach-Abi-Reise durch Europa kennengelernt. Er war Rucksacktourist, ich war Rucksacktouristin. Er liebte es, durch die Welt zu reisen, ich tat es nur meiner Freundin Nina zuliebe. Er liebte Venedig, ich fand die sommerliche Hitze, den Gestank der Kanäle und die Mückenplage von geradezu biblischem Ausmaß unerträglich.

An meinem ersten Abend in Venedig tat Nina am Strandufer das, was sie am besten konnte: Italienern mit ihren blon-

* Aus Casanovas Erinnerungen: Ameisen haben viele natürliche Feinde: Spinnen, Kakerlaken, Bälger mit Lupen. Ich brannte wie einst die Christen im alten Rom, und ich verstarb schon zum zweiten Male an diesem Tage, an dem Fortuna mir einfach nicht hold war. Der letzte Gedanke, den ich in meinem dahinscheidenden Geiste formulieren konnte, war: «Sollte ich jemals genug gutes Karma gesammelt haben, um wieder als Mensch auf Erden zu wandeln, werde ich jedem Gör mit Lupe höchstpersönlich in den Allerwertesten treten.»

den Engelslocken den Kopf verdrehen. Ich tötete indessen Mücken im Akkord und fragte mich, wie man so blöd sein konnte, eine Stadt halb ins Wasser zu bauen. Zwischendrin wehrte ich hormondurchtränkte Italiener ab, die Nina ganz selbstverständlich gleich für mich mit aufriss. Einer von ihnen hieß Salvatore. Er hatte nur die untersten zwei Knöpfe seines weißen Hemdes zugeknöpft, roch nach billigstem Aftershave und hielt mein «Non, non!» für eine Aufforderung, mir unter die Bluse zu greifen. Ich wehrte mich mit einer Ohrfeige und einem «Stronzo!». Ich wusste zwar nicht, was das heißt, und hatte es nur von einem fluchenden Gondoliere aufgeschnappt, aber es machte Salvatore unglaublich wütend. Er drohte mir Schläge an, wenn ich nicht den Mund hielte.

Ich sagte nichts mehr.

Er griff mir in die Bluse. Panik und Ekel stiegen in mir auf. Aber ich konnte nichts tun. Ich war vor Angst wie gelähmt.

Gerade als seine Hand sich auf meine Brust legen wollte, hielt ihn Alex auf. Er kam aus dem Nichts. Wie ein Ritter aus einem Liebesmärchen, an die ich dank meines Vaters eigentlich gar nicht mehr glaubte. Salvatore baute sich mit einem Messer vor ihm auf. Er faselte dabei etwas auf Italienisch, und auch wenn ich kein Wort verstand, war der Tenor klar: Wenn Alex nicht sofort abzieht, wird er der Star in seiner ganz eigenen Version von «Wenn die Gondeln Trauer tragen». Alex, der jahrelang Jiu-Jitsu trainiert hatte, trat Salvatore das Messer aus der Hand. So hart, dass Salvatore beschloss, den Schwanz einzuziehen – im wahrsten Sinne des Wortes.

Während Nina die Nacht damit verbrachte, ihre Unschuld zu verlieren, saßen Alex und ich an der Lagune und redeten und redeten. Wir mochten die gleichen Filme («Manche mögen's heiß», «Die nackte Kanone», «Star Wars»), wir mochten die gleichen Bücher («Der Herr der Ringe», «Der kleine König», «Calvin und Hobbes»), und wir hassten die gleichen Dinge (Lehrer).

Als die Sonne über Venedig wieder aufging, sagte ich zu ihm: «Ich glaub, wir sind seelenverwandt», und Alex antwortete: «Ich glaub das nicht nur, ich weiß es.»

Mann, haben wir uns geirrt!

Ich legte mein Handy wieder in meine Tasche und fühlte mich plötzlich ganz allein in meinem weichen Bett im Luxus-Hotelzimmer. Fürchterlich allein. Es sollte doch mein großer Tag werden, aber Alex teilte ihn nicht mit mir. Und ich mochte ihn nicht einmal anrufen.

Mir wurde endgültig klar: Wir liebten uns nicht mehr. Kein bisschen.

Und dieser Augenblick schaffte es auf Platz drei der miesesten Momente des Tages.

3. KAPITEL

Nach fünf Minuten, in denen ich benommen dasaß, klopfte es an der Tür: Der Bote lieferte das Versace-Kleid. Der große Moment war gekommen: Ich packte es vorsichtig aus der Folie, mit der festen Absicht, vor Freude in die Luft zu springen. Doch meine Beine blieben fest im Boden verwurzelt. Ich war zu geschockt. Das Kleid war blau! Es sollte aber verdammt nochmal nicht blau sein! Und auch nicht trägerlos! Die Idioten hatten mir das falsche Kleid geschickt!

Ich rief sofort bei dem Botendienst an: «Hier ist Kim Lange. Ich habe das falsche Kleid bekommen.»

«Wieso?», fragte die Stimme am anderen Ende der Leitung.

«Das frag ich Sie!», erwiderte ich, meine Stimme eindeutig im oberen Frequenzbereich.

«Hmm ...», kam es zurück, und ich wartete darauf, dass sich dem Laut noch ein paar Worte anschließen würden. Sie taten es nicht.

«Vielleicht sollten Sie mal in Ihren Unterlagen nachsehen?», schlug ich vor. Mit meiner Stimme hätte man Glas zerschneiden können.

«Gut. Mach ich», kam es in gelangweiltem Tonfall zurück. Diesem Mann waren gerade andere Dinge wichtiger: Buchhaltung, Fernsehen, Nasepopeln.

«Ich muss in einer Stunde zur Verleihung des Deutschen Fernsehpreises», drängelte ich.

«Deutscher Fernsehpreis, nie von gehört», erwiderte er.

«Hören Sie, Ihre intellektuellen Lücken interessieren mich nicht. Entweder Sie schauen jetzt nach, wo mein Kleid abgeblieben ist, oder ich werde dafür sorgen, dass Ihr Laden nie wieder einen Auftrag aus der Fernsehbranche bekommt.»

«Kein Grund, sich so aufzuregen. Ich ruf gleich zurück», sagte er und legte auf.

«Gleich» war fünfundzwanzig Minuten später.

«Tut mir furchtbar leid, Ihr Kleid ist in Monte Carlo.»

«Monte Carlo!!», kiekste ich hysterisch.

«Monte Carlo», erwiderte er ohne jegliche Gemütsregung.

Der Mann erklärte mir, dass das Kleid in meinen Händen eigentlich für die Begleitung (höfliche Umschreibung für Callgirl) eines Software-Unternehmers bestimmt war. Sie hatte jetzt mein Kleid. In Monte Carlo. Es gab also keine Chance, es rechtzeitig wiederzubekommen. Der Mann bot mir als Entschädigung einen Gutschein an, der mir auch nicht sonderlich weiterhalf. Ich knallte den Hörer auf die

Gabel und belegte den Kerl und all seine Nachfahren mit einem Durchfall-Fluch.

Ich probierte aus lauter Verzweiflung das blaue Kleid an und stellte zu meinem Leidwesen fest: Die junge «Begleitung» hatte eine wesentlich schlankere Figur als ich.

Ich betrachtete mich im Spiegel und sah, dass das enge Kleid meine Brüste prall hervorhob, ebenso meinen Po. Und ehrlich gesagt, das hatte was. Ich sah sexy aus wie noch nie, und das Kleid kaschierte meine Schenkel sogar noch besser als das ursprünglich geplante. Da ich als Alternative nur meine Jeans und einen Rollkragenpulli hatte, dessen Kragen dank Loreleis Haarschnitt voller kleiner kratziger Haarenden war, beschloss ich, das Kleid zur Verleihung zu tragen. Mit der beiliegenden schwarzen Stola würde es schon gehen. Ich durfte mich nur nicht zu heftig bewegen.

So angezogen, fuhr ich im Fahrstuhl nach unten in die Hotellobby, und die Wirkung war nicht übel: Alle Männer starrten mich an. Und keiner von ihnen verschwendete auch nur eine Sekunde damit, mein Gesicht anzuschauen.

Am Hoteleingang wartete Carstens und war schwer beeindruckt: «Mann, Süße, dieses Kleid verschlägt mir den Atem.» Ich fühlte, wie das Kleid mir den Brustkorb abschnürte, und keuchte: «Mir auch.»

Eine schwarze BMW-Limousine fuhr vor. Der Fahrer öffnete die Tür für mich und hielt sie dann die vollen zweieinhalb Minuten auf, die ich brauchte, um mich und das Kleid so im Fond des Wagens zu verstauen, dass Letzteres nicht durch eine ungelenke Bewegung riss.

Im abendlichen Regen fuhren wir durch das Gewerbegebiet Köln-Ossendorf, dem der Charme einer postatomaren Endzeitwelt anhaftete und in dem der Fernsehpreis-Veranstaltungsort Coloneum lag. Ich blickte auf verlassene Hallen mit zerstörten Fenstern. Und dabei durchströmte mich wieder die Einsamkeit.

Um gegen sie anzukämpfen, schnappte ich mir mein Handy und rief zu Hause an, aber niemand ging ran. Höchstwahrscheinlich wirbelte die Kindergeburtstagshorde gerade ein letztes Mal durch unser Haus wie ein Tornado. Alex würde sie mit seiner guten Laune befeuern. Und alle hätten Spaß. Und ich war nicht dabei. Mir ging es elend. Hundeelend.

Erst als unsere Limo durch drei Absperrungen gewunken wurde und an dem roten Teppich hielt, verscheuchte das aufkommende Adrenalin meine trüben Gedanken, denn hier standen über zweihundert Fotografen.

Der Fahrer öffnete mir die Tür, ich kämpfte mich in dem engen Kleid so schnell wie möglich (also ungelenk und in Zeitlupe) aus der Limousine und stand in dem gleißendsten Blitzlichtgewitter meines Lebens. Die Fotografen schrien: «Hierher, Kim!», «Schau zu mir!», «So ist's sexy!» Es war irre. Es war aufregend. Es war ein Rausch!

Bis hinter mir die nächste Limousine vorfuhr. Die zweihundert Objektive wandten sich wie auf Kommando von mir ab und fotografierten nun Verona Pooth. Ich war abgemeldet und hörte: «Hierher, Verona!», «Schau zu mir!», «So ist's sexy!»

Carstens und ich setzten uns auf unsere Plätze. Die Veranstaltung begann, und ich musste mir jede Menge geheuchelter Dankesreden anhören, bis Ulrich Wickert die Kategorie «Beste Moderation Informationssendung» ankündigte. Endlich! Es ging los! Mein Herz begann heftig zu pochen. Ungefähr so müssen sich Jetpiloten fühlen. Wenn sie die Schallgrenze durchbrechen. Und dabei per Schleudersitz aus dem

Flugzeug katapultiert werden. Und feststellen, dass sie den Fallschirm vergessen haben.

Nach einer kurzen Ansprache, von der ich vor lauter Aufregung kein Wort mitbekam, verlas Wickert die Namen der Nominierten: «Daniel Kohn», «Sandra Maischberger» und «Kim Lange». Auf den Leinwänden im Saal sah man uns alle drei im Großformat, jeder um ein gelassenes Lächeln bemüht. Doch der Einzige, dem das überzeugend gelang, war Daniel.

Wickert hob an: «Und der Gewinner in der Kategorie ‹Beste Moderation Nachrichtensendung› ist ...» Er öffnete den Umschlag und machte eine Kunstpause. Mein Herz raste noch mehr. Im Rekordtempo. In Richtung Herzstillstand. Es war nicht auszuhalten.

Schließlich beendete Wickert die Kunstpause und sagte: «Kim Lange!»

Es war, als hätte mich ein riesiger Hammer getroffen, nur ohne Schmerzen. Voller Euphorie stand ich auf und umarmte Carstens, der mir mal wieder in die Wange kniff.

Ich gab mich dem Applaus hin.

Das hätte ich nicht tun sollen.

Vielleicht hätte ich dann das «Krittsschhh» gehört.

Oder ich hätte mich gewundert, dass meine Intimfeindin Sandra Kölling lächelte. Dabei hätte doch eigentlich Tollwutschaum aus ihrem Mund blubbern müssen.

Ich wurde aber erst stutzig, als ich auf dem Weg zur Bühne das erste Kichern hörte. Dann das zweite. Und das dritte. Immer mehr Leute kicherten. Und nach und nach schwoll all das Gekicher zu einem ausgewachsenen Gelächter an.

Auf der ersten Treppenstufe zum Podium hielt ich inne und realisierte, dass sich etwas anders anfühlte. Irgendwie luftig. Und auch hintenrum nicht so kneifend. Ich tastete vorsichtig mit der Hand an meinen Po. Das Kleid war gerissen!

Und das war noch nicht alles: Um in das Kleid zu passen, hatte ich keine Unterhose angezogen.

Ich zeigte also gerade tausendfünfhundert Prominenten meinen nackten Hintern!

Und dreiunddreißig Fernsehkameras!

Und damit sechs Millionen Zuschauern vor dem Fernseher!

4. KAPITEL

In diesem zweitmiesesten Moment des Tages hätte ich eigentlich cool auf die Bühne gehen müssen. Dort hätte ich einen guten Scherz über mein Malheur machen, etwa: «Anders kommt man heutzutage nicht auf Seite eins», und anschließend meinen Fernsehpreis genießen sollen.

Leider fiel mir dieser Plan erst ein, als ich mich in meinem Hotelzimmer eingeschlossen hatte.

Heulend warf ich mein andauernd klingelndes Handy ins Klo. Gefolgt von dem ständig bimmelnden Zimmertelefon. Ich war einfach nicht in der Lage, mit Journalisten zu reden. Oder mit Alex. Selbst Lilly wollte ich nicht sprechen, sie schämte sich bestimmt gerade höllisch wegen ihrer Mutter. Und ich schämte mich noch mehr, weil sie sich schämen musste.

Und es würde garantiert noch schlimmer werden in den nächsten Tagen. Ich sah schon die Schlagzeilen vor mir: «Deutscher Po-Preis für Kim Lange!», «Sind Unterhosen out?» oder «Auch Stars haben Orangenhaut!».

Da klopfte es an der Tür. Ich hielt inne. Wenn es ein Journalist war, würde ich ihn ebenfalls ins Klo werfen. Oder mich.

«Ich bin's, Daniel.»

Ich schluckte.

«Kim, ich weiß, dass du da drin bist!»

«Bin ich nicht», erwiderte ich.

«Nicht sehr überzeugend», antwortete Daniel.

«Stimmt aber», sagte ich.

«Komm schon, mach auf.»

Ich zögerte: «Bist du allein?»

«Natürlich.»

Ich überlegte, ging schließlich zur Tür und öffnete sie. Daniel hielt eine Flasche Champagner und zwei Gläser in den Händen. Er lächelte mich an, als hätte es mein Po-Waterloo nie gegeben. Und das tat mir gut.

«Wir wollten doch anstoßen», sagte er und blickte mir dabei in meine verheulten Augen. Ich brachte keinen Ton heraus, und er strich mir eine Träne von der Wange.

Ich lächelte. Er betrat das Zimmer. Und wir schafften es nicht mal mehr, den Champagner zu öffnen.

5. KAPITEL

Es war der beste Sex, den ich seit Jahren gehabt hatte. Es war wunderbar, phantastisch, supercalifragilistischexpialigetisch!

Danach lag ich in Daniels Armen, und es fühlte sich gut an. Und das war schrecklich. Es war wunderbar. Aber es war schrecklich. Wie konnte sich das so gut anfühlen? Ich hatte doch gerade meinen Mann betrogen. Und damit auch meine Tochter.

Ich konnte nicht länger so daliegen. Ich stand auf und zog mich an. Natürlich nicht das gerissene Kleid, das wollte ich am nächsten Morgen in den Müllschlucker werfen. Ich schnappte mir meine Jeans und den kratzenden Rolli.

«Wo willst du hin?», fragte Daniel.

«Nur kurz an die frische Luft.»

«Unten lauern die Reporter», warf Daniel besorgt ein.

«Ich geh aufs Dach.»

«Soll ich mitgehen?», fragte Daniel einfühlsam. Ich blickte in seine Augen und war überrascht: Anscheinend war er aufrichtig. Empfand er tatsächlich was für mich? Oder hatte er nur Angst, dass ich springe?

Ich sagte: «Ich geh nur kurz.»

«Versprochen?»

«Versprochen.»

Er schaute mich an. Mir war nicht ganz klar, was er dachte. Und ich sagte: «Ich will eigentlich nicht fragen, und deswegen frage ich nicht, aber ... wirst du ...»

«Ja, ich werde hier auf dich warten», antwortete er.

Ich freute mich. Ich war mir zwar nicht sicher, ob man ihm glauben konnte, aber ich freute mich.

Ich zog meine Schuhe an und ging aus dem Zimmer. Es war mein letzter Gang als Kim Lange.

6. KAPITEL

Die Raumstation Foton M3 führte für die russische Wissenschaft seit 1993 im Orbit medizinische, materialwissenschaftliche und biologische Experimente durch. Am Tag des Fernsehpreises wurde die veraltete Raumstation vom Raumfahrthafen Baikonur aus in die Erdatmosphäre geleitet, um dort zu verglühen. Doch dann mussten die Ingenieure im Kontrollzentrum feststellen, dass der Einfallswinkel von den Berechnungen abwich. Anstatt komplett in der Atmosphäre zu verglühen, wurden nur achtundneunzig Prozent der Station vernichtet. Die restlichen zwei Prozent landeten als Trümmer verstreut über Nordeuropa.

Warum ich diesen Mist erzähle? Weil das verdammte Waschbecken dieser verdammten Raumstation auf meinen Kopf fiel!

Ich stand auf der Dachterrasse des Hotels, blickte über das nächtlich funkelnde Köln und war allein mit all meinen verwirrten Gedanken. Meinte es Daniel ernst? Sollte ich mich von Alex scheiden lassen? Wie würde Lilly reagieren? Wird man meinen nackten Hintern noch in vierzig Jahren in Pannenshows auf der ganzen Welt zeigen?

Da sah ich am Himmel etwas aufleuchten. Es sah toll aus. Wie eine Sternschnuppe. Ich sah sie an, schloss meine Augen und wünschte mir: «Alles soll wieder gut werden.»

Durch meine geschlossenen Lider sah ich, dass es immer heller wurde. Wie ein Leuchtfeuer. Und es wurde lauter. Ohrenbetäubend. Ich riss die Augen auf und sah einen glühenden Feuerball genau auf mich zustürzen.

Mir war sofort klar, dass ich keine Chance hatte auszuweichen. Also dachte ich mir nur: «Was für eine bescheuerte Art zu sterben!»

Es folgte das obligatorische «Das Leben zieht an einem vorbei». Blöd, dass dabei nicht nur schöne Momente an einem vorbeiziehen. Folgendes sah ich vor meinem geistigen Auge:

- Mein Vater schaukelt mich als Kleinkind auf seinen Beinen. Ich bin voller Urvertrauen.
- Papa schaukelt mich auf dem Spielplatz. Ich bin immer noch voller Urvertrauen.
- Papa riecht nach Brötchen.
- Papa verlässt uns für die Bäckerin. So viel zum Urvertrauen.
- Ich mach Mama Frühstück – ich bin sieben.
- Ich bin in der Schule Außenseiterin.
- Ich lerne Nina kennen. Sie ist wie ich. Jetzt sind wir zwei Außenseiterinnen.
- Nina und ich wetten, wer zuerst seine Unschuld verliert. Wir sind dreizehn.
- Ein Jahr später. Ich hab die Wette gewonnen. Hätte lieber verloren.
- Mein Vater zieht weg. Keine Ahnung, wohin.
- Nina und ich ziehen um die Häuser. Viel Alkohol. Ein bisschen Ecstasy und viel Kopfschmerz.
- Endlich Abi. Nina und ich umarmen uns.
- Alex und ich lernen uns in Venedig kennen. Ich liebe ihn.
- Alex, Nina und ich machen gemeinsam Urlaub. Ich stelle fest: Sie liebt ihn auch.
- Er hat auch Gefühle für sie.
- Er entscheidet sich für mich. Uff.
- Ich schrei Nina an, dass ich sie nie wieder sehen will.
- Alex und ich heiraten in der Kirche San Vincenzo in Venedig. Ich zerspringe fast vor Glück.
- Lilly wird geboren. Ich spüre ihre Haut auf meinem Bauch. Der beste Moment in meinem Leben. Warum kann er nicht ewig dauern?
- Ich habe unseren Hochzeitstag vergessen.

- Alex und ich streiten uns. Er hat Lilly ein schwangeres Meerschweinchen gekauft.
- Ich schwöre Lilly, dass wir uns bald einen schönen Tag machen werden.
- Ulrich Wickert ruft: «Kim Lange.»
- Ich zeige sechs Millionen Menschen meinen nackten Hintern.
- Daniel und ich schlafen miteinander.
- Ich wünsche mir, dass alles wieder gut wird.
- Das glühende Waschbecken einer russischen Weltraumstation rast auf mich zu.

Nach diesem Schnelldurchlauf durch mein Leben sah ich plötzlich das Licht. So wie man es immer in Fernsehreportagen von den Menschen hört, die für wenige Minuten einen Herzstillstand hatten und dann wieder ins Leben zurückgerufen wurden.

Ich sah das Licht.
Es wurde immer heller.
Es war wunderschön.
Es umhüllte mich.
Sanft.
Warm.
Liebevoll.
Ich umarmte es und ging darin auf.
Gott, ich fühlte mich so wohl.
So geborgen.
So glücklich.
Ich war wieder voller Urvertrauen.

Doch dann wurde ich von dem Licht wieder abgestoßen.

Ich verlor die Besinnung.

Als ich wieder aufwachte, merkte ich, dass ich einen riesigen Kopf hatte.

Und einen wahnsinnigen Hinterleib.

Und sechs Beine.

Und zwei extrem lange Fühler.

Und das war die Nummer eins der miesesten Augenblicke des Tages!

7. KAPITEL

Wenn man plötzlich in einem Ameisenkörper wiedererwacht, gibt es nur eine normale Reaktion: Man glaubt es nicht.

Ich versuchte stattdessen zu rekonstruieren, was passiert war: Mir war dieses bekloppte russische Waschbecken auf den Kopf gefallen, dann hatte ich das Licht gesehen, wurde aber wieder zurückgeschleudert – das bedeutete: Ich war noch am Leben. Bestimmt hatte ich irgendeine Form von Schädelschaden. Ja, das musste es sein! Sicher lag ich im Koma und würde jeden Augenblick von irgendwoher Stimmen hören, nach dem Motto:

«Lebenssignale stabil!»

«Aber ihre Hirnfunktionen scheinen ausgesetzt zu haben.»

«Ich mach eine neue Bluttransfusion fertig.»

«Anschließend gibt es eine Adrenalininjektion, intravenös.»

«Gott, sie ist schön, wie sie so daliegt.»

«Wer sind Sie denn?»

«Daniel Kohn!»

Au Mann, selbst in dieser Situation dachte ich an Daniel.

Aber ... wenn ich im Koma war, warum bildete sich mein Hirn dann ein, ich wäre eine Ameise? Lag das an einem Kindheitstrauma? Und falls ja: Wie bescheuert muss ein Kindheitstrauma sein, dass man sich später im Koma für eine Ameise hält?

Mein linkes Vorderbein kratzte sich fragend am Fühler. Damit brachte es sämtliche Sinne durcheinander. Anscheinend schmeckte, tastete und roch ich mit den Dingern: Mein Bein schmeckte salzig, es fühlte sich hart an, und es roch nach «muss dringend mal unter die Dusche».

Diese Reizüberflutung war mir eindeutig zu heftig.

Panisch dachte ich darüber nach, wie ich mit den Ärzten und Schwestern Kontakt aufnehmen konnte. Wenn ich mich bemühte, ganz laut zu schreien, würden sie die Komapatientin vielleicht murmeln hören. Sie würden merken, dass ich noch bei Bewusstsein bin, und mich aus diesem Albtraum befreien. Ich begann also, wie wild herumzubrüllen: «Hilfe!!! So helft mir doch!»

Meine Ameisenstimme war unglaublich schrill. Ein bisschen so wie die von meiner ehemaligen Englischlehrerin, kurz bevor sie für mehrere Monate in die geschlossene Psychiatrie eingeliefert wurde.

«Hilfe! Mein Hirn ist nicht tot! Kann mich jemand hören?», rief ich immer schriller.

«Natürlich kann ich dich hören. Du bist ja laut genug», antwortete eine gütige Stimme.

Ich erschrak. Und ich freute mich. Man hatte mich gehört. Die Ärzte hatten mit mir Kontakt aufgenommen! Halleluja! Ich war kurz davor, mit meinen sechs Beinen einen Freudentanz aufzuführen.

«Könnt ihr mich aus dem Koma holen?», fragte ich hoffnungsvoll.

«Du liegst nicht im Koma», antwortete die gütige Stimme.

Ich war geschockt. Wenn ich nicht im Koma lag, wo war ich dann? Und wer sprach mit mir?

«Dreh dich um.»

Langsam drehte ich mich um – meine erste 180-Grad-Drehung auf sechs Beinen, deren Koordination deutlich schwieriger war, als einen Lkw rückwärts einzuparken mit führerscheingefährdendem Alkoholpegel.

Als ich meine Hinterbeine wieder entknotet hatte, erkannte ich ein bisschen mehr, wo ich mich befand: Ich war nahe der Erdoberfläche, in einem Erdtunnel, der offensichtlich von Ameisen ausgescharrt worden war. Und in diesem Tunnel stand eine Ameise. Eine außerordentlich dicke Ameise. Sie lächelte mich sanft an. Wie der Weihnachtsmann. Wenn er Haschkekse gefuttert hat.

«Wie geht's?»

Es war eindeutig die Ameise, die da sprach. Jetzt war es amtlich: Mein Gehirn hat winke, winke gemacht.

«Du bist sicherlich etwas verwirrt, Kim.»

«Du ... du kennst meinen Namen?», fragte ich.

«Natürlich», lächelte die dicke Ameise, «ich kenne alle Namen.»

Eine Antwort, die mehr Fragen aufwarf, als sie beantwortete.

«Du willst sicherlich wissen, wer ich bin», sagte die Ameise.

«Das und wie ich aus diesem Albtraum rauskomme.»

«Dies ist kein Albtraum.»

«Ist es eine Halluzination?»

«Es ist auch keine Halluzination.»

«Was ist es dann?», fragte ich und ahnte schon, dass mir die Antwort nicht gefallen würde.

«Es ist dein neues Leben.»

Und bei diesem Satz begannen meine dünnen Beinchen zu zittern, und meine Fühler schlackerten entsetzt hin und her.

8. KAPITEL

«Siddhartha Gautama», sagte die dicke Ameise gütig.

«Wie bitte, was?», fragte ich völlig überfordert.

«Das ist mein Name.»

Diese Aussage lenkte mich von meinem zitternden Körper ab. Siddhartha – war das nicht ein Film mit Keanu Reeves? Alex hatte mich da reingeschleppt. Er hatte einen Faible für Art-House-Filme, bei denen man vor lauter Langweile nach zwanzig Minuten aufs Klo geht und dort lieber alle Sprüche an Türen und Wänden liest. In diesem «Siddhartha»-Film ging es um ...

«Buddha», sagte die dicke Ameise, «Buddha ist der Name, unter dem du mich sicherlich besser kennst.»

Ich hatte von Buddha keine allzu große Ahnung, vielleicht hätte ich bei dem Film besser aufpassen sollen, anstatt darüber nachzudenken, dass Keanu Reeves mit nacktem Oberkörper zum Anknabbern aussieht. Aber eins wusste ich ziemlich genau:

«Buddha ist keine Ameise.»

«Ich erscheine in der Form, in dem die Seele des Menschen wiedergeboren wird. Du bist als Ameise wiedergeboren worden. Also erscheine ich dir als Ameise.»

«Wiedergeboren?», stammelte ich.

«Wiedergeboren», bestätigte Buddha.*

«Okay, okay, okay», sagte ich kurz vorm Durchdrehen, «jetzt nehmen wir mal an, dass ich das Ganze glaube, was ich natürlich nicht tue, weil das alles so absurd ist, dass man es unmöglich glauben kann und ich es dementsprechend wirklich nicht glaube, auch wenn ...»

«Worauf willst du hinaus?», unterbrach mich Buddha, und ich versuchte, meinen Wortschwall in geordnete Bahnen zu lenken: «Wenn ... wenn du Buddha bist und ich wiedergeboren wurde ... warum als eine Ameise?»

«Weil du es nicht anders verdient hast.»

«Was soll das heißen? Etwa, dass ich ein schlechter Mensch war?», sagte ich empört. Ich konnte es noch nie ausstehen, wenn man mich beleidigt.

Buddha schaute mich nur stumm lächelnd an.

«Diktatoren sind schlechte Menschen», protestierte ich, «Politiker, meinetwegen auch noch die Programmplaner beim Fernsehen, aber doch nicht ich!»

«Diktatoren werden auch als etwas anderes wiedergeboren», entgegnete Buddha.

«Und als was?»

«Als Darmbakterien.»

Während ich mir noch ausmalte, wie Hitler und Stalin sich in Enddärmen tummelten, sah mir Buddha tief in meine drei Stirnaugen: «Aber Menschen, die zu anderen nicht gut waren, kommen als Insekten neu auf die Welt.»

«Nicht gut?»

«Nicht gut», bestätigte Buddha.

* Aus Casanovas Erinnerungen: Als mir Buddha vor Jahrhunderten eröffnete, dass ich fortan mein Leben als jämmerliche Ameise fristen müsste, bedrückte mich ein schrecklicher Gedanke am meisten: Ich würde nie wieder leidenschaftliche Liebesnächte erleben dürfen.

«Ich war nicht gut zu anderen?»

«Genau.»

«Okay, okay, ich bin vielleicht nicht immer perfekt gewesen. Aber wer zum Teufel ist das schon?», fragte ich sauer.

«Mehr Menschen, als du denkst.» Dann fügte er noch hinzu: «Mach das Beste aus deinem neuen Leben.»

Darauf drehte er sich um und ging fröhlich pfeifend Richtung Tunnelausgang.

Ich konnte es einfach nicht fassen: Nicht gut? Ich soll nicht gut zu den anderen gewesen sein?

«Warte», schrie ich und rannte ihm hinterher. «Wir sind noch nicht fertig!»

Er drehte sich nicht um, ging einfach weiter.

«Ich war gut zu den anderen, sogar sehr gut, geradezu supergut ...», rief ich. «... Ich hab einen Riesenhaufen Spendenquittungen ...»

Ich rannte immer schneller den Tunnel hinauf, bis meine Hinterbeine sich so mit meinen Mittelbeinen verwickelten, dass ich stolperte. Ich krachte gegen die Wand. Ein Haufen Erde bröckelte auf mich herab. Und als ich meine Fühler von den feuchten Klumpen befreit hatte, hatte Buddha sich in Luft aufgelöst.

9. KAPITEL

Ich war allein in dem Tunnel und mit meinen Gedanken, von denen geschätzte drei Millionen gleichzeitig durch meinen Kopf schossen und um meine Aufmerksamkeit kämpften. Anfangs sah es noch so aus, als ob das Argument «Ich war im letzten Jahr sogar auf sieben Benefizgalas» siegen würde. Dann boxte es der Gedanke «Wer gibt dieser fetten Ameise das Recht, über mich zu urteilen?!» für kurze Zeit von der Führungsposition. Doch schließlich siegte im Fotofinish die Feststellung: «Ach du Scheiße, ich bin wirklich tot.»

Aber bevor ich überhaupt realisieren konnte, was das bedeutete, wurde ich durch ein Stampfen abgelenkt. Es hörte sich an, als ob eine Kompanie sich näherte – was wohl in erster Linie daran lag, dass sich tatsächlich eine Kompanie näherte. Eine Ameisenkompanie. Sie kam aus der Richtung, in die Buddha verschwunden war. Vorneweg stapfte eine herrische Anführerin, die ich dank des ausgeprägten Gehörsinns in meinen Fühlern auch aus der Entfernung deutlich verstehen konnte. Sie brüllte Sätze wie: «Schneller, ihr Faulpelze», «Euch mach ich Beine», und «Wenn ihr nicht spurt, stopf ich euch die Fühler in die Hinterleibsöffnung!»

Der Anführerin hätte eine Fortbildung in positiver Mitarbeitermotivation sicherlich gutgetan. Hinter ihr gingen zehn Arbeiterinnen. Sie schleppten etwas, was aussah wie ein Stückchen von einem jener Bio-Gummibärchen, die Lillys Kumpel Nils so gerne aß. Nils gehörte in die Kategorie «Nervtötkinder». Ich erinnerte mich an meine letzte Unterredung mit dem Balg, als ich ihm mit sanfter Stimme erklärte: «Wenn du mich noch einmal blöde Schlampe nennst, wird dich nachts ein Monster aufsuchen und dir deinen kleinen frechen Mund zunähen.»

«Hey du, pack mit an!», schrie die Anführerin.

Ich blickte sie an.

«Ja, dich hab ich gemeint!», brüllte sie.

Ich wusste nicht, wie ich reagieren sollte, schließlich wird man nicht alle Tage von einer Ameise angeschrien.

«Welcher Einheit gehörst du an?»

«Ich ... ich weiß nicht», antwortete ich ebenso wahrheitsgemäß wie verdattert.

Die Anführerin wurde bei meiner sichtlichen Verwirrung einen Hauch milder: «Ah, verstehe, du warst im großen Nebel.»

«Was für ein großer Nebel?»

«Der große Nebel, der von Zeit zu Zeit draußen erscheint. Die meisten, die er erwischt, sterben jämmerlich. Die, die Glück haben wie du, werden verwirrt oder blind. Oder beides.»

Das klang für mich verdammt so, als ob es sich bei dem großen Nebel um Insektengift handelte, so wie ich es auch mehr als einmal – vergeblich – benutzt hatte, um die Ameisen von unserer Terrasse zu vertreiben.

«Ja, ähem ... ich bin ein Opfer des großen Nebels», antwortete ich.

«Ich bin Kommandant Krttx», erklärte sie schnarrend.

Ich wunderte mich nicht nur über die Abwesenheit von Vokalen in ihrem Namen, sondern auch über die vielen Narben, die sich über ihren Körper zogen. Hatte sie sich die im Kampf zugezogen?

«Wie heißt du?», fragte Krttx.

«Kim.»

«Was ist das denn für ein bescheuerter Name?»

Und ich hörte, wie die Soldatinnen leise kicherten.

«Ruhe im Glied», schrie Krttx. Spaß in der Truppe konnte sie anscheinend nicht ertragen.

«Pack mit an, Kim», sagte sie, und aus ihrem Mund klang «Kim» wie ein besonders abfälliges Schimpfwort.

«Nein danke», antwortete ich. Das fehlte mir noch: Tot sein und dann auch noch Gummibärchen schleppen!

«Pack mit an!»

«In diesem Ton schon mal gar nicht.» Mir passte es nicht, so angeschrien zu werden. Wenn in einem Gespräch mit meiner Beteiligung jemand laut wurde, dann war das in der Regel ich.

«Ach, welchen Ton hättest du denn gerne?», fragte Krttx in einem süßlichen Tonfall.

«Einen angemessenen», erwiderte ich.

«PAAACK MIT AAAAAAANNNN!», brüllte Krttx so laut, dass meine Fühler vibrierten.

Und dann fragte sie noch eine Spur süßlicher: «War das angemessen genug?»

«Nicht wirklich», erwiderte ich.

Die Chefameise wurde nun richtig wütend und zischte: «Du packst jetzt sofort mit an.»

«Warum sollte ich?»

«Weil ich dir sonst das Genick breche.»

Das war ein ziemlich überzeugendes Argument.

Eingeschüchtert reihte ich mich ein und musste mit den anderen Arbeiterinnen das Gummibärchenstück schultern. Es fühlte sich klebrig an und stank unglaublich nach künstlicher Erdbeere. Wir schleppten es durch den nicht enden wollenden Tunnel, der immer tiefer in das feuchte Erdreich führte. Es war wahnsinnig anstrengend. So hatte ich lange nicht mehr geschwitzt. Ich war ja nie so der Typ für Sport. Jedes Mal, wenn Alex mich fragte, ob ich nicht mal mit ihm joggen wollte, antwortete ich nur: «Wenn Gott gewollt hätte, dass die Menschen joggen, hätte er dafür gesorgt, dass sie in Jogginganzügen ästhetisch aussehen.»

So hechelte ich unter dem Gelatine-Zucker-Klumpen, genauso wie die Ameisen um mich herum, die jeglichen Augenkontakt untereinander vermieden – es war eine ziemlich eingeschüchterte Truppe.

Nach einer Weile wandte ich mich an die kleine, junge Arbeiterin, die neben mir ging: «Bist du auch wiedergeboren worden?»

Doch noch bevor die etwas antworten konnte, schrie Krttx: «Du, Neue! Weißt du, was ich mit denen mache, die bei der Arbeit reden?»

«Ihnen das Genick brechen?», fragte ich.

«Nachdem ich ihnen die Fühler rausgerissen habe.»

Krttx' Drohungen wurden immer kreativer, je schlapper wir wurden. Am Ende wollte sie sehr unangenehme Dinge mit unseren Sexualdrüsen veranstalten. Aber ich war zu erschöpft, um das überhaupt noch zu hören. Meine Beine schwankten unter dem Gewicht des Gummibärchenteils, meine Fühler rochen meinen eigenen stechenden Schweiß, und ich sehnte mich nach einem heißen Schaumbad mit Ayurveda-Zusatz. Auch wenn mir klar war, dass Ameisen eher selten in Schaumbäder mit Ayurveda-Zusatz anzutreffen sind. Und falls doch, nur als ertrunkene Leiche, die im Abfluss verschwindet.

Endlich gelangten wir an das Ende des Tunnels, und ich hörte ein wahnsinniges Gesurre. Von Schritt zu Schritt wurde es lauter. Und dann bot sich mir der atemberaubendste Anblick, den ich je gesehen hatte: Ameisen-Metropolis. Ein riesiger Hohlraum tief in der Erde, beschienen durch Sonnenlicht, das durch die unzähligen Tunnel eindrang und das mir – dank meiner lichtempfindlichen Augen – vorkam wie helllichter Tag.

Hunderte, Tausende, Zehntausende Ameisen surrten, wuselten und sausten hier durcheinander.

Jede kannte ihren Weg in diesem von ihnen geschaffenen Reich aus Trampelpfaden, Futterhalden und Brutstätten.

Ich war überwältigt. So musste man sich fühlen, wenn man in einem Allgäuer Bauerndorf aufgewachsen ist und dann mitten zur Hauptverkehrszeit in Kairo ausgesetzt wird.

Ich sah den Flugameisen zu, die im Formationsflug über unseren Häuptern dahinzogen. Ich betrachtete die Arbeiterinnen, die mit ungeheurer Disziplin Kammern in die Erdwälle bauten. Ich staunte über die Soldatinnen, die Futter auf enorm hohe Halden schleppten. Es war das Chaos, aber auf eine perfekte Art und Weise. Oder war es Perfektion auf eine chaotische Art und Weise? In jedem Fall war es monumental!

Plötzlich sausten zwei Flugameisen in einem Affentempo wie Cessnas knapp über unsere Köpfe hinweg. Dabei lachten sie übermütig: «Mann, sind diese Arbeiterinnen alle lahmarschig!»

«Es muss echt blöd sein, ohne Flügel zu leben.»

«Ja, gut, dass wir keine Frauen sind.»

Krttx schaute ihnen wütend nach und fluchte: «Blöde Männchen! Total unnütz in dieser Welt.»

Und ich dachte: Das ist ein Satz, den man auch oft von Menschenfrauen hört.

«Das Einzige, was die können, ist die Königin begatten», fluchte Krttx weiter.

Und ich dachte: Das ist ein Satz, den man von Menschenfrauen nicht ganz so oft hört.

Ich blickte den Flugameisen hinterher. Ich war so reizüberflutet, ich hörte nicht mal mehr Krttx' Flüche. Was schade war, denn sonst hätte ich ihr «Beweg dich, oder ich beiß dir gleich in den Hintern!» gehört.

«AUU», schrie ich laut auf und setzte mich wieder in Bewegung.

Schließlich gelangten wir mit unserer Gummibärchenlast zu einer Nahrungshalde, und ich bemerkte, dass sie aus lauter Menschenabfällen bestand: Hier ein Rest von einer Negerkusswaffel, dort ein Stückchen Schokolade, da ein halbes Karamellbonbon. Bei dem Anblick fragte ich mich unwillkürlich: «Können Ameisen eigentlich Diabetes kriegen?»

Als wir das Gummibärchenteil abgelegt hatten, waren wir alle fix und fertig. Krttx führte uns zu unserem Schlafplatz in einer Mulde nahe der Futterhalde. Der ganze Trupp fiel auf der Stelle um und begann zu schnarchen. Außer der jungen Ameise, die ich im Tunnel angesprochen hatte.

«Ich bin Fss», sagte sie.

«Hallo, Fss, ich bin Kim», antwortete ich.

«Das ist wirklich ein bescheuerter Name», grinste sie.

«Sagt ausgerechnet jemand, der Fss heißt», erwiderte ich sauer. Diese Ameisen konnten einem ganz schön auf den Keks gehen.

«Du hast mich vorhin was gefragt», nahm Fss das Gespräch wieder auf.

Mit einem Mal war ich wieder munter. Und aufgeregt: «Ja, ich wollte wissen, ob du auch wiedergeboren bist.» Teilte diese junge Ameise etwa mein Schicksal? Waren vielleicht alle Ameisen wiedergeborene Menschen? War ich nicht allein?

Sie schaute mich an, legte ihren Kopf ein bisschen zur Seite und überlegte. Lange. Und dann fragte sie voller Unschuld: «Was ist das, ‹wiedergeboren›?»

Und meine Hoffnung war zerstört.

10. KAPITEL

Allmählich kam die Ameisenstadt zur Ruhe. Das Surren, Wuseln und Sausen hatte sich gelegt. Das war also keine «City, that never sleeps». Nur ich fand keinen Schlaf, egal wie sehr mein Körper auch danach lechzte.

So hatte ich mir den Tod nicht vorgestellt. Um genau zu sein: Ich hatte ihn mir gar nicht vorgestellt. Ich war zu sehr mit meinem hektischen Leben beschäftigt. Mit unwichtigen Dingen (z. B. Steuererklärung), wichtigen Dingen (z. B. Karriere) und extrem wichtigen Dingen (z. B. Wellnessmassagen). Die letzte Wellnessmassage hatte ich genossen, während Alex mit Lilly auf dem Kindergartenfest alberne Ostereiernester basteln musste ...

Lilly! Mein Gott! Ich würde meine kleine Tochter nie mehr wiedersehen!

Ich musste heftig schlucken: Ich würde nicht erleben, wie Lilly ihren ersten Zahn der Zahnfee gibt. Nicht ihren ersten Schultag. Nicht ihren ersten Kinobesuch. Nicht ihre erste Klavierstunde. Nicht ihre Pubertät ... Okay, auf die konnte man vielleicht verzichten.

Aber auf den Rest nicht!

Lilly musste jetzt ihr Leben ohne mich leben.

Und ich meins ohne sie.

In diesem Augenblick merkte ich, dass auch Ameisen ein Herz haben.

Es lag genau hinter den Hinterbeinen, im dicken Hinterleib.

Und es tat beim Gedanken an meine Tochter höllisch weh.

Plötzlich durchschnitt ein Schrei die nächtliche Ruhe: «Haltet ihn!»

Die Ameisen neben mir wachten langsam auf, irritiert. Oben in der dunklen, dank des durch die Tunnel fallenden Mondlichts schwach beschienenen Erdkuppel erspähte ich den Grund für den Aufruhr: Eine männliche Ameise, die in einem Wahnsinnstempo um ihr Leben flog. Verfolgt von einem Dutzend anderer Flugameisen.*

Es war ein unglaubliches Spektakel.

Der Flüchtling wollte einen jener Tunnel erreichen, die vom Kuppeldach an die Erdoberfläche führten. Seine Verfolger versuchten mit aller Macht, ihm den Weg abzuschneiden, doch er wich immer wieder aus, drehte Loopings und schlug Haken. Obwohl ich ihn nicht kannte und auch nicht den blassesten Schimmer hatte, worum es ging, hoffte ich, dass er es schafft. Ich ahnte, dass es ansonsten übel für ihn ausgehen würde.

«Sie kriegen ihn», sagte Krttx in einem Tonfall, der verriet, dass sie schon öfter dergleichen gesehen hatte.

Dabei sah es so weit ganz gut für den Fliehenden aus: Er kam dem rettenden Tunnel immer näher, bald würde er in ihm verschwinden. Jetzt beneidete ich ihn richtig, hätte ich doch auch am liebsten Flügel gehabt. Mit ihnen hätte ich aus diesem mistigen Ameisenhaufen fliehen können. Vielleicht sogar zu meiner kleinen Lilly.

Es waren nur noch Sekunden, bis der Flüchtling in dem Tunnel verschwinden würde, da schossen aus einer Kammer im Erdwall dreißig weitere Flugameisen.

«Noch mehr Liebhaber der Königin», kommentierte Krttx. Ich überlegte kurz, was die Königin wohl mit all

* Aus Casanovas Erinnerungen: Nach dem wenig erbaulichen Liebesakt hätte ich der Königin auf deren Frage «War es für dich auch schön?» wohl nicht so wahrhaftig Auskunft über ihre erotischen Qualitäten erteilen sollen.

diesen Lovern anstellt, merkte aber, dass ich das lieber gar nicht wirklich wissen wollte.

Die wütenden Jäger donnerten im steilen Formationsflug auf die flüchtende Ameise zu und schnitten ihr kurz vor dem Tunneleingang den Weg ab.

«Jetzt wird er gekillt», sagte Krttx in dem gleichen «Das hab ich schon öfter gesehen»-Tonfall wie zuvor.

Und tatsächlich: Alle Ameisen stürzten sich auf den Flüchtling. Er ging in dem fliegenden Haufen unter und war nicht mehr zu sehen. Man sah nur noch eine surrende Wolke, die in Hochgeschwindigkeit um die eigene Achse rotierte.

Kurz darauf stoben die Jäger wieder auseinander, und aus ihrer Mitte fiel der Flüchtling wie ein Stein Richtung Boden. War er bewusstlos? War er tot?

«Haut ab», schrie Krttx uns an.

Die Ameisen aus meinem Trupp liefen in alle Himmelsrichtungen. Ich blieb stehen, starrte weiter gebannt auf die fallende Ameise, und erst dann realisierte ich, warum alle wegliefen: Sie stürzte direkt auf mich zu!

Ein elektrisches Stechen schoss durch meinen Kopf. Es war wohl eine Art Alarmsignal der Ameisen, das den Fluchtinstinkt auslöst – gemeiner als jeder menschliche Kopfschmerz. Fieser sogar als eine Migräne bei Liebeskummer.

Mein ganzer Körper befand sich im Fluchtmodus, doch mein Verstand hatte was anderes vor: Wenn die Ameise auf mich prallt, bin ich tot. Und wenn ich tot bin, entkomme ich diesem Albtraum.

Vielleicht.

Es kam auf einen Versuch an.

Ich blieb stehen. Das elektrische Stechen im Kopf wurde immer heftiger und wollte mir damit den Befehl geben: Setz verdammt nochmal deine stinkenden Beinchen in Bewegung!

Aber ich widerstand dem Schmerz und krallte mich im Boden fest. So hatte ich meinen Körper nicht mehr überwunden, seit ich mit zwölf Jahren bei «Wahrheit oder Pflicht» den dicken Dennis küssen musste.

«Bist du wahnsinnig?», schrie Krttx und schubste mich aus der Aufprallzone. Eine heldenhafte Tat, bei der sie ihr Leben riskierte. Krttx war zwar eine Anführerin, deren Wortschatz zu siebenundachtzig Prozent aus Flüchen bestand, aber sie setzte sich für ihre Leute ein. Von welchem menschlichen Vorgesetzten kann man das schon behaupten? Ich jedenfalls hätte nie mein Leben für meine Redaktionsassistentinnen riskiert! (Einmal hatte ich mir den Fingernagel abgebrochen, als ich der dicken Sonia – ich vermied es, Leute einzustellen, die besser aussahen als ich – half, ihren Ärmel aus dem Papierschredder zu ziehen. Daraufhin beschloss ich, in Zukunft die Sonias dieser Welt ihrem Schredderschicksal zu überlassen.)

Aber Krttx' mutiger Einsatz wäre gar nicht nötig gewesen: Kurz vor dem Aufprall erwachte die fallende Ameise wieder zum Leben. Sie flatterte mit den Flügeln, wobei der linke schwer zuckte – er war eingerissen. Das hektische Flattern bremste den Fall etwas, aber nicht völlig. Die Ameise machte eine krachende Bruchlandung, genau neben mir, und der Einschlag ließ meine Füße vibrieren. Benommen blickte die gestürzte Ameise in meine Richtung, schien mich aber nicht wahrzunehmen. Sie versuchte loszulaufen, doch die Beine brachen unter ihrem Körper zusammen. Sie robbte los und stieß dabei einen Schmerzensschrei aus, der mein Herz zuschnürte.

Krttx rief: «Nehmt ihn gefangen!» Die anderen Ameisen aus meinem Trupp stürzten sich auf das arme Wesen. Sie schlugen den Flüchtling mit ihren Beinen, bissen ihn mit ihren Kiefern und jaulten dabei kriegerisch – es war ein Gemetzel.

Ich konnte es nicht ertragen und tat das, was die meisten in so einer Situation tun würden: Ich schaute weg. Ich bedeckte sogar meine Augen mit den Beinen, was eine große logistische Herausforderung war, bei fünf Augen und sechs Beinchen.

Doch ich konnte mein Gewissen nicht ausblenden: Musste ich nicht eingreifen – so wie Alex sich damals in Venedig gegen Grabbel-Salvatore mutig für mich eingesetzt hatte?

Andererseits ging es hier um Ameisen und nicht um Italiener.

Wiederum andererseits: Würde ich je wieder in einen Spiegel blicken können, wenn ich jetzt nicht half?

Aber wiederum wiederum andererseits: Als Ameise würde ich wohl nicht mehr in die Verlegenheit kommen, noch einmal in einen Spiegel zu schauen.

Und wiederum wiederum wiederum andererseits: Es war so unerträglich, dass ich es einfach nicht mehr aushalten konnte. Ich schrie die Ameisen an: «Ihr Schweine!»

Die Ameisen machten ungerührt weiter. Höchstwahrscheinlich war «Schweine» in diesem Zusammenhang nicht das bestgewählte aller Schimpfworte.

Also schrie ich noch lauter: «Hört auf. Das ist unmenschlich!»

«Unmenschlich?», stammelte der Flüchtling. Die Ameisen hämmerten weiter auf ihn ein, aber er schien das nicht mehr wahrzunehmen. Er konzentrierte sich nur auf mich.

«‹Unmenschlich› ... das Wort ... kennen Ameisen nicht ... sind ... sind Sie ... auch ... wiedergeboren?»

Ich war elektrisiert: Ich war nicht der einzige ehemalige Mensch hier. Ich war nicht allein mit meinem Schicksal!

Und wenn es noch mehr reinkarnierte Menschen in diesem Ameisenstaat gab, dann könnten wir uns vielleicht gemeinsam retten. Irgendwie?

Ich versuchte, die anderen Ameisen daran zu hindern, weiter auf den wiedergeborenen Menschen einzuschlagen: «Hört endlich auf! Ihr bringt ihn ja um!»

Zu meiner großen Überraschung sagte Krttx: «Sie hat recht. Es reicht.»

Die Ameisen ließen von ihrem Opfer ab. Regungslos lag er da, zu schwach, um noch irgendetwas zu sagen. Es schien ihn seine ganze verbliebene Kraft zu kosten, den Blickkontakt mit mir zu halten. Krttx baute sich vor dem Flüchtling auf, streckte ihm ihren buckligen Unterkörper entgegen, wackelte etwas hin und her und sprühte ihm einen Riesenschwall schwarzer Flüssigkeit ins Gesicht. Ameisensäure.

Ich fragte ihn noch hastig: «Wie heißt du?»

Er antwortete: «C... Ca... ss...» Und fiel in eine tiefe Ohnmacht.*

* Aus Casanovas Erinnerungen: In all meinen tristen Ameisenleben kreuzten nur drei andere wiedergeborene Menschen meine Wege. Der erste war der berüchtigte Dschingis Khan. Er hatte, so schilderte er, schon einige andere Leben durchlitten, etwa als Schweinefloh. Als ich dies hörte, amüsierte ich mich königlich. Er aber bebte ob meines Gelächters erzürnt: «Früher hätte ich dich in siedendes Öl werfen lassen. Aber jetzt bin ich friedlicher.» Sprach's und machte in meine Fühler einen gordischen Knoten. Fortan mied ich es tunlichst, die Wege des «friedlichen» Khans zu kreuzen. Der zweite reinkarnierte Mensch, dem ich begegnete, war eine Ameise, die sich mir als Albert Einstein vorstellte. Albert nahm sein Schicksal duldsam hin und merkte nur an, dass das Universum anscheinend noch sehr viel relativer war, als er es je für möglich gehalten hätte. Und der dritte reinkarnierte Mensch, mit dem ich als Insekt Bekanntschaft schließen durfte, war Madame Kim. Das Wesen, das mein jämmerliches Dasein von Grund auf verändern sollte.

Die anderen Ameisen schleppten den Flüchtling fort. Ich fragte die kleine Fss, was mit ihm geschehen würde, und sie antwortete: «Das entscheidet die Königin.»

«Und was wird sie entscheiden?», hakte ich nach.

«Entweder lässt sie ihn öffentlich hinrichten ...»

«Oder?», schluckte ich.

«Sie lässt ihn ohne Zuschauer hinrichten.»

Ich schluckte noch heftiger. Es war so gemein: Da hatte ich einen anderen wiedergeborenen Menschen getroffen, nur um seiner baldigen Bestattung beiwohnen zu müssen.

11. KAPITEL

Während die anderen Ameisen schlummerten und dabei schnarrend nach Luft röchelten, zuckten einige von ihnen unruhig hin und her – sie träumten. Vielleicht von Futter. Oder von dem Flüchtling. Oder davon, in welche Körperöffnungen Krttx ihre Fühler stopfen konnte.

Dass Ameisen auch träumen konnten, hatten Wissenschaftler nie bemerkt. Aber die haben es ja eh nicht drauf. Sonst hätten die Herrschaften längst schon einen Instantkaffee erfunden, der schmeckt. Stattdessen lassen sie Raumstationen auf die Köpfe unschuldiger Leute abstürzen. Na, vielen Dank. Ich malte mir aus, wie ich den russischen Wissenschaftlern, die für meinen Tod verantwortlich waren, Ameisensäure ins Gesicht spritzte.

Mein Gott, einen Tag war ich erst tot, und ich dachte schon ein bisschen wie eine Ameise.

Und dann fiel ich in ein tiefes Loch des Selbstmitleids: Ich dachte an all die Dinge, die ich nicht mehr erleben würde, weil ich kein Mensch mehr war: ausgiebige Einkaufsbummel in Manhattan, Küsse mit Daniel Kohn, Wellnessanwendungen, Sex mit Daniel Kohn, die Spaghetti Gamba bei unserem Stammitaliener, Daniel Kohns Liebesgeständnis ...

In diesem Moment fiel mir auf, dass in meinen Gedanken überdurchschnittlich oft Daniel Kohn vorkam und unterdurchschnittlich oft mein eigener Ehemann.

Aber war das falsch?

Meine Ehe war doch am Ende. Und außerdem war ich ja auch tot. Da konnte ich doch ruhig mal an einen anderen Mann denken!

Und mit dem Gedanken an den supercalifragilistischexpialigetischen Sex mit Daniel Kohn schlief ich ein.

Ich hatte einen wilden Traum, in dem ich wieder ein Mensch war. Ein wunderbares Gefühl. Ich hatte wieder zwei Augen, zwei Beine, zehn Zehen mit zehn lackierten Nägeln – alles war da, wo es sein sollte. Selbst über meine Orangenhaut konnte ich mich freuen. Doch dann stand plötzlich Krttx vor mir. In Menschengröße. Sie packte mich und führte mich vor Alex, der in Gestalt einer Ameisenkönigin erschien. Mit dröhnender Stimme verkündete er: «Wegen Fremdgehens mit Daniel Kohn verurteile ich dich zum Tode.» Darauf marschierten Hunderte riesengroße Ameisen auf mich zu und wetzten gierig ihre Kiefer.

Laut schreiend wachte ich auf.

Ich hatte eine solche Angst, wieder einzuschlafen.

Aber noch schlimmer war es, wach dazuliegen und meinem schlechten Gewissen gegenüber Alex ausgeliefert zu sein.

Nach langem Grübeln fiel ich endlich in einen traumlosen Schlaf. Nur um kurz darauf von Krttx aufgeweckt zu werden. «Aufstehen!», schrie sie.

Mit ihrer Stimme hätte sie nicht nur Tote aufwecken können, sie hätte die Toten auch dazu gebracht, Frühgymnastik zu machen.

Alle Ameisen standen sofort stramm. Nur ich kam nicht gleich auf die Beine, ich war einfach noch zu fertig.

«Genug geschlafen!», brüllte mich Krttx an.

Genug geschlafen? Hatte die noch alle Kekse in der Dose? Wir hatten doch gerade mal ein paar Stunden geruht.

«Wir müssen Futter besorgen!»

Alles tat mir noch weh von der Plackerei gestern, und jetzt sollte ich schon wieder etwas schleppen? Würde das jetzt mein Leben sein, jeden Tag Bio-Gummibärchen auf dem Buckel zu schleppen?

«Buddha!», schrie ich. Ich wollte mich beschweren. So ging das ja nicht. Man kann doch nicht einfach Leute ohne faires Verfahren zu einem Leben als Ameise verurteilen!

«Buddha!», rief ich nochmal.

«Hier gibt es keinen Buddha.» Krttx klang gefährlich genervt.

Ich schrie nochmal: «Buddha, wenn du mich nicht gleich aus diesem Mist hier befreist, dann ... dann ...»

Mir fiel auf, dass ich kein besonderes Druckmittel gegen ihn hatte.

Dafür hatte Krttx eines gegen mich: «Wenn du nicht sofort aufstehst», sagte sie, «dann ...»

«... brichst du mir das Genick, reißt mir die Fühler raus undsoweiterundsofort ...», ergänzte ich geschlagen und rappelte mich auf. Wissend, dass der dicke Buddha sich wohl nicht mehr melden würde.

Unser Trupp stapfte durch die Tunnel bergauf, Richtung Erdoberfläche. Der Anstieg war steil, teilweise über fünfundvierzig Grad. Selbst Profiradfahrer schaffen so etwas nur mit Blutdoping.

Am Tunneleingang machte Krttx uns auf die Gefahren aufmerksam, die uns draußen erwarten: «Wir müssen auf die Spinnen aufpassen.»

Spinnen? Achtbeinige Monster! Die wären doch garantiert zehnmal größer als ich in meinem Ameisenkörper! Ich hatte ja schon Probleme damit, wenn die Biester hundertmal kleiner waren als ich und in der Dusche rumkrabbelten. In solchen Fällen hatte ich immer sofort nach Alex gerufen. Der bugsierte dann die Spinne mit einem Glas nach draußen, während ich lauthals die Todesstrafe forderte, damit das Vieh nicht wieder ins Haus krabbelte.

Und jetzt lief ich Gefahr, von einer Spinne verschlungen zu werden? Mir wurde schlecht.

Krttx warnte auch vor dem großen Nebel, und dann erwähnte sie noch etwas: den geballten Strahl der Sonne.

«Der geballte Strahl der Sonne?», fragte ich nach.

«Vor ein paar Tagen sind einige Flugameisen verbrannt. Die Überlebenden berichteten, dass die Sonne plötzlich fürchterlich heiß wurde und die Opfer mit einem geballten Strahl verbrannte.»

«Lupe!», schoss es mir durch den Kopf. Lilly erzählte mir doch, dass Nervtötkind Nils auf ihrem Kindergeburtstag mit einer Lupe herumgekokelt hatte. In mir keimte die Hoffnung auf, dass ich in dem Ameisenhaufen vor unserer Terrasse gelandet war. Es war unwahrscheinlich, aber es war ein schöner Gedanke, denn dann bestand die Chance, Lilly zu sehen!

Die Müdigkeit verflog aus meinen Beinen, ich wollte jetzt

nur noch raus, an die Erdoberfläche, herausfinden, ob ich in der Nähe meiner kleinen geliebten Lilly war.

«Los, marsch!», befahl Krttx. Es war das erste Mal, dass mir etwas gefiel, was sie sagte.

Wir traten raus in die Sonne. Das Licht blendete, aber meine Augen passten sich in Windeseile an. Nach einem kurzen Stück Weges durch riesig hohe Grashalme hindurch spürte ich, dass wir nun auf Stein krabbelten. Waren wir auf unserer Terrasse? Ich spähte umher. Alles sah riesengroß aus: Der Rasen wirkte wie ein Urwald, Bäume schossen so in die Höhe, dass ich ihre Blätter gar nicht erkennen konnte, und ein Schmetterling flog vorbei, der so groß wirkte wie ein Jumbojet.

Schnell fand ich raus, dass ich dank meiner beiden Seitenaugen den Blick fokussieren konnte, ähnlich wie bei einem Fernglas. Die Umgebung wirkte dadurch nicht mehr so erschlagend auf mich. Ich konnte sehen, ob ein Grashalm abgeknickt war oder nicht, ich konnte die Blätter an den Stämmen deutlich erkennen, und ich registrierte, dass der Schmetterling einen glücklichen Gesichtsausdruck hatte. Er genoss seinen Flug im Sonnenschein. Entweder das, oder er hatte von dem Hanf gefuttert, den unser Nachbar heimlich in seinem Garten anbaute.

Um sicherzugehen, dass ich wirklich auf unserer Terrasse war, wandte ich mich vom Rasen ab. Ich drehte mich um. Langsam. Mit pochendem Herzen.

Und ich sah ... unser Haus!

Nach einer Sekunde der Wiedererkennensfreude setzte ich mich hastig in Bewegung. Ich wollte Lilly sehen. Sofort!

Doch Krttx krabbelte mir in den Weg: «Was glaubst du wohl, wo du hinläufst?»

«Da rein!»

«Zu den Grglldd?»

«Grglldd?», fragte ich.

«Das sind die Wesen, die Futter auf uns fallen lassen.»

Jetzt musste ich grinsen. Die Ameisen gingen ins Gras und warteten darauf, dass die Menschen Süßigkeiten fallen ließen – Charles Darwin hätte gestaunt über diese Evolution.

«Dahinten», ich zeigte auf das Haus, «gibt es noch viel mehr Futter.»

«Kann schon sein, dennoch gehen wir da nicht hin.»

«Warum nicht?»

«Darum», sagte Krttx und zeigte auf ein Spinnennetz. Es hing genau vor der Terrassentür. Ich verfluchte mich selbst, hatte ich doch der Putzfrau noch vor meiner Abreise zum Fernsehpreis gesagt, dass sie erst nächste Woche kommen solle – vor einem Kindergeburtstag hat Putzen nun mal keinen Sinn.

Ich starrte das Netz an, es sah in der Tat bedrohlich aus. Aber ich wollte zu Lilly, egal, ob da eine Spinne war oder nicht. Egal, ob sie zehnmal so groß war wie ich – was sie höchstwahrscheinlich war. Nichts konnte mich aufhalten! Meine Sehnsucht war einfach zu groß. Ich sah genau hin und stellte fest: «Da ist gar keine Spinne drin.»

Krttx sah es nun auch.

«Und dahinter sind Futtermengen, von denen man nur träumen kann.»

Krttx wurde unsicher.

«Ich geh hin», sagte ich entschlossen und krabbelte los.

«Wir gehen mit», befahl Krttx. Die anderen Ameisen folgten ihr zitternd, und man merkte ihnen an: Wäre es basisdemokratisch zugegangen, hätten sie anders entschieden.

Unser Trupp näherte sich dem Spinnennetz. Es roch modrig, die Gitterfäden wehten im leichten Wind hin und her. So ein Ding von nahem zu sehen, aus der Ameisenperspektive, erweckte Ehrfurcht, mit der Betonung auf «Furcht». Das Alarmsignal in meinem Kopf ging wieder los, und ich sah den anderen Ameisen an, dass es ihnen ähnlich ging – alle wollten schnell weg.

Dem Himmel sei Dank war die Spinne wirklich nicht daheim, und so erreichten wir sicher die Türschwelle und krabbelten ins Haus.

Kein Mensch war zu sehen, dafür war eine Tafel aufgebaut, gedeckt mit Kuchen und Gebäck. Was sollte die? Der Geburtstag war doch vorbei. Warum gab es neuen Kuchen?

«Du hast nicht zu viel versprochen», sagte Krttx und lächelte mich an. Ich wusste bis dahin gar nicht, dass sie zu einem Lächeln fähig war.

Ich hörte, wie die Haustür aufging und Alex sagte: «Kommt herein!» Seine Stimme klang wie Donnerhall, meine Fühler vibrierten. Ich hoffte, dass man das Gehör ähnlich justieren konnte wie die Augen. Und ich hoffte zu Recht.

«Es gibt Kaffee und Kuchen», hörte ich Alex nun in normaler Lautstärke. Er näherte sich dem Wohnzimmer. Ihm folgten mehrere Fußschritte.

«Grglldd!», riefen die Ameisen panisch durcheinander und rannten weg. Nur ich blieb stehen und sah, wie Alex das Wohnzimmer betrat. Er hatte einen schwarzen Anzug an. Da war mir klar, was die Kuchentafel bedeutete: Es war mein Leichenschmaus.

12. KAPITEL

Wenn man erfährt, dass man tot ist, ist das hart. Aber erst wenn es auch andere wissen, wird es zur brutalen Gewissheit. Das ist so ähnlich wie mit einem großen Leberfleck am Oberschenkel. Seine Existenz ist schon nicht schön, aber erst wenn ihn ein Liebhaber beim Sex sieht, wird er richtig unangenehm. Nur dass der Tod eine ganze Ecke fieser ist als so ein Leberfleck.

Alex trug keine Krawatte. Er hasste die Dinger. Nicht mal bei unserer Hochzeit in Venedig hatte er eine angezogen. Dabei hatte ich ihm sogar mit der ersatzlosen Streichung der Hochzeitsnacht gedroht, sollte er keine anlegen. Ich wollte eben eine klassische Trauung mit allem Drum und Dran, und zum Drum und Dran gehörte auch eine Krawatte am Bräutigam.

Natürlich machte ich meine Drohung nicht wahr: Die Hochzeitsnacht fand doch statt, und sie war wundervoll. Alex küsste meinen ganzen Körper. Selbst meinen riesigen Leberfleck. Ohne zu stutzen. Alle anderen Männer, inklusive Kohn, hatten bei seinem Anblick kurz innegehalten – Alex nicht mal eine Zehntelsekunde. Damals liebte er alles an mir. Er war einfach wunderbar.

Alex starrte mit leerem Blick auf die gedeckte Tafel. Er hatte sichtlich um mich geweint, seine Augen waren gerötet. Das wunderte mich. Und dann wunderte ich mich, dass ich mich wunderte. Wir liebten uns vielleicht nicht mehr, aber immerhin waren wir viele Jahre glücklich miteinander gewesen. Da war es wohl normal zu weinen.

«Hey, Verrückte», schrie Krttx, «komm her!» Ich blickte mich kurz um und sah, dass der Trupp unter unserem alten

Fernsehsessel Deckung gesucht hatte, direkt hinter den Fransen. Ich ignorierte Krttx, denn hinter Alex war mein Chef Carstens ins Zimmer getreten. Sein luxuriöses Eau de Toilette umwehte meine Fühler.

«Sie hätten ruhig ein paar Kollegen von Kim einladen können», sagte er zu Alex.

«Find ich auch», dachte ich. Ich hätte zu gerne gesehen, wie die um mich weinen.

«Dann hätte ich den ganzen Tag Krokodilstränen vom Boden aufwischen müssen.»

Typisch Alex. Er war ehrlich, direkt, gewissenhaft, liebevoll – er war einfach ein guter Mensch ... der einem manchmal mit seiner moralisch wertvollen Art ganz schön auf den Zöppel gehen konnte.

Doch lange Jahre war es toll für mich gewesen, so jemanden an der Seite zu haben. In einer Welt voller Lügen, Intrigen und falschen Wimpern war er der einzige Mensch, der immer ehrlich zu mir war.

«Ich will nur Menschen hier haben, die Kim wirklich mochten», fuhr Alex fort.

Ich blickte auf die Kuchentafel und zählte lediglich fünf Gedecke. Keine allzu großartige «Menschen, die einen wirklich mochten»-Ausbeute.

Das schockte mich und machte mich traurig.

Als Nächstes betrat meine Mutter das Wohnzimmer. Ihre Hände zitterten, was ein gutes Zeichen war, denn es bedeutete, dass sie heute noch keinen Alkohol getrunken hatte.

«Setz dich, Martha», sagte Alex freundlich. Er konnte immer nett zu meiner Mutter sein. Ich hatte das nie lange geschafft, ohne sie anzubrüllen. Mein Rekord liegt bei siebzehn Minuten und dreiundzwanzig Sekunden. Ich hatte mitgestoppt. Es war an einem Tag, an dem ich mir vorher ganz fest vorgenommen hatte, so lange wie möglich ohne Streit mit ihr auszukommen.

«Mein Flummi», hörte ich Lilly aus dem Flur rufen. Und in der nächsten Sekunde flog ein oranger Gummiball ins Wohnzimmer. Erst prallte das Geschoss gegen den Tisch, von dort flog es so knapp über meinen Kopf, dass der Wind mich fast umriss, um schließlich am Sessel einzuschlagen – genau vor den Fransen. Die Ameisen zitterten am ganzen Körper. Ein oranger Flummi sprengte definitiv ihr Vorstellungsvernögen.

Mir machte er nichts aus. Zum einen fiel es mir schwer, Angst vor einem Flummi zu entwickeln, egal wie groß er war. Und zum anderen hatte ich nur Augen für Lilly, die ins Zimmer rannte. Sie hatte ihr grünes Lieblingskleid an (Alex hätte sie nie gezwungen, Schwarz zu tragen), trug ihren Schnuff-Teddy fest an den Körper gepresst, und ihre Augen waren ebenfalls gerötet.

Ich krabbelte sofort auf sie zu, so schnell ich nur konnte. Ich wollte sie in den Arm nehmen. Sie drücken. Sie trösten: «Ich bin nicht tot! Du musst nicht weinen!»

«Was machst du Irre denn jetzt?», rief Krttx, ihre Stimme von dem Flummi-Erlebnis immer noch etwas zittrig. Und die Frage war durchaus berechtigt: Ich war eine Ameise. Ich hätte nicht mal Lillys kleinen Zeh tröstend in meine Arme nehmen können.

Völlig fertig blieb ich auf halbem Wege stehen und hätte am liebsten losgeweint. Doch Ameisen hatten anscheinend keine Tränenflüssigkeit. So konnte ich meinem Seelenleid nicht mal durch Heulen Erleichterung verschaffen. Es zerriss mich im Inneren, und ich konnte nichts dagegen tun. Und jede Sekunde, die ich in Lillys gerötete Augen blickte, machte es noch schlimmer.

Ich konnte es nicht mehr länger ertragen und wandte meinen Blick ab, er blieb am Tisch hängen. Mir fiel auf, dass noch eine Person fehlte.

War es vielleicht Daniel Kohn?

Nein, den hatte Alex garantiert nicht eingeladen.

War es mein Vater? Nicht sonderlich wahrscheinlich. Ich wusste nicht einmal, wo er lebte. Ich hatte das letzte Mal eine Karte von ihm bekommen, als David Hasselhoff noch ein Sexsymbol war.

«Mann, hab ich gebraucht, um einen Parkplatz zu finden», sagte eine mir allzu bekannte Stimme. Nina! Was machte die denn bei meinem Leichenschmaus?

Ihre Frisur war flott, ihr Body aerobicgestählt, und sie trug ein geschmackvolles schwarzes Kleid, das eng am Körper anlag und Männern damit sagen wollte: «Bekomm bei meinem Anblick ruhig erotische Phantasien.»

Auch wenn sie sich immer noch so aufreizend kleidete wie als Teenager, tat sie das inzwischen mit mehr Stil. Früher waren wir stets im Partnerlook unterwegs gewesen: Wir trugen Ausschnitte, bei denen für unsere Busen stets Fluchtgefahr herrschte, und wir benutzten so viel Haarspray, dass man besser nicht in der Nähe unserer Köpfe ein Feuerzeug anzündete.

Nina und ich waren Außenseiter unter all den Spießern an der Schule und genossen diesen Status. Beide kamen wir aus kaputten Familien. Beide wollten wir uns nicht die Butter vom Brot nehmen lassen. Beide wollten wir die Welt erobern. Ich schaffte es im Fernsehen. Und Nina ... na ja, sie schaffte es nicht wirklich. Sie machte schließlich eine Ausbildung zur Reiseverkehrsfachfrau.

Auch in der Liebe lief es für sie nicht so gut. Ihre Bilanz belief sich auf eine Abtreibung und eine Serie von Beziehungen, von denen keine länger als drei Monate hielt. Als wir noch die dicksten Freundinnen waren, hatte ich sie einmal gefragt, ob sie das nicht unglücklich macht. Aber sie sagte nur schulterzuckend, dass der richtige Mann für sie noch nicht geboren wurde: «Zeig mir einen intelligenten, gutaussehenden und anständigen Mann, und ich zeig dir das achte Weltwunder.»

Damals ahnte ich ja noch nicht, dass Alex für sie das achte Weltwunder war.

Und dann kam der Abend, an dem meine Freundschaft mit Nina zerbrach: Wir waren Mitte zwanzig, Lilly war noch nicht auf der Welt, und ich arbeitete wie eine Verrückte in meiner ersten Stelle im Radiosender. Entsprechend selten war ich in der Berliner Altbauwohnung, die Alex und ich damals bewohnten. Als ich eines Tages wegen einer Magen-Darm-Grippe früher als erwartet von der Arbeit nach Hause kam, hörte ich aus dem Wohnzimmer Gelächter. Alex und Nina hatten Spaß.

Das war okay.

Ich ging den Flur entlang: Sie gackerten nun richtig laut.

Das war auch okay.

Ich kam ins Wohnzimmer und sah, dass sie nur Unterwäsche anhatten.

Das war ganz und gar nicht okay.

Ich versuchte, keine Szene zu machen. Ich wollte cool bleiben. Ich atmete durch, setzte zum Reden an und ... übergab mich auf Ninas Füße.

Nicht sonderlich cool.

Und während Nina schnell nach Hause floh, um zu duschen, versuchte Alex, sich mit tränenerstickter Stimme zu erklären: Er hatte nicht mit Nina geschlafen, überhaupt war es das erste Mal, dass er sie geküsst hatte. Er hatte eine riesige Krise in seinem Biochemie-Studium, hatte einige

Klausuren versemmelt und keine Ahnung, wie er überhaupt noch den Abschluss schaffen sollte. Dazu kam das Gefühl, dass ich mich nicht dafür interessierte, denn ich war ja ständig arbeiten und ständig müde, man konnte mich ja kaum ansprechen, und er wollte mich ja auch nicht belasten, aber Nina hatte ein offenes Ohr für ihn, sie hörte ihm zu, gab ihm Ratschläge, tröstete ihn, baute ihn auf. So kam eins zum anderen, und es wäre vielleicht nicht eins zum anderen gekommen, wenn ich etwas offener gewesen wäre und nicht so sehr von meiner Arbeit absorbiert, und, und, und ...

Mir war das alles völlig egal. Ich war so unglaublich verletzt! Und ich gab ihm – ebenfalls mit tränenerstickter Stimme – genau zehn Sekunden, sich zu entscheiden: Nina oder ich.

Er brauchte die vollen zehn Sekunden.

Dann entschied er sich für mich.

Und ich sah Nina nie wieder.

Ich hoffte, dass sie sich den Geruch von den Zehen nie wieder abduschen konnte.

Das Letzte, was ich hörte, war, dass sie einen Job in Hamburg angenommen hatte.

Aber nun war sie wieder da.

Und mein Ameisenalarmsinn begann erneut zu klingeln.

«Wer möchte Kaffee?», fragte Alex, und alle meldeten sich, selbst Martha, die dankenswerterweise in Lillys Gegenwart so viel Anstand besaß, nicht nach einer hochprozentigen Sorte von Getränk zu verlangen.

«Ich helf dir», sagte Nina zu Alex. Dabei lächelte sie ihn an. Es war eines jener Lächeln, die ganz unverbindlich daherkommen. Kaum bemerkbar ist die Sehnsucht, die dahinter liegt. Männer können sie überhaupt nicht erkennen. Das können nur Frauen. Auch jene Frauen, die als Ameise wiedergeboren wurden.

Ich tobte vor Wut: Ich war gerade mal drei Tage tot. Meine Leiche war sicherlich noch warm. Okay, vielleicht nicht mehr richtig warm. Aber sicherlich noch auf Zimmertemperatur. Und Nina begehrte schon meinen Mann?

Sie besaß sogar die Frechheit, meine Tochter anzusprechen: «Möchtest du eine heiße Schokolade?»

Lilly nickte.

«Dann mache ich dir eine», sagte sie und tat dann etwas, was bei mir sämtliche Sicherungen durchbrennen ließ: Sie streichelte Lilly über den Kopf.

Ich schrie: «Lass meine Tochter in Ruhe!»

Aber natürlich hörten das nur die Ameisen, bei denen sich nun endgültig der Eindruck verfestigte, dass ich völlig gaga war.

Ich hielt für zwei Sekunden inne: War das eine Überreaktion? Wollte Nina meine Tochter einfach nur ein bisschen trösten?

Aber ich kannte Nina: Sie war so wie ich.

Wenn sie etwas wollte, ging sie über Leichen.

In diesem Fall über meine.

Und sie wollte Alex.

Das hatte sie schon immer.

Und der Weg zu seinem Herzen führte über unsere Tochter.

13. KAPITEL

Wie von Sinnen rannte ich zum Tisch, ich wollte irgendetwas tun. Ich hatte zwar keine Ahnung, was, aber ich konnte doch nicht zusehen, wie man mir meine Familie wegnimmt! Am Tischbein angekommen, saugte ich mich an ihm fest und kletterte hoch, während Alex und Nina die heißen Getränke aus der Küche holten. Lilly ging in ihr Zimmer, um sich was zum Spielen zu holen, und Martha nutzte die Abwesenheit der Kleinen, um sich einen doppelten Sherry hinter die Binde zu kippen. Entsprechend befeuert, begann sie Carstens vollzuquatschen: «Sie sind doch auch beim Fernsehen?»

Er nickte.

«Sie müssen mal eine Sendung über diese Singlebörsen im Internet machen. Für Frauen wie mich ist es da gar nicht schön.»

«Ah ja?», fragte Carstens mit kaum verhohlenem Desinteresse und führte seine Kaffeetasse zum Mund.

«Ja!», erwiderte meine Mutter. «Wissen Sie, dass die meisten alten Böcke, die sich da anmelden, nur auf Sex aus sind?»

Carstens verschluckte sich an seinem Kaffee.

Martha fuhr unbeirrt fort: «Da will einfach keiner nur mal so ein gutes Gespräch führen. Alles Säcke.»

Carstens erwiderte das, was jeder in seiner Situation gesagt hätte: «Ich muss mal eben auf die Toilette.»

Er stand auf und ging. Alex kam indessen mit dem Kaffee rein, assistiert von Nina, die die heiße Schokolade für Lilly trug. Sie wirkte schon ein bisschen wie die Hausherrin!

Ich beschleunigte und kletterte immer schneller das Tischbein hoch, Reinhold Messner war ein Dreck gegen mich.

«Die Rede des Pastors war sehr schön», sagte Nina.

«Ja, er hat sehr schön über das Leid der Mutter gesprochen», ergänzte meine Mutter.

«Vor allen Dingen hat er Kim sehr gut getroffen», meinte Alex.

Diese Worte ließen mich bei meiner Klettertour innehalten, was hatte der Pastor wohl Schönes über mich gesagt?

«Er hat sehr lange über ihre Bedeutung für die Gesellschaft gesprochen», sagte Nina.

Ich fühlte mich geschmeichelt.

«Und darüber, dass sie ein gute Mutter war», ergänzte Alex.

Mich irritierte die Abwesenheit von Ironie in Alex' Stimme. Er hatte mir doch im Drei-Tage-Takt das Gegenteil vorgeworfen. Glaubte er jetzt etwa doch, dass ich eine gute Mutter war? Das wäre schön. Nicht wahrscheinlich. Aber schön.

Lilly kam indessen mit ihrem Gameboy herein, und Nina stellte ihr den Kakao auf den Tisch: «Ich hoffe, er ist nicht zu heiß», sagte sie.

«Nein, der hat Lilly-Idealtemperatur», antwortete Alex.

Dieses an Nina gerichtete Kompliment ließ mich alles vergessen. Wütend erklomm ich den Tisch und wollte auf dem weichen Tischdeckenuntergrund direkt auf Lilly zukrabbeln, doch da stand ich plötzlich neben ihm: dem Kuchen!

Mein Ameiseninstinkt rief «Haben wollen!» und gab meinen Beinen den Marschbefehl. Wie von Sinnen krabbelte ich auf den Kuchen zu – und sprang wenig später gegen meinen Willen in den klebrigen Schokoladenüberguss.

Mit dem Geschmackssinn einer Ameise Kuchen zu essen war eine Sinnesexplosion sondergleichen. Besser als jeder Orgasmus – mit Ausnahme derer, die ich in den ersten Jahren mit Alex erlebt hatte, und dem, den mir die Liebesnacht mit Daniel Kohn beschert hatte.

Glückselig benommen lag ich auf dem Kuchenstück und futterte und futterte.

Ganz aus der Ferne – wie durch einen dicken Schleier – hörte ich noch, wie Lilly sagte: «Nina, da ist eine Ameise auf deinem Kuchen.»

Aber Nina reagierte nicht mehr rechtzeitig, und ich landete samt Kuchen in ihrem Mund!

14. KAPITEL

Von Nina gegessen zu werden war eine noch blödere Art zu sterben, als vom Waschbecken einer Raumstation getroffen zu werden.

Wieder zog mein Leben an meinem geistigen Auge (Ameisen haben davon auch nur eins) vorbei. Nur diesmal war es mein trübes Dasein als Ameise: das Treffen mit Buddha, die Flüche von Krrtx, der Anblick der herrlichen Ameisenstadt, das brutale Einprügeln auf den wiedergeborenen Menschen, das Spinnennetz, der orange Flummi, Ninas Versuch, meinen Platz in der Familie einzunehmen ...

Wenn so ein Leben an einem vorbeizieht, ist man nicht traurig zu sterben.

Ich sah wieder das Licht.
Es wurde immer heller.
Es war wunderschön.
Es umhüllte mich.
Sanfter als das letzte Mal.

Noch wärmer.

Liebevoller.

Ich umarmte es und ging darin auf.

Ich fühlte mich so wohl.

So geborgen.

So glücklich.

Der Albtraum war zu Ende.

Für ganze zwei Sekunden.

Dann war ich wieder eine Ameise.

Ich befand mich zwar in einem anderen Körper, dieser war kleiner und flinker, aber ich war wieder eine verdammte Ameise!

Geh zurück auf Ameisenlos, zieh keinen inneren Frieden ein und sei stattdessen frustriert wie noch nie!

«Hallo», hörte ich Buddhas sanfte Stimme säuseln.

Ich drehte mich um. Ich befand mich wieder in dem Erdtunnel, in dem ich schon das letzte Mal aufgewacht war. Und auch diesmal grinste mich ein unglaublich dicker Ameisen-Buddha an. Er wirkte sehr zufrieden mit sich, mit der Welt, mit dem gesamten Kosmos. Ganz im Gegensatz zu mir:

«WIR ... MÜSSEN ... REDEN!», verlangte ich schwer aufgebracht.

«Du bist betrübt, dass du nicht ins Licht gehen durftest», stellte Buddha fest.

Das stimmte. Aber das wollte ich ihm gegenüber nicht zugeben. Ging ihn auch gar nichts an. Ich hatte ein anderes

Thema auf meiner Agenda: «Ich habe es nicht verdient, als Ameise wiedergeboren zu werden!»

«Du hast eine erstaunliche Sicht auf die Dinge», sagte Buddha amüsiert.

«Ich habe zwar einigen Mist gebaut, aber dein Urteil ist zu hart!», motzte ich. «Ich verlange, dass du mich von diesem Ameisendasein erlöst.»

«Das kann ich nicht.»

«Ich denke, du bist hier der Obermufti!»

«Das kannst du nur selbst.»

«Und wie?», fragte ich aufgeregt. Wenn es hier einen Weg raus gab, wollte ich für ihn den Routenplan.

«Man findet den Weg beim Gehen», säuselte Buddha.

«Du klingst wie ein Glückskeks», sagte ich genervt.

«Mag sein», lächelte Buddha sanft, «aber dadurch ist es nicht weniger wahr.» Sprach's und löste sich langsam in Luft auf.

Der Typ begann mir definitiv auf den Geist zu gehen!

Ich überlegte kurz, was er wohl mit seinem Glückskeksgequatsche meinen könnte, aber ich hatte keinen blassen Schimmer.

Und so dachte ich an den Leichenschmaus zurück. Nina wollte Alex für sich haben. Und er würde ihr nachgeben. Nicht heute, nicht morgen. Aber irgendwann bestimmt. Das wusste ich.

Denn Nina wollte es.

Und Alex war schon mal kurz davor gewesen, sich für sie zu entscheiden.

Da lebte ich noch.

Und jetzt war ich sogar tot.

Ich stand also nicht mehr im Weg, und früher oder später würde Alex sich auf Nina einlassen. Dann würde sie Lillys neue Mutter werden.

Dieser Gedanke schnürte meinen kleinen Ameisenmagen zusammen.

In einiger Entfernung hörte ich das Trappeln vieler Ameisenfüße und Krttx' Fluchtiraden. Mir war klar: Ich durfte nicht wieder von ihr eingezogen werden. Dieses Ameisenleben musste ich in meine eigenen sechs Greifer nehmen, um irgendwie zu verhindern, dass Nina meine Familie übernimmt.

Und es gab nur eine Person, die mir dabei helfen konnte: der als Ameise wiedergeborene Mensch, den die Königin hinrichten lassen wollte. Vielleicht wusste er ja einen Weg, wie man als Mensch in Ameisenform das Leben der echten Menschen beeinflussen konnte.

So rannte ich davon, bevor Krttx mich überhaupt erspähen konnte, und begann mein neues Leben.

Ein Leben, in dem Giacomo Casanova eine wesentliche Rolle spielte.

15. KAPITEL

Ich rannte in die vor Leben heftig pulsierende Ameisenstadt und formulierte dabei in Gedanken einen Plan: Ich würde herausfinden, wo das Verlies der Königin ist, und dann ... dann würde ich schon sehen.

Zugegeben, das war kein sonderlich beeindruckender Plan, den ich da formulierte. Aber den Umständen entsprechend war er schon ziemlich gut.

Die Umstände waren wie folgt: Ich wollte mir nicht ausmalen, wie es ist, wenn Nina meine kleine Lilly großzieht. Aber wie es so ist, wenn man sich etwas nicht ausmalen will: Man tut es dennoch, und zwar in den buntesten Neonfarben: Vor meinem geistigen Auge sah ich meine süße, niedliche Tochter: ein kleines Wesen, das sich nachts bei mir einkuschelte, weil sie Angst hatte vor Gurgelhals, dem Zauberer, der so inkompetent war, dass er es nicht mal schaffte, die Schlümpfe reinzulegen. Nina durfte Lilly nicht in ihre Klauen bekommen und sie zu einer rücksichtslosen, knallharten Frau großziehen. Zu einer Frau wie ... mir?

Ich fühlte mich von mir selbst ertappt, wischte den Gedanken hastig beiseite und verfluchte Nina stattdessen noch heftiger.

«Widerliche Kuh», schimpfte ich vor mich hin.

«Was hast du da gesagt?», fragte mich eine Kommandantin, die mir mit ihrem Trupp auf dem Ameisenpfad entgegenkam. Sie war anderthalbmal so groß wie ich und wirkte recht bedrohlich.

«Ich bin eine widerliche Kuh?», fragte sie angepikst.

Ich stammelte: «Nun ähem ... ich hab mich versprochen.»

«Und was wolltest du sagen?»

«Liederliche Ruh», erklärte ich wenig überzeugend.

«Liederliche Ruh?», fragte die Kommandantin verwirrt.

«Liederliche Ruh», wiederholte ich.

«Und was soll das heißen?»

Das hätte ich auch gerne gewusst.

Ich stammelte: «Ähem ... ja, nun ... ich ... ich mag es nicht, wenn Ameisen so faul sind und so ... liederlich ruhen.»

«Aha», erwiderte die Kommandantin, nicht wirklich zufriedengestellt.

Ich wollte hastig weitergehen, aber sie hakte nach: «Was machst du hier allein?»

«Ich arbeite.»

«Keine Ameise arbeitet allein», sagte die Kommandantin und machte einen bedenklichen Schritt in meine Richtung. Ich roch ihren Atem und wünschte mir, dass jemand ganz schnell ein Mundwasser für Ameisen entwickeln und auf den Markt bringen würde.

«Was hast du vor?», hakte sie nach.

In meinem Gehirn rotierte es, was konnte ich nur darauf antworten? Ich versuchte es mit der halben Wahrheit: «Ich ähem ... muss zum Verlies der Königin.»

Ich merkte, wie die Kommandantin plötzlich zu zittern begann: «Du ... du gehörst zur Königlichen Garde?»

«Selbstverständlich gehör ich zur Königlichen Garde», sagte ich in einem möglichst autoritären Tonfall. Darauf begann die Kommandantin zu zittern, als sei ich Mephisto persönlich. Die Reaktion gefiel mir. Außerordentlich. So viel Angst hatten sonst nur meine Assistentinnen vor mir gehabt.

«Verzeih mir, Priesterin», sagte die Kommandantin devot und gab ihrem Trupp den schnellen Befehl zu gehen. Hastig eilten die verängstigten Ameisen den Pfad hoch, in einem Tempo, das einen fast vermuten ließ, sie würden erst wieder anhalten, wenn sie außer Landes waren.

«Priesterin» – so nannte sie mich. Anscheinend hatten die Ameisen eine Art Religion. Ich fragte mich, wie die wohl aussah. Glaubten sie an einen Gott? An mehrere? Vielleicht sogar an Wiedergeburt?

Ich ging die verschlungenen Pfade weiter hinauf, auf der Suche nach dem Verlies, das ich in einer der Kammern im rechten Erdwall vermutete. In die Richtung waren die Ameisen aus Krttx' Trupp marschiert, als sie den Gefangenen weggeschleppt hatten.

Und immer wenn eine Kommandantin mich böse ansah, sagte ich einfach nur: «Ich gehöre zur Königlichen Garde», und sie bekam es mit der Angst zu tun. Endlich hatte mal wieder jemand vor mir Respekt. «Ich gehöre zur Königlichen Garde» wurde zu meinem Lieblingssatz, und ich sagte ihn selbst zu Kommandantinnen, die mich nicht schief anschauten. Es machte einfach zu viel Spaß.

Dummerweise sagte ich ihn einmal zu oft: «Ich gehöre zur Königlichen Garde.»

«Wir auch», antworteten mir drei Ameisen.

Ich blickte in ihre Gesichter. Ihre Augen waren eiskalt, hart und unnachgiebig. So musste man sich wohl die Augen der Priester der spanischen Inquisition vorstellen, wenn sie denn fünf Augen gehabt hätten.

«Wir kennen dich nicht», sagte die Anführerin der drei mit schneidender Stimme.

«Nun, ich bin neu», erwiderte ich schwach.

Die drei blickten sich nur kurz an. Ihre Gedanken waren leicht zu lesen: «Da gibt sich jemand als eine von uns aus. Das ist ein Frevel. Wir sollten sie an Ort und Stelle töten. Aber möglichst langsam, sonst werden wir diesem Frevel nicht gerecht.»

Der Schrillen meines Ameisenalarms durchzuckte meinen Schädel. Der Fluchtinstinkt war kaum ausgelöst, als ich schon losrannte. So schnell war ich noch in keinem meiner Leben gelaufen. Das Blut pochte in meinem Schädel. Gleichzeitig arbeitete mein Hirn unter Hochdruck: «Wie kann ich ihnen nur entkommen?» Am besten, ich stürze mich in das Gewühl. Unter den Tausenden Ameisen kann ich sie abhängen. Da finden sie mich nie wieder. Genau. Genau, das werde ich ma...»

Zum «...chen» kam ich nicht mehr. Meine Verfolgerinnen waren so schnell wie US Special Forces auf Amphetaminen. Sie überwältigten mich binnen einer Sekunde. Dabei gingen die Priesterinnen mit chirurgischer Präzision vor: Sie traten mir simultan gegen die Beingelenke, sodass ich mich nicht mehr bewegen konnte. Der Schmerz war unglaublich, aber ich konnte nicht schreien, denn eine der Priesterinnen hatte mit einem präzisen Schlag gegen den Hals meinen Sprechapparat außer Gefecht gesetzt. Welche Religion diese Ameisen auch immer hatten, Nächstenliebe gehörte offenbar nicht zu ihren wesentlichen Glaubenssätzen.

«Sollen wir sie gleich töten?», fragte eine der Priesterinnen, und ich hörte eine gewisse Vorfreude in ihrer Stimme, die mich erzittern ließ.

«Nein, wir werfen sie ins Verlies, zu den anderen Gefangenen», bestimmte die Anführerin und schlug nochmal mit vieren ihrer Beine auf mich ein.

«Jetzt muss ich wenigstens nicht mehr nach dem Verlies suchen», schoss es mir durch den Kopf, und mit diesem «Das Glas halb voll»-Gedanken wurde ich vor Schmerzen ohnmächtig.

16. KAPITEL

Als ich wieder aufwachte, lag mein Gesicht tief im Sand. Er knirschte zwischen meinen Kiefern, egal, wie sehr ich auch ausspuckte. Benommen richtete ich mich auf und sah, dass ich in einer der Kammern im Erdwall lag. Sie war ziemlich groß, und weit über mir war ein Ausgangsloch, das von zwei Priesterinnen der Königlichen Garde bewacht wurde. Ich rechnete mir meine Chancen aus, an ihnen vorbeizukommen, und kam auf ein Ergebnis von 0,0003 Prozent. Aufgerundet.

Ich sah mich um und sah in einer Ecke eine Flugameise mit eingerissenem Flügel vor sich hin dösen. Schlagartig wurde ich wach: Es war der wiedergeborene Mensch. Ich krabbelte auf ihn zu, so schnell ich konnte, was nicht sonderlich schnell war – schmerzten mir doch noch die Gelenke von den Schlägen der Priesterinnen.

«Hallo», sagte ich vorsichtig.

Er schaute kurz zu mir auf, dann döste er weiter. Er interessierte sich nicht die Bohne für mich.

Ich kam direkt auf den Punkt: «Ich bin auch ein wiedergeborener Mensch.»

Nun hatte ich seine Aufmerksamkeit.

«Ich heiße Kim Lange.»

Seine Augen leuchteten auf. Er sagte nichts, sicherlich musste er erst mal die Tausende von Gedanken ordnen, die durch seinen Kopf schossen.*

«Wie heißt du?», versuchte ich ihm beim Ordnen dieser Gedanken zu helfen.

«Casanova.»

«Wie bitte was?»

«Giacomo Girolamo Casanova», zelebrierte er seinen Namen.

Es gab genau drei Möglichkeiten: 1. Er war wirklich der wiedergeborene Casanova. 2. Er wollte mich verscheißern. 3. Er war völlig durchgeschmirgelt.

«Ihnen stets zu Diensten, Madame Lange», sagte er mit

* Aus Casanovas Erinnerungen: Meinen Verstand entzückte und berückte nur ein einziger freudvoller Gedanke: «Nach all den entbehrungsreichen Jahrhunderten begegne ich endlich einer Frau! Halleluja!»

italienischem Akzent, der wesentlich authentischer klang als der von unserem Potsdamer Stammitaliener.

Der Wiedergeborene machte eine Verbeugung, bei der er mit seinen Vorderbeinen knickste und mit seinem rechten Mittelbein elegant durch die Luft wirbelte, als ob er einen nicht vorhandenen Hut zöge.

«Sie sind wirklich Casanova? *Der* Casanova?»

«Sie haben von mir gehört?», fragte er mit fast perfekt gespielter Bescheidenheit.

«Sie ... Sie müssen schon lange tot sein, wenn Sie wirklich Casanova sind.»

«Seit dem 4. Juni 1798.»

«Das war vor über zweihundert Jahren.»

«Zweihundert ... Jahre ...?», stammelte er. Für einen kurzen Moment war seine Selbstsicherheit wie weggeblasen. Seine Fühler senkten sich traurig. Er schien tatsächlich Casanova zu sein.

«Leben Sie schon die ganze Zeit als Ameise?», fragte ich mitfühlend.

«Ja, immer wieder», antwortete er und richtete tapfer seine Fühler auf, «schon in meinem hundertundfünfzehnten Leben.» Die emotionale Leere, die in diesem Satz hallte, vermochte sein galanter Tonfall nicht zu verdecken.

Hundertundfünfzehn Leben. Was für ein schreckliches Schicksal. Der arme Mann war in einer Endlosschleife gefangen.

Und ich auch – schoss es mir durch den Kopf.

Ich setzte mich hin und ließ nun meinerseits die Fühler hängen. Das weckte Casanovas Kavaliersinstinkt. Tröstend legte er mir ein Bein auf den Kopf und streichelte mich sanft: «Madame, verzweifeln Sie nicht an Ihrem Schicksal.»

Dabei kam er mir nahe. Zu nahe.

«Hey, fassen die da gerade meine Sexualdrüse an?», fragte ich entsetzt.

«Verzeihen Sie mein forsches Begehr», sagte er und zog sein Hinterbein wieder zurück.

«Ich nötige mich nie einer Frau auf», fuhr Casanova fort.*

Ich blickte ihm in die Augen und sah, dass ich ihn in seinem Stolz verletzt hatte.

Ich atmete durch und fragte: «Können Sie mir helfen?»

«Stets zu Diensten», lächelte er.

«Haben Sie eine Ahnung, wie man als Ameise das Leben der Menschen beeinflussen kann?», stellte ich die alles entscheidende Frage.

Casanova schwieg kurz. Dann sagte er aufmunternd: «Was immer auch Ihre Notlage ist, Madame, wir werden schon eine Lösung finden.»

Das war eine Antwort, die nur eine nettere Version von «Ich hab keinen blassen Schimmer» war.

Ich war umsonst hergekommen.

«Was wollen Sie denn bei den Menschen tun?», fragte Casanova.

Ich überlegte, wie ich ihm das Problem mit Nina schildern konnte, aber fand nicht die richtigen Worte.

«Sie müssen mir nichts erklären», sagte er, «wir können hier jederzeit ausbrechen und zu den Menschen gelangen.»

«Wie sollen wir denn an den Wachen vorbeikommen?», fragte ich.

Darauf erklärte Casanova, dass er schon aus einem viel besser bewachten Gefängnis ausgebrochen sei: den dunklen Bleikammern von Venedig. Damals, 1756.

* Aus Casanovas Erinnerungen: Mich aufzunötigen lag nicht in meinem Naturell. Ich betörte die Damen so sehr, dass sie sich mir aufnötigten.

«Warum sind Sie denn verhaftet worden?», fragte ich.

«Es handelte sich um einen ganz banalen Justizirrtum. Man sagte mir eine lose Moral nach.»*

Casanova grinste augenzwinkernd, und ich muss zugeben, für eine Ameise konnte er wahnsinnig charmant lächeln.

«Wenn wir jederzeit hier ausbrechen könnten», fragte ich, «warum haben Sie es dann bisher nicht getan?»

«Ich hatte keinen Anreiz.»

«Keinen Anreiz? Die Königin will Sie hinrichten lassen!»

«Dann werde ich eben erneut als Ameise wiedergeboren.»

«Auch wieder wahr», erkannte ich und überlegte mir, ob ich nicht einfach auch meine Hinrichtung abwarten sollte. Dann würde ich zwar als Ameise wiedergeboren, wäre aber aus dem Gefängnis draußen und könnte zu Lilly.

Ich war überrascht, dass eine Hinrichtung für mich auf einmal nicht mehr Schrecken bedeutete als ein Gang zum Zahnarzt.

«Wann werden wir denn getötet?», fragte ich.

«Die Königin wird warten, bis ihr Fruchtbarkeitszyklus vorbei ist.»

«Und wann wird das sein?»

«In ein paar Wochen.»

«So lange habe ich nicht Zeit», rief ich.

«Dann sollten wir uns bemühen, aus diesem Verlies zu fliehen», sagte Casanova, sichtlich von Abenteuergeist beseelt.

«Und wie?»

«So wie ich einst, bei meinem ersten Versuch, den gräss-

* Aus Casanovas Erinnerungen: Und das lediglich, weil ich die beiden Nonnen aus dem venezianischen Kloster Santa Maria degli Angeli verführt hatte.

lichen Bleikammern zu entfliehen», erklärte er, «mit einem Tunnel.»

Casanova und ich begannen, einen Tunnel zu graben, von dem wir nicht wussten, wohin er führte. Casanova kommentierte das durchaus zutreffend: «Überall ist es besser als in einem Gefängnis.»

Die Priesterinnen, die oben am Eingang zum Verlies standen, sahen uns nicht. Wir gruben in ihrem toten Winkel und gingen extrem leise vor. Flüsternd fragte ich Casanova, welche Religion die Priesterinnen hatten.

Casanova lächelte: «Die Göttin hier ist die Königin. Niemand sonst. Wie bei den alten Pharaonen.»

Während ich noch darüber nachdachte, dass in dieser Religion nur die Gottheit wahre Erfüllung finden konnte, rief Casanova: «Das Erdreich wird lockerer, wir haben gleich den Durchbr...»

Wir fielen beide durch das Loch. Genau auf die Königin, die sich im Liebesspiel mit einigen männlichen Flugameisen befand.

Die Queen war not amused.

17. KAPITEL

«Du!», schrie sie mit Blick auf Casanova.

«Ich sehe, Eure Hoheit erinnern sich an mich», lächelte Casanova, beeindruckend souverän, wenn man bedachte, dass wir gerade von einer Königin kletterten, der wir gerade einen Coitus interruptus bereitet hatten.

«Du ... du ... du bald tot sein», stammelte die aufgebrachte Königin.

«Und ich sehe, Sie können sich immer noch vortrefflich ausdrücken», spottete Casanova.

Die Königin baute sich vor uns auf. Sie war circa sechsmal so groß wie andere Ameisen und wirkte wie ein Monster aus einem Science-Fiction-Film aus den fünfziger Jahren, nur dass sie dummerweise live und in Farbe war.

«Packt sie euch!», rief sie ihren Wachen zu, die an der Tür zu dem großen Gemach standen, dessen Wände aus in mühevoller Kleinarbeit glattgestrichenem Sand bestanden. So demonstrierte man wohl königlichen Wohlstand.

«Ich habe einen formidablen Plan», raunte Casanova mir zu.

«Und welchen?», fragte ich ängstlich.

«Wir fliehen.»

«In der Tat ein formidabler Plan», stimmte ich zu.

Casanova lief los, ich folgte ihm. Aber er rannte nicht zur Tür, denn aus der Richtung kamen ja die Wachen. Wir rannten zu einem Loch im Erdwall. Anscheinend nutzte die Königin es als eine Art Panoramafenster, um auf die große Ameisenstadt hinunterzublicken.

Schlagartig wurde mir klar, dass Casanova ein weiteres Mal zu den Tunneln in der Kuppel fliegen wollte, durch die man an die Erdoberfläche entfleuchen konnte. Keine schlechte Idee. Die ganze Angelegenheit hatte nur einen klitzekleinen Haken: «Ich kann nicht fliegen», schrie ich Casanova an, «im Gegensatz zu Ihnen habe ich keine verdammten Flügel!»

«Das habe ich bedacht, Madame», sagte Casanova, als wir an dem Panoramaausblick stehenblieben.

«Steigen Sie auf meinen Rücken, ich fliege uns hier heraus.»

«Ihr Flügel ist eingerissen.»

«Das macht unsere Flucht nur formidabler.»

Ich blickte auf Ameisen-Metropolis und stellte fest, dass es extrem tief runterging. Mir wurde mulmig, plötzlich hatte ich doch Angst zu sterben. Egal, ob man wiedergeboren wurde oder nicht – so ein tödlicher Aufprall würde brutal wehtun.

«Packt sie euch!», schrie die Königin, und ich sah, dass die Wachen uns schon so gut wie erreicht hatten.

Ich krabbelte in Windeseile auf Casanovas Rücken. Er breitete seine Flügel aus, rief «Attenzione!» und sprang.

Wir fielen wie ein Stein. Oder, um genau zu sein, wie zwei Steine.

«AHHHHHH!», schrie ich in Panik.

«AHHHHHH!», schrie Casanova in Panik.

Und dass er auch Panik hatte, killte den Rest meines Vertrauens, dass wir hier noch heil herauskommen würden.

«AHHHHHHHHHHHHHHHHHHH!», schrie ich.

«AHHHHHHHHHHHHHHHHHHHH!», schrie Casanova. Und die Erde kam immer näher.

«Fliegen Sie!», rief ich.

«Ich kann nicht», rief er zurück, er war in einer Art Panikstarre.

Ich biss ihn. Fest!

«AUU!», schrie er auf.

«Fliegen Sie jetzt endlich?», fragte ich. Wir waren nur noch Sekundenbruchteile von dem Aufprall in einer Futterhalde entfernt. Ich sah schon deutlich den Smartie, auf dem wir zerschellen würden.

«Ich fliege ja, ich fliege! Nur nicht nochmal beißen!», rief Casanova, der endlich aus seiner Starre aufgewacht war. Und tatsächlich: Wir gewannen an Höhe. Dank seines eingerissenen Flügels rotierten wir zwar um unsere eigene Achse, und ich hatte alle Mühe, mich festzukrallen, aber wir gewannen an Höhe. Auf Wiedersehen, Smartie!

Langsam begann sich Casanovas Flug zu stabilisieren. Ich saß sicherer auf seinem Rücken und sah die Ameisenstadt von oben: Man sagt ja, dass Menschen von großer Höhe aus betrachtet aussehen wie Ameisen. Nun, Ameisen sehen von oben aus wie Menschen: Es sind Lebewesen wie wir – lebendig, quirlig, emsig, stets in Bewegung. Zu denken, dass das blöde Nervtötkind Nils sie mit einer Lupe verbrannt hatte – oder ich sie mit Insektengift besprüht ...

«Schauen Sie, Madame, die Königin», sagte Casanova, als wir wieder auf einer Höhe mit dem Panoramafenster waren.

«Ich werde euch hinrichten lassen!», schrie sie.

Casanova flog etwas näher an die zeternde Königin heran und sagte: «Liebste Dame, Sie regen sich zu viel auf.»

Das musste man ihm lassen, er hatte Chuzpe. Es fehlte ihm nur an Cleverness. Denn die Priesterinnen der Garde hatten zwar keine Flügel, aber er hatte die Liebhaber der Königin vergessen, die allesamt fliegen konnten.

«Bringt sie mir. Aber reißt sie vorher in kleine Stücke!», befahl die Herrscherin ihrem Jagdbataillon und hatte dabei weißen Schaum vor ihren Kiefern.

Ein Dutzend Flugameisen sauste aus dem Gemach der Königin, direkt auf uns zu.

«Und was jetzt?», schrie ich.

«Ich habe einen formidablen Plan», sagte Casanova.

Wenn er so formidabel war wie der letzte formidable Plan, hatten wir ein Problem.

«Und welchen?», fragte ich zögerlich.

«Das werden Sie sehen, Madame. Halten Sie sich nur fest!»

Wieder stürzten wir steil zu Boden, diesmal aber mit voller Absicht. Wollte der Irre uns umbringen? Mit den Haftapparaten zwischen meinen Krallen saugte ich mich an seinem gepanzerten Rücken fest, spürte den extremen Luftwiderstandswind, krallte mich noch fester und betete zu Gott. Dabei hielt ich gedanklich inne: Sollte ich wirklich zu Gott beten? War das ganze Reinkarnationserlebnis überhaupt ein Konzept Gottes?

Trotz unseres wahnsinnigen Tempos holten die Flugameisen dröhnend auf. Sie beschleunigten enorm. So muss es sein, wenn Raketen auf die Erde zuschießen.

Ich schloss die Augen, völlig sicher, dass wir beim Aufprall einen Riesenkrater hinterlassen würden, in dem man nur noch unsere matschigen Überreste finden könnte. Unsere Verfolger waren nun fast auf unserer Höhe, und wir befanden uns nur noch wenige Ameisenlängen vom Boden entfernt.

Das war genau der Moment, in dem Casanova seinen Sturzflug mit Vollbremsung auffing. «Arrggh», ächzte er und schaffte es gerade noch, uns kurz vor dem Boden in Schweblage zu bringen.

Unsere Verfolger konnten nicht mehr rechtzeitig reagieren: Sie krachten in den Boden und hinterließen eine beeindruckende Kraterlandschaft.

«Madame, ich habe die Flugerfahrung von hundertundfünfzehn Leben. Diese Ameisen nur von einem», kommentierte Casanova mit kaum verhohlenem Stolz sein Manöver.

Casanova flog langsam wieder hoch, und obwohl die Überreste unserer verstorbenen Verfolger für mich immer weniger zu erkennen waren, konnte ich meine Augen nicht von den zermalmten Körpern abwenden.

18. KAPITEL

Wir flogen durch einen Tunnel in der Himmelskuppel in die Freiheit. Aber ich konnte mich nicht richtig freuen. Der Tod unserer Verfolger machte mich überraschend fertig. Die Ameisen waren für mich ein kleines bisschen wie Menschen geworden.

«Madame, warum blasen Sie Trübsal?», fragte mich Casanova, als wir auf der Terrasse gelandet waren. Sie lag im Abendsonnenlicht und fühlte sich warm an. Doch ich registrierte es kaum.

Ich blickte zu unserem Haus und versuchte, mich auf das Wesentliche zu konzentrieren, zu verhindern, dass Nina Lillys neue Mutter wird.

«Dort lebt meine Familie», sagte ich.

Casanova schwieg kurz. Dann fragte er: «Und deren Leben wollen Sie beeinflussen?»

Ich nickte traurig, hatte ich doch keine Ahnung, wie ich das anstellen sollte.

«Ich begleite Sie gerne. Egal, welch schwieriges Dilemma Sie zu lösen haben», bot er an. «Ich lasse eine schöne Frau nie im Stich.»

«Woher wollen Sie wissen, dass ich eine schöne Frau bin? Im Augenblick verrät mein Äußeres nicht besonders viel», fragte ich.

«Bei einer schönen Frau kommt es nicht auf das Äußere an, sondern auf ihre Ausstrahlung.»

Ich musste lächeln, trotz allem. Dieser Mann wusste, wie man Frauen einwickelt. Er war ein bisschen wie Daniel Kohn.

«An wen denken Sie?», fragte Casanova.

«Wie bitte?»

«Sie haben eben besonders versonnen gelächelt. So wie man es nur tut, wenn man an jemanden denkt, zu dem es einen liebevoll hinzieht.»

Casanova wusste nicht nur, was Frauen gefällt. Er wusste anscheinend auch, was sie denken. Und ich wusste nicht, ob mir das gefiel.

Anstatt ihm eine ehrliche Antwort zu geben und ihm von Daniel zu erzählen, sagte ich: «Lassen Sie uns losgehen.»

Wir gingen über die Terrasse auf das Haus zu. Das modrig riechende Spinnennetz war immer noch unbewohnt. Die Spinne hatte es wohl aufgegeben.

Die Tür zum Wohnzimmer stand offen, und so krabbelten wir hinein. Der Raum war menschenleer, die Kuchentafel war abgebaut.

«Das ist Ihr Domizil?», fragte Casanova.

Ich nickte.

«Der Geschmack der Menschen hat sich im Laufe der Zeiten sehr gewandelt», sagte er mit Blick auf unsere Chromstehlampe, und man merkte ihm an, dass er das nicht für etwas Positives hielt.

Da hörten wir auf einmal Schritte – wer könnte das sein: Alex? Lilly?

Es war Nina. Mit nassen Haaren. Im Bademantel.

Ich japste.

«Wer ist dieses anmutige Wesen?», fragte Casanova.

Ich antwortete nicht, sondern schnaubte nur.

«Sie ist wundervoll», kommentierte er fasziniert.

Ich blickte ihn wütend an.

«Ich habe in den letzten Jahrhunderten nur wenige Menschenfrauen zu Gesicht bekommen und noch weniger mit so einem beeindruckenden Dekolleté.»

Tatsächlich: Nina hatte den Bademantel genau so weit

aufgemacht, dass es für Männer interessant wird, sie aber immer noch denken müssen, die Frau würde ihn unabsichtlich so tragen. Hatte sie Alex schon verführt, an diesem Tag meiner Beerdigung? Bestimmt! Warum sollte sie sonst im Bademantel hier rumlaufen?

Rasend vor Wut lief ich auf Nina zu und biss in ihren kleinen Zeh, der nach meinem Aprikosen-Duschbad roch. Ich biss so fest zu, wie ich nur konnte! Ich riss und fetzte wie wild mit meinen Kiefern! Dabei schrie ich: «Hiya, Hiyaaahhhhhhhh!!!!» Es war ein Gemetzel!

Und natürlich hatte es keinerlei Effekt.

Sie bemerkte mich nicht einmal. Ich war einfach zu klein. Frustriert gab ich auf.

Da betrat Alex den Raum. Er hatte seinen schwarzen Anzug gegen Jeans und T-Shirt getauscht, und seine Augen sahen noch röter und müder aus.

«Wie geht es Lilly?», fragte Nina besorgt.

«Sie spielt mit ihrem Gameboy», antwortete Alex und ließ sich matt in das Sofa fallen. Er schwieg eine Weile, dann fragte er traurig: «Ob die Kleine das je verwinden wird?»

«Sicher», erwiderte Nina. Es war eher ein hilfloser Versuch, Trost zu spenden, als echte Überzeugung.

Alex schwieg.

«Danke, dass ich hier übernachten kann», sagte Nina und setzte sich zu ihm aufs Sofa.

«Ich kann dich ja schlecht in einem Hotel schlafen lassen», antwortete Alex müde und starrte auf den Boden. Er war an Ninas Dekolleté herrlich uninteressiert, und ich schämte mich, dass ich mir ausgemalt hatte, er hätte mit ihr schon was angefangen.

«Wenn du Hilfe brauchst. Ich kann noch ein paar Tage Urlaub nehmen», bot Nina an.

«Er braucht keine Hilfe!», rief ich. «Verschwinde wieder nach Hamburg und futter Aale auf dem Fischmarkt! Oder was man da sonst so macht!»

Alex überlegte eine Weile, dann sagte er: «Es wäre wirklich schön, wenn du noch ein bisschen bleibst. Ich will mich auf Lilly konzentrieren, und wenn du mir bei dem ganzen Papierkram unter die Arme greifen könntest, würde ich mich freuen.»

«Ich bin gut im Unter-die-Arme-Greifen», antwortete Nina.

Ich schrie: «Dir greif ich auch gleich unter die Arme! Und dann kneif ich zu!»

Alex blickte Nina mit einem bemühten Lächeln an und bedankte sich: «Das ist nett von dir.» Und Nina strahlte: «Nicht der Rede wert.»

«Sie ist wundervoll», sagte Casanova.

«Was ist sie???», ranzte ich ihn an.

«Wundervoll. Sie ist eine wunderschöne Frau, die einen Mann in seinem Leid nicht alleinlässt», antwortete Casanova und blickte Nina verzückt an.

Ich versetzte ihm einen heftigen Tritt mit meinem linken Hinterbein.

«Au!», rief er. Und ich war enttäuscht, dass ich ihm nicht so weh getan hatte, dass er «AUUUUUUUU!» schrie.

Alex stand vom Sofa auf. «Ich bring die Kleine ins Bett.»

«Okay», sagte Nina, «dann mach ich uns Abendbrot.»

«Das ist nett», sagte er müde und ging in Richtung Kinderzimmer.

Und ich krabbelte hinterher, während Casanova weiter fasziniert Nina anblickte.

19. KAPITEL

«Wollen wir dich jetzt bettfertig machen?», fragte Alex Lilly, die auf ihrem Bettchen Gameboy spielte.

Die Kleine zuckte mit den Schultern. Sie war noch nie eine große Quasselstrippe gewesen, aber jetzt schien sie endgültig die Sprache verloren zu haben.

Alex versuchte, sich seine Hilflosigkeit nicht anmerken zu lassen, und führte Lilly ins Bad. Ich beschloss, auf die beiden zu warten, und blickte mich im Kinderzimmer um: Ich sah die Leuchtsterne, die wir an die Decke geklebt hatten. Ich sah die Unmengen von Spielzeug, von dem Lilly höchstens fünf Prozent regelmäßig nutzte. Und ich sah ein Foto. Es war von mir. Lilly hatte es an die Wand über ihr Bett gepinnt. Sie vermisste mich.

In diesem Moment merkte ich, dass Ameisen sehr wohl über Tränenflüssigkeit verfügen. Doch sie schießt erst dann in die Augen, wenn der Schmerz unerträglich groß ist – wie der meine in diesem Augenblick. Ich weinte, wie noch nie eine Ameise zuvor geweint hatte.

Alex und Lilly betraten wieder das Zimmer. Ich riss mich zusammen, Lilly sollte mich nicht weinen sehen. Natürlich hätte sie mich sowieso nicht weinen gesehen, ich war viel zu klein, aber es ging ums Prinzip.

Alex deckte Lilly liebevoll zu und las ihr «Pippi Langstrumpf» vor. Doch egal, wie lustig die Stellen mit Fräulein Prysselius auch waren, Lilly lachte kein einziges Mal.

Nachdem Alex drei Kapitel vorgelesen hatte, machte er das Licht aus und blieb so lange neben ihr liegen, bis sie eingeschlafen war. Man spürte, wie sehr er sich um die Kleine sorgte.

Als er ihr kleines süßes Kinderschnarchen hörte, stand

er ganz vorsichtig auf. Er schlich zur Tür, schaute nochmal nach der schlafenden Lilly, atmete tief durch und verließ traurig das Kinderzimmer.

Jetzt war ich mit meiner Kleinen allein.

Ich krabbelte zu ihrem Gesicht. Es zuckte gar nicht, obwohl meine sechs Füßchen sie sicherlich kitzeln mussten. Sie schlief tief und fest. Ich flüsterte: «Ich liebe dich», und gab ihr einen kleinen Ameisenkuss auf die Unterlippe.

Dann legte ich mich auf ihre Wange. Das rhythmische Atmen der Kleinen wiegte mich auf und ab, bis auch ich sanft einschlief.

Als ich am nächsten Morgen wieder aufwachte, fühlte ich mich großartig. Ich war ausgeruht, hatte die Strapazen der Flucht aus den sechs Beinen geschüttelt, und ich hatte endlich einen Plan: Ich würde fortan bei Lilly im Zimmer leben. Dann könnte ich ihr vor dem Einschlafen stets gut zureden. Auch wenn sie mich nicht verstehen könnte, würde ich dadurch vielleicht ihr Unterbewusstsein erreichen. So könnte ich sie beschützen, falls Nina tatsächlich ihre neue Mutter werden sollte.

Und sollte ich mal sterben, würde ich eben als Ameise wiedergeboren und wieder zu ihr krabbeln. Ja, das war ein perfekter Plan für die nächsten Leben.

Ein Plan, der ganze dreieinhalb Minuten Bestand hatte.

20. KAPITEL

Bei drei Minuten neunundzwanzig genoss ich es noch, neben Lilly zu liegen. Ihr Gesicht zu beobachten, ihren süßen Kinderduft zu riechen. Bei drei Minuten dreißig betrat Alex das Zimmer, ging auf uns zu und sah ... mich!

Nicht seine Exfrau, nein, eine Ameise, die auf seiner Tochter herumkrabbelte.

«Okay», sagte er leise, «jetzt hab ich's satt mit euch Biestern.»

Er schnippte mich so sanft von Lillys Wange weg, dass sie nicht aufwachte, ich mich aber nach einem äußerst unsanften Kontakt mit der Raufasertapete fragte, wie wohl ein Schleudertrauma bei Ameisen behandelt wird.

Lilly murmelte etwas, schlief aber gleich wieder ein. Alex gab ihr ein Küsschen und verließ entschlossen das Zimmer. Höchstwahrscheinlich würde er nun versuchen, die Ameisen zu killen. Etwas, was ich nicht geschafft hatte. Zwei Tage vor meiner Raumstation-Begegnung hatte ich noch zu Alex gesagt, dass ich wohl radikaler werden müsste. Ich wollte irgendwann einen Gartenschlauch nehmen und das Nest ausspülen. Und mir war klar: Dieses «Jetzt hab ich's satt mit euch Biestern» bedeutete übersetzt: «Ich nehm gleich den Gartenschlauch!»

Ich schluckte: Die Ameisenstadt würde durch eine Riesenflutwelle zerstört werden. Aber ich beruhigte mich schnell: Was sollte mich das scheren? Diese Stadt war kein schöner Ort. Und mit etwas Glück gehen die Ameisen ja auch alle ins Licht.

Aber was, wenn nicht?

Was, wenn es das endgültige Ende ihrer Existenz wäre?

Dann wäre ihr Tod einfach nur sinnlos.
Und grausam.
Ich war schwer verunsichert.

Eilig krabbelte ich in den Flur, vorbei an Lillys Rollschuhen und ins Wohnzimmer zu Casanova, der ein paar Krümel vom Leichenschmaus gefunden hatte und zufrieden futterte. Ich fragte ihn: «Sie kennen doch das Licht, das einem erscheint, bevor man wiedergeboren wird.»

«Ja. Es ist die Wurst, die einem hingehalten wird.»

«Glauben Sie, dass Ameisen in diesem Licht aufgehen?», fragte ich.

«Ich weiß nicht», erwiderte er, «aber ich kann mir kaum vorstellen, dass so gewöhnliche Kreaturen wie Ameisen in ihrem Leben gutes Karma sammeln.»

Ich war schwer erstaunt: «Karma?»

21. KAPITEL

Ich hatte natürlich schon mal von Karma gehört. Alex hatte ein Buch über Buddhismus gelesen, als er tief in seiner Biochemie-Studium-Krise steckte. Wenn ich hingegen mal eine Krise schob, las ich lieber Bücher mit Titeln wie «Sei lieb zu dir selbst», «Sei noch lieber zu dir selbst» und «Vergiss die anderen».

«Es ist ganz simpel», sagte Casanova. «Wer Gutes tut, sammelt gutes Karma und kommt ins Nirwana-Licht. Wer Schlechtes tut, fristet sein Dasein wie wir.»

«Ich hab nichts Schlechtes getan!», protestierte ich.

«Sicher?», fragte Casanova.

Ich nickte. Unsicher.

«Nicht mal einen Ehebruch begangen?», hakte Casanova nach.

Ich musste an Daniel Kohn denken.

«Oder anderen für einen eigenen Vorteil geschadet?»

Ich musste an Sandra Kölling denken, deren Job ich bekommen hatte, weil ich der Programmleitung von ihrem gesteigerten Kokainkonsum erzählt hatte.

«Oder haben Sie vielleicht Menschen in Ihrer Nähe vernachlässigt?»

Ich musste an Lilly denken.

«Oder könnte es sein, dass Untergebene unter Ihnen gelitten ha...?»

«Es reicht!», herrschte ich Casanova an.

«Oder ...»

«Was genau haben Sie an ‹es reicht› nicht verstanden? ‹Es› oder ‹reicht›?»

«Verzeihen Sie, Madame», sagte Casanova.

«Warum haben Sie denn nie selbst gutes Karma gesammelt?», fragte ich Casanova.

«Nun, erstens ist das in einem Ameisenhaufen nicht einfach», erwiderte er.

«Und zweitens?»

«Liegt es nicht wirklich in meinem Naturell.»

Und dabei grinste er so charmant, dass auch ich lächeln musste.

«Aber Sie können es sicherlich schaffen», munterte er mich auf.

Ich überlegte.

«Ich will aber gar nicht in das Licht», erwiderte ich. «Ich will verhindern, dass Nina meine Familie übernimmt.»

«Nun», lächelte Casanova wissend und holte etwas aus: «Als ich das vorletzte Mal starb, erschien mir Buddha ... Ich gehe doch recht in der Annahme, dass Sie den Herrn bereits kennengelernt haben?»

«Nicht gerade einer meiner Lieblinge», antwortete ich.

«Ein Sentiment, das ich durchaus teile», sagte Casanova. «Bei dieser Begegnung seufzte die dicke Ameise jedenfalls schwer, ich würde immer noch nicht verstehen, worum es ginge. Und dass er es mir jetzt doch mal erklären müsste.»

«Und dann erzählte er vom Karma?»

«Und davon, dass man nicht sofort mit gutem Karma ins Nirwana gelangt.»

«Nicht?» Ich wurde hellhörig.

«Zuerst wird man als ein höheres Tier wiedergeboren.»

«Höheres Tier?»

«Hund, Katze, Schaf – je nach angesammeltem Karma.»

Ich war elektrisiert.

«Wissen Sie, was das bedeutet?», lächelte Casanova.

«Ja, wenn ich als Hund auf die Welt komme ...»

«... können Sie allemal leichter auf die Welt der Menschen Einfluss nehmen denn als Ameise», vollendete Casanova.

22. KAPITEL

Ich hatte wieder einen Plan, und diesmal sollte er länger halten als dreieinhalb Minuten: Ich musste gutes Karma sammeln!

Und ich wusste auch schon, wie.

«Ich werde die Ameisen vor einer Überflutung warnen», sagte ich.

In diesem Augenblick bebte der Boden unter mir. Alex hatte sich im Windfang die Schuhe angezogen und ging nun energischen Schrittes in den Garten. Und auch wenn es eine Weile dauern würde, bis er in unserem chaotischen Schuppen den Aufsatz für den Gartenschlauch finden würde, blieb nicht mehr viel Zeit: Ich musste die Ameisen warnen. Ich ließ Casanova stehen und rannte los.

«Madame!», schrie mir Casanova besorgt hinterher. «Um wiedergeboren zu werden, müssen Sie aber auch sterben.»

Aber ich hörte gar nicht mehr hin, ich wollte gutes Karma. Sofort. Das Sterben erschien mir da zweitrangig.

Ich flitzte vor Alex auf die Terrasse. Dabei schaute ich zurück, um zu sehen, wie weit er noch hinter mir war. Das war ein Fehler!

Ich landete genau in dem Spinnennetz.

Die einzelnen Netzfäden waren für mich wie Schiffstaue, die man in Sekundenkleber getränkt hatte. Ich hing sofort fest, und je heftiger ich versuchte, zu entkommen, desto fester schnürten sie mich ein. So lange, bis ich kaum noch Luft bekam.

Ich versuchte, mich zu beruhigen. Ich atmete tief ein und wieder aus. Ich atmete noch tiefer ein und noch heftiger wieder aus. Ich fing an ruhiger zu werden. Ich war zwar immer noch gefangen, aber dadurch, dass ich entspannte, bekam ich mehr Luft. Meine Panik verflog.

Ich überlegte, wie ich mich aus dieser misslichen Lage befreien könnte. Doch da meldete sich mein Alarmsinn: Kopfschmerz schoss durch meinen Schädel.

Meine Beine wollten losrennen, strampelten aber nur in dem Netz. Die Fäden schnürten mich wieder mehr ein, aber ich konnte nicht aufhören – mein Fluchtsinn war außer Kontrolle. Ich zappelte, ruckelte und wurde immer fester eingeschnürt. Ich wendete meinen Kopf und sah den Grund dafür, dass mein Alarmsinn durchdrehte: Eine Spinne hing am oberen Netzrand!

Sie war riesengroß, ihre Beine waren haariger als die eines argentinischen Fußballprofis, und sie hatte eine «Mein Mitgefühl ist von geringer Ausprägung»-Ausstrahlung. Sie krabbelte auf mich zu! Gemächlich. Wie eine Couch-Potato, die in der Werbepause zum Kühlschrank geht. Ich war ihr kleiner Happen für zwischendrin. Morgens halb zehn in Deutschland.

Ich wollte fliehen, aber ich hing ja in den klebrigen Seilen. Und daher schrie ich: «Hilfe! Hilfe!»

«Au Mann, ich kann es nicht ausstehen, wenn Essen rumkrakeelt», moserte die Spinne mit einer ebenso knarzenden wie genervten Stimme.

Deine Probleme möchte ich haben, dachte ich.

Dass ich im Falle meines Todes wieder als Ameise reinkarniert wurde, war in diesem Moment kein Trost. Zum einen hätte ich die Ameisen nicht mehr rechtzeitig vor der Überflutung warnen können und so eine prima Chance zum Karmasammeln vertan. Zum anderen legte ich äußerst geringen Wert darauf, von einer Spinne nach und nach gefressen zu werden.

«An dir ist ja nicht allzu viel dran», mäkelte die Spinne.

Ich war viel zu verängstigt, um auf diese Beschwerde einzugehen.

«Aber für einen kleinen Snack wird es schon reichen», ergänzte sie.

Snack?, fragte ich mich, woher kennt eine Spinne das Wort «Snack»?

Sie krabbelte von oben immer näher heran, langsam. Sie hatte keinen Grund zur Eile.

«Na ja, bis zum Brunch wirst du meinen Magen schon füllen.»

Brunch, dachte ich, diese Spinne kennt auch «Brunch»? Und in meinem Hirn rotierte es: Konnte es sein? Warum eigentlich nicht? Es war eine Möglichkeit.

Die Spinne hing nun direkt über mir im Netz.

«So, meine kleine Ameise. Normalerweise müsste ich dich mit Spinnengift einsprühen. Aber ehrlich gesagt, ich bin kein Freund von Giftstoffen im Essen. Also verzeih mir bitte, ich fress dich lieber bei lebendigem Leibe.»

Giftstoffe?, wiederholte ich in Gedanken. Jetzt war die Möglichkeit eine Gewissheit!

Die Spinne öffnete ihr Riesenmaul. Hastig sagte ich: «Sie sind auch ein wiedergeborener Mensch, nicht wahr?»

Die Spinne zog ihr Maul wieder zurück, schloss es und wiegte den Kopf nachdenklich hin und her.

«Hab ich recht?», hakte ich nach.

Nach einer Weile nickte die Spinne vorsichtig. Mein Alarmsinn stellte seine Arbeit ein, und etwas entspannter fügte ich hinzu: «Ich bin ebenfalls wiedergeboren. Ich heiße Kim Lange.»

«Die Fernsehmoderatorin?»

«Ja, genau die», antwortete ich erleichtert und war irgendwie geschmeichelt, dass sie mich sogar kannte.

«Und wer sind Sie?», fragte ich.

«Gewesen.»

«Wer sind Sie gewesen?»

«Thorsten Borchert», antwortete die Spinne.

Ich scannte meinen Erinnerungsdatenspeicher, aber es gab keinerlei Eintrag für Thorsten Borchert.

«Bemühen Sie sich nicht. Sie kennen mich nicht», sagte die Spinne. «Ich war ein Niemand.»

Das klang nicht gerade nach einem Ausbund an Selbstbewusstsein.

«Niemand ist ein Niemand», sagte ich in dem netten Plauderton, den ich mir für schwierige Interviewgäste antrainiert hatte.

«Ich schon», kam es zurück. «Sie waren eine Talkshow-Moderatorin. Ich nur ein dicker kleiner Beamter in der Abwasserbehörde.»

«Och, das ist doch auch ein interessanter Beruf», antwortete ich in einem noch netteren Plauderton.

«Und was genau ist daran interessant?»

«Nun, ähem ... alles. Abwässer sind sehr interessant», sagte ich.

In diesem Augenblick merkte ich, dass auch Spinnen zu einem «Verarschen kann ich mich selber»-Blick fähig waren.

«Jemand wie Sie hätte mich früher nicht mal mit dem Hintern angesehen», stellte Thorsten Borchert fest.

«Doch, doch», sagte ich eifrig, «sogar mit dem Gesicht.»

«Sie unterhalten sich doch auch jetzt nur mit mir, weil ich Sie auffressen will.»

Will?, dachte ich, er sagt «will»? Er müsste doch «wollte» sagen. Mir gefiel sein Gebrauch des Präsens überhaupt nicht. Mein Alarmsinn begann sich wieder zu regen.

So ruhig wie möglich sagte ich: «Ich will alles über Sie wissen. Binden Sie mich los. Dann können wir plaudern.»

«Sie wollen mit jemandem plaudern, der mit dreiunddreißig noch bei seiner Mutter lebte?»

«Ähem ... ja», flunkerte ich.

«Glaub ich nicht», erwiderte er.

«Es gibt keinen Grund, mir nicht zu glauben», sagte ich und merkte, dass meine Stimme völlig unglaubwürdig klang.

«Ich hab mein ganzes Leben verplempert», begann Thorsten zu greinen. «Ich hab keinen einzigen meiner Träume verwirklicht. Wissen Sie, dass ich nie nackt im Regen getanzt habe?»

«Nein ...», und es gab auch kaum etwas, das mich weniger interessieren könnte.

«Ich hätte so gerne nackt im Regen getanzt», seufzte Thorsten. «Haben Sie mal nackt im Regen getanzt?»

«Nein», erwiderte ich wahrheitsgemäß. Ich stand nicht so auf Erkältungen.

«Meine Mutter schon.»

Ich blickte in Richtung Schuppen, der am Ende unseres großen Gartens stand, und hörte, wie Alex fluchend nach dem Aufsatz für den Gartenschlauch suchte.

«Jetzt machen Sie mich bitte los! Ich muss den Ameisenhaufen vor der Auslöschung retten!», drängelte ich.

Thorsten, die Spinne, war von dem plötzlichen Themenwechsel irritiert, und ich erklärte im Schnelldurchlauf, was los war.

«Die Biester sind mir völlig wurscht!»

«Aber mir nicht», rief ich.

«Wollen Sie sich nun mit mir unterhalten oder nicht?», fragte er.

«Nein!», erwiderte ich taktisch nicht gerade clever. «Befrei mich endlich, du Vollidiot!» Es war vorbei mit dem höflichen Gesieze.

«Mama hatte recht, alle Frauen sind Lügnerinnen.»

Mir gefiel die Richtung nicht, die dieses Gespräch nahm.

Er krabbelte wieder auf mich zu. Auch diese Richtung gefiel mir nicht. Und meinem Alarmsinn noch weniger, der mir fast den Schädel sprengte.

«Was machst du denn nun?», fragte ich und schaffte es

kaum, meine Stimme dabei nicht nervös überschlagen zu lassen.

«Dich essen», sagte er lapidar. Auch er verzichtete nun auf das höfliche «Sie».

«WAS?!?», rief ich.

«Ich hab Hunger.»

«Du kannst doch keinen Menschen essen!»

«Du bist kein Mensch. Du bist eine Ameise. Ich bin eine Spinne. Das ist unser neues Leben. Darauf muss man sich einstellen. Alles andere wäre Selbstbetrug.»

Dieser Umgang mit dem Phänomen Wiedergeburt war mir eindeutig zu pragmatisch.

Thorsten krabbelte immer näher. Was konnte ich nur gegen diesen Irren tun? Ich überlegte hastig und kam auf eine verzweifelte Idee:

«Lass mich frei, oder ich furz in deinen Mund.»

«Was?», fragte Thorsten etwas undeutlich – sein Maul war bereits weit offen.

«Lass mich frei, oder ich furz in deinen Mund.»

Er überlegte und sagte: «Ich kann dennoch zubeißen.»

«Aber ich schmecke dir dann nicht mehr», konterte ich.

Thorsten zögerte und erwiderte: «Aber du bist dann tot.»

«Ich werde wiedergeboren», hielt ich dagegen.

Thorsten schwieg, verunsichert.

Und ich legte nach: «Und bevor ich sterbe, hab ich in deinen Mund gefurzt. Und den Geschmack wirst du tagelang nicht mehr los.»

Thorsten suchte nach einem Gegenargument und fand leider ein gutes: «Vielleicht hab ich dich schneller runtergeschluckt, als du furzen kannst.»

Jetzt suchte ich nach einem Gegenargument für sein

Gegenargument und fand ebenfalls ein gutes: «Ich furz schneller als der Wind.»

Thorsten zögerte. Lange – er suchte nach einem Gegenargument gegen mein Gegenargument für sein Gegenargument. Währenddessen spürte ich seinen heißen Atem um meinen Ameisenpo herumwehen. Meine Panik wurde immer größer, jeden Augenblick würde mein Fluchtinstinkt überhandnehmen, und ich würde versuchen zu fliehen. Und dann würde Thorsten zubeißen. Ich rang mit mir. Hart. Schließlich konnte ich nicht mehr gegen meinen Instinkt ankämpfen. Meine Beine machten sich auf zum Start, der mein garantiertes Verderben bedeuten würde. Im letzten Augenblick sagte Thorsten: «Gut, gut, gut – du hast gewonnen.»

Er befreite mich aus den Fäden mit den Worten: «Ich mag kein Essen, das mit einem diskutiert.»

Ich krachte zu Boden. Es tat weh, aber ich war ungemein erleichtert, dieses Leben nicht als Spinnensnack beendet zu haben.

Ich blickte zu Alex, der aus dem Schuppen trat. Er hatte den Aufsatz für den Schlauch gefunden. Ich rannte los, aber meine Beine waren von den Spinnenfäden noch klebrig und backten auf der Terrasse fest.

«Darf ich Ihnen helfen, Madame?», fragte Casanova, der auf einmal hinter mir stand. Bevor ich etwas antworten konnte, befreite er mich schnell mit seinen vielen Beinen von den Kleberesten.

«Danke», sagte ich und wollte wieder losrennen.

«Bleiben Sie bitte», entgegnete Casanova.

«Wir müssen die Ameisen warnen», erwiderte ich und rannte los Richtung Tunneleingang.

Casanova rannte hinter mir her: «Sie werden ertrinken,

Madame. Und Ertrinken ist kein schöner Tod», sagte Casanova, und es klang so, als ob er seine eigenen Erfahrungen mit dem Wassertod gemacht hätte.*

«Ich brauche gutes Karma!», erwiderte ich tapfer.

«Ihr Mut ist größer als Ihr Verstand», seufzte Casanova und hielt mit mir Schritt.

Ich erwiderte gequält lächelnd: «Für jemanden, der für seinen Charme bekannt ist, war das nicht sehr nett.»

«Oh, ganz im Gegenteil, ich bewundere bei einer Frau Verstand, ich verehre Sinnlichkeit, aber beeindruckt, beeindruckt bin ich von einer Frau mit Courage.»

«Danke», sagte ich, von meinem Mut plötzlich selbst überrascht. Das Couragierteste, was ich in meinem Menschenleben getan hatte, war, Lilly zur Welt zu bringen.

Kurz vor dem Tunneleingang stellte sich mir Casanova in den Weg.

«Halten Sie mich nicht auf!», sagte ich schroff.

«Das will ich gar nicht», sagte Casanova. «Krabbeln Sie auf meinen Rücken.»

Ich blickte ihn erstaunt an.

«Vielleicht kann ich auch etwas gutes Karma gebrauchen.»

«Ich dachte, gutes Karma sammeln entspricht nicht Ihrem Naturell?»

«Noch haben wir ja auch keins gesammelt», lächelte die charmante Ameise zurück.

* Aus Casanovas Erinnerungen: Der Fortschritt, den die Menschheit in den letzten Jahrhunderten machte, war für mich des Öfteren fatal. In meinem einhundertsechsten Leben landete ich auf einer weißen Keramikschüssel. Ihre Oberfläche war dermaßen glatt, dass ich abrutschte und in ein tiefes Gewässer fiel. Die letzten Worte, die ich vernahm, waren für mich kryptischer Natur. Eine tiefe Männerstimme sagte: «Schau mal, Schatz, ich hab eine Spartaste für die Spülung eingebaut.»

23. KAPITEL

Wir sausten in einem Wahnsinnstempo durch den Tunnel und kamen knapp über dem Boden zum Halt. Ich brüllte mit aller Kraft: «Rettet euch! Rettet euch! Gleich wird hier alles überflutet!»

Die Ameisen schauten kurz hoch.

Ich rief weiter: «Los, rennt um euer Leben!»

Sie rannten nicht.

«Los! Hopp-hopp!»

Sie rannten immer noch nicht.

«‹Hopp-hopp› bedeutet: Bewegt eure verdammten Hintern!»

Sie schauten mich nochmal kurz mit leerem Blick an, dann verrichteten sie weiter ihr Tagewerk. Da ich nicht ihre Kommandantin war oder gar ihre Königin, waren meine Warnungen ihnen schnurzpiepegal. Es war so wie in jedem Großunternehmen: Gesunder Verstand zerschellt an interner Hierarchie.

«Sie hören nicht auf Sie, Madame», sagte Casanova.

«Danke, das wäre mir so nicht aufgefallen», erwiderte ich bissig und fügte hinzu: «Wir fliegen zur Königin. Die Königin ist die Einzige, auf die die Ameisen hören. Nur sie kann einen Evakuierungsbefehl geben.»

«Aber wir gehören nicht gerade zu ihren Lieblingsameisen», gab Casanova zu bedenken.

«Egal. Ich will gutes Karma!», erwiderte ich.

«Sie sind sehr dickköpfig», seufzte Casanova und flog aufwärts in Richtung der königlichen Gemächer.

Wir erreichten das Panoramafenster, das von zwei Priesterinnen der Königlichen Garde bewacht wurde, und pendelten uns schwebend auf deren Augenhöhe ein.

«Was wollt ihr?», fragte die eine Wache. Sie erkannte uns nicht, wir waren gestern offenbar vor anderen Priesterinnen geflohen.

«Wir wollen zur Königin. Es ist dringend!», forderte ich.

«Die Königin empfängt keinen unangemeldeten Besuch.»

«Aber es geht um das Leben aller Ameisen.»

«Die Königin empfängt keinen unangemeldeten Besuch.»

«Wenn sie uns nicht sofort anhört, werden alle sterben.»

«Die Königin empfängt keinen unangemeldeten Besuch.»

«Kannst du auch was anderes sagen als ‹Die Königin empfängt keinen unangemeldeten Besuch›?», fragte ich genervt.

«Die Königin empf...»

«Schon gut! Schon gut!», unterbrach ich.

Casanova flüsterte mir zu: «Fliegen wir jetzt hier raus?»

«Nein», erwiderte ich und deutete auf das Gemach der Königin. «Wir fliegen da rein!»

«Wenn wir da jetzt hineinfliegen, werden uns die Priesterinnen überwältigen.»

Ich schaute ihn nur durchdringend an.

«In Ihrem Blick lese ich, dass ich Sie nicht umstimmen kann», seufzte Casanova.

«Gut gelesen», antwortete ich.

Casanova flog einen weiten Bogen, damit er genug Schwung nehmen konnte, und sauste auf die stoisch dreinblickenden Priesterinnen zu. Allerdings blickten sie umso weniger stoisch, je näher wir kamen.

Mit Höchstgeschwindigkeit flogen wir durch die beiden Wachen hindurch. Sie wurden von unserem Flugwind zur Seite geschleudert und fielen zu Boden. Das mag zwar schmerzhaft für sie gewesen sein, aber ihnen erging es immer noch deutlich besser als uns.

«Ich kann nicht ...», rief Casanova im rasenden Flug.

«Was können Sie nicht?», rief ich zurück.

«Ich kann nicht bremseeeeeeeeen!»

Wir krachten gegen die Wand des königlichen Gemaches und fielen benommen runter auf den königlichen Schlafplatz.

Das an sich wäre schon ein Frevel gewesen. Aber die Tatsache, dass die Königin noch auf ihrem Schlafplatz schlummerte, machte die Angelegenheit erst richtig schlimm. Wir fielen zwar relativ weich, aber die Queen war noch weniger amused als bei unserer letzten Bruchlandung auf ihrem royalen Körper.

Casanova rappelte sich als Erster auf und sagte zu mir: «Ich habe nicht den Eindruck, dass die Königin geneigt ist, uns ein Ohr zu leihen.»

Bevor ich «Ich auch nicht» antworten konnte, richtete die Königin ihren monströsen Körper auf und dröhnte: «Diesmal rufe ich nicht die Wachen.»

«Nein?», fragte ich mit leiser Hoffnung.

«Ich reiß euch selber den Kopf ab. Hier und jetzt!», schrie sie.

Ich schluckte, und sie begann mit ihren riesigen Beinen nach uns zu treten.

«Hören Sie», flehte ich, während ich ihren Schlägen auswich, «wir sind alle in größter Lebensgefahr!»

«Ihr bald nicht mehr. Ihr seid gleich tot!», schlug sie weiter um sich und trieb mich vor sich her. In die Ecke.

Mit dem nächsten Hieb würde sie mich treffen.

Hastig sagte ich: «Gleich wird der Ameisenhaufen von einer riesigen Flutwelle überschwemmt.» Die Königin hielt mitten im Schlag inne. Ihre beiden Vorderbeine stoppten nur Nanometer entfernt vor meinem Schädel.

«Eine Flutwelle?», fragte sie.

«Ja, ein Mensch ...»

«Was ist ein ‹Mensch›?»

«Verzeihung, ein Grglldd ...», korrigierte ich mich.

«Die Einzahl von Grglldd ist Grgglu», rief Casanova mir zu.

Ich korrigierte mich erneut: «Verzeihung, meine Königin, ein Grgglu will mit Wasser die Ameisenstadt ertränken.»

Die Königin senkte ihre Beine und konstatierte: «Die Grglldd sind zu so etwas fähig.»

«Sie müssen den Ameisen den Befehl geben, die Stadt zu verlassen», insistierte ich.

Die Königin schaute mich an, dann fragte sie: «Warum sollte ich einer lächerlichen kleinen Arbeiterin glauben?»

«Ich wäre doch sonst kaum wieder hierhergekommen, schließlich wollten Sie mich hinrichten lassen.»

Die Königin nickte, das leuchtete ihr ein. Und dann gab sie den Befehl zur Evakuierung.

Leider verstand die Königin unter Evakuierung etwas anderes als ich. Sie befahl ihren beiden Priesterinnen: «Holt die besten Liebhaber aus meinen Gemächern. Wir werden mit ihnen wegfliegen.»

Die beiden Priesterinnen liefen los. Die Königin rief ihnen nach: «Und verratet den anderen Priesterinnen nicht, dass wir verschwinden!»

Ich schaute die Königin irritiert an: «Sie wollen nicht, dass die anderen Priesterinnen es wissen?»

«Meine Liebhaber können nur mich und die beiden Wächterinnen tragen», erklärte sie mir, als ob es das Normalste von der Welt wäre. Dabei hastete sie eilig zum Panoramafenster.

«Die anderen Priesterinnen sollen ertrinken?», fragte ich entsetzt.

«Na und?», antwortete die Königin.

Die Priesterinnen kamen in Begleitung von zehn Flugameisen in das Gemach gehastet.

«Wollen Sie denn keine Ansprache an das Volk halten?»

«In so einer Situation ist jede Sekunde kostbar. Da kann ich doch nicht meine Zeit verplempern!», machte die Königin klar.

Dann wandte sie sich an die Liebhaber: «Fliegt uns an die Oberfläche.»

Die Flugameisen gehorchten. Zwei von ihnen schnappten sich je eine der Priesterinnen, während die anderen sechs ächzend die Königin hochhievten.

«Sie können doch nicht Ihr Volk ertrinken lassen», rief ich.

«Wichtig ist der Fortbestand unseres Volkes», erwiderte die Königin in bester Diktatoren-Pressekonferenz-Manier. «Ich muss mich selbst retten, um das Volk zu retten.»

Sprach's und ließ sich von den Liebhabern in die Lüfte tragen.

Schockiert stand ich da: Jeden Augenblick würde Alex die Stadt unter Wasser setzen, und die Königin ließ ihre Untertanen im Stich!

Fassungslos trat ich ans Fenster: Überall wimmelten die kleinen Trupps umher. Irgendwo war sicherlich auch der von Krttx und Fsss. Sie hätten es viel mehr verdient, weiterzuleben, als die Königin.

«Wir müssen die Ameisen einfach warnen!», sagte ich zu Casanova, ohne auch nur einen blassen Schimmer zu haben, wie ich sie diesmal zum Zuhören bewegen sollte.

Doch da hörten wir schon das Donnern des Wassers, das durch die Tunnel heranrauschte.

«Zu spät», sagte Casanova.

«Aber so was von», nickte ich traurig.

«Wenigstens haben wir ein paar Ameisen gerettet», fuhr Casanova fort, «vielleicht reicht das ja für gutes Karma.»

«Hoffentlich», erwiderte ich.

Dann kam die große Flut.

24. KAPITEL

Wieder einmal zog das Leben an meinem geistigen Auge vorbei: die Flucht aus den königlichen Gemächern, Nina im Bademantel, der verzweifelte Alex, wie ich auf der Wange der kleinen Lilly einschlief ...

An dieser Stelle versuchte ich, mit aller Macht den Film anzuhalten. Ich wollte die Erinnerung an Lilly genießen, ihren Atem, ihre Nähe, wie ich ihr einen kleinen Ameisenkuss gegeben hatte – das alles wollte ich für immer auskosten ...

Doch der Erinnerungsstrom schwappte darüber hinweg: Ich blickte der fliehenden Königin nach und hörte die Flutwelle. Ich sah die Unmengen von Wasser, die von oben in die Ameisenstadt spülten! Ich hörte die Schreie der Ameisen! Ich sah, wie sich die Erde der Kuppel lockerte und dann auf uns herabstürzte. Ich merkte, wie das schlammige Wasser mich mitriss ... Dann wurde mir schwarz vor Augen ...

Für eine Sekunde.

Ich sah wieder das Licht.

Es wurde immer heller.

Es war wunderschön.

Und es umhüllte mich.

Aber ich ahnte, dass ich wieder von ihm abgestoßen werden würde. Ich versuchte mit aller Macht, es nicht zu umarmen. Nicht in ihm aufzugehen. Ich wollte nicht wieder so enttäuscht werden.

Aber ich hatte keine Chance, es war einfach zu sanft. Ich gab den Widerstand auf.

Ich umarmte es.
Ich fühlte mich so wohl.
So geborgen.
So glücklich.

Dann wurde ich von dem Licht abgestoßen.
Schon wieder.

Ich wachte auf, tieftraurig. Ich hatte gegenüber Casanova geschwindelt: Ich wollte zwar Nina vertreiben, aber ein Teil von mir sehnte sich dennoch ungemein nach diesem Licht. Ein verdammt großer Teil.

Der Signore hatte recht: Es war wirklich wie eine verdammte Wurst, die einem hingehalten wurde.

Ich hoffte, nicht mehr als Ameise wiedergeboren zu werden. Aber ich konnte nicht wirklich daran glauben, diesem Schicksal entronnen zu sein. Schließlich war mein Rettungsversuch des Ameisenhaufens kein besonderer Erfolg gewesen. Es war mir nur geglückt, eine Königin zu retten, die ihr Volk unterdrückt.

Aber wenn ich wieder eine Ameise war, warum konnte ich dann nichts sehen? Warum konnte ich nur vier Beine spüren anstatt sechs?

Und warum zum Teufel schlabberte mich da jemand mit seiner Zunge ab?

«Mein Kleines, halte still. Ich will dich doch nur säubern», sagte eine nette Stimme.

Ich wollte fragen: «Wo bin ich? Wer bist du? Bin ich keine Ameise mehr? Was ist hier los? Wo ist der bekloppte Buddha?»

Aber heraus kam nur ein langes «Fiiiiiiiiiiiiiiiip!».

War ich das? Ich versuchte es nochmal. Ich rief «Buddha!», zu hören war aber nur: «Fiiip!»

Okay, offensichtlich kamen diese Fiepgeräusche von mir.

War ich vielleicht ein Hundewelpe?

«Beruhige dich», säuselte die liebe Stimme zu mir in mütterlichem Tonfall.

Beruhigen, beruhigen, dachte ich. Ich bin blind. Ich kann nicht sprechen. Ich habe keine Ahnung, in was für einem Körper ich bin, und eine Zunge hört nicht auf, mich abzuschlecken – wie zum Teufel soll ich mich da beruhigen?

«Fiiiiiip», sagte ich also völlig unberuhigt.

«Meine Kleine, du musst keine Angst vor dem Leben haben», säuselte die nette Stimme.

«Keine Angst vor dem Leben» – das wäre eine feine Sache, aber erst mal wollte ich wissen, was das für ein Leben war: das eines blinden Maulwurfs vielleicht? Aber wir waren nicht unter der Erde, ich konnte wärmende Sonnenstrahlen auf meinem Körper spüren. Ein Maulwurf war ich also nicht. Was dann? Ein blindes Schaf? Ein blinder Hund? Ein blindes Huhn? Find ich ein Korn?

«So, jetzt sind aber die anderen dran», sagte die Stimme, und das Geschlabbere hörte dankenswerterweise auf.

«Die anderen?», wollte ich fragen, aber auch diesmal

brachte ich nur ein «Fiiiip» hervor. Da hörte ich ein anderes «Fiiiip» und noch eins und noch eins und noch eins. Ich war nicht allein.*

«Kindchen, seid nicht nervös. Mama ist bei euch», sagte die liebe Stimme. Und die anderen «Fiiiips» wurden leiser.

«Mama ist bei euch» – was für ein schöner Satz. Aber er erinnerte mich daran, was wirklich schlimm war. Egal, als was ich auch wiedergeboren war, ich war nicht bei ...

«Lilly! Schau dir an, wie die Mama die kleinen Meerschweinchen säubert», hörte ich Alex sagen.

Ein Satz, der eine Lawine an Gedanken auslöste:

- Lilly ist da!
- Und Alex auch.
- Alex hat fast alle Ameisen getötet.
- Das macht mich wütend.
- Auch wenn er nicht wusste, was er tat.
- Er war ja nie Ameise.
- Und auch nie ein Meerschweinchen.
- Ich war ein Meerschweinchen?!?
- Das hatte Alex jedenfalls gesagt.
- Er hatte Lilly ja ein Meerschweinchen zum Geburtstag geschenkt.
- Diesem Meerschweinchen gehörte sicher die Stimme.
- Und die nasse Zunge.
- Es war also doch schwanger gewesen.
- Ich hatte also recht gehabt.
- Und Alex hatte unrecht.

* Aus Casanovas Erinnerungen: Ich wandelte als Säugetier auf Erden, und mein Herz quoll über vor Glück, denn mein erotisches Liebesleben würde fortan sicherlich einen gehörigen Aufschwung nehmen.

- Der Idiot.
- Aber immerhin war ich keine Ameise mehr.
- Juchhuuu!!!
- Ich hatte gutes Karma gesammelt.
- Noch mehr Juchhuuu!!!
- Ich war ein Meerschweinchen.
- Das war eigentlich kein Grund für «Juchhuuu!!!».
- Das war Mist.
- Wie, zum Teufel, sollte ich denn als Meerschweinchen Nina vertreiben?

«Es ist nicht deine Aufgabe, Nina zu vertreiben», sagte eine Stimme, die ich sofort am Weihnachtsmann-Tonfall erkannte. Es war Buddha.

Und dann tauchte mitten in der Dunkelheit ein enorm dickes Meerschweinchen auf, das mich freundlich anlächelte. Es war strahlend weiß. Und wenn ich strahlend sage, dann meine ich auch strahlend – ich musste die Augen zusammenkneifen, um von dem leuchtenden Meerschweinchen nicht geblendet zu werden. Wie hatte Buddha doch bei unserer ersten Begegnung gesagt: «Ich erscheine in der Form, in der die Seele des Menschen wiedergeboren wird.»

Mit einer kleinen Pfotenbewegung vertrieb Meerschweinchen-Buddha die Dunkelheit, an ihrer Stelle erschien eine große Wiese, die in den buntesten Technicolor-Farben schillerte. Sie war unendlich weit, und überall blühten die tollsten Blumen, die aussahen wie aus einem Sechziger-Jahre-LSD-Trip. Ganz klar: Diese Szenerie war nicht real. Buddha hatte mich hierher entführt, um ungestört von Menschen mit mir reden zu können.

Es muss Spaß machen, wenn man so seine eigenen Realitäten erschaffen kann. Könnte ich das auch, hätte meine

Realität wie folgt ausgesehen: Ich wäre wieder ein Mensch, es wäre gesellschaftlich überhaupt nicht verwerflich, seinen Mann mit Daniel Kohn zu betrügen, und Nina hätte mit Gedächtnisverlust am Titicacasee gelebt.

Ich schaute an mir herab und sah, dass ich ein kleines Meerschweinchenbaby war. Ich hatte ein braun-weißes Fell und war von der Geburt noch völlig verklebt.

«Warum bin ich nur ein Meerschweinchen geworden?», fragte ich, und bevor Buddha etwas erwidern konnte, stampfte ich mit meinen kleinen Meerschweinchenpfoten auf: «Ich will ein Hund sein! Ich will! Ich will! Ich will!» (Noch vor einer Woche hätte ich es nicht für möglich gehalten, dass ich so einen Satz jemals sagen würde.)

«Um als Hund wiedergeboren zu werden, hättest du mehr gutes Karma sammeln müssen.»

«Hab ich die falschen Ameisen gerettet?», fragte ich.

«Nein.»

«Nein?»

«Du hast sie aus dem falschen Grund gerettet.»

«Aus dem falschen Grund?»

«Du hast aus egoistischen Motiven gehandelt. Weil du Nina vertreiben willst. Hättest du das Gleiche aus reinem Herzen getan, wärst du nun ...

«Ein Hund?», fragte ich hoffnungsvoll.

«Oder etwas noch Höheres», erwiderte er, während die LSD-Wiese um uns herum langsam verblasste. Ich sah nur noch den strahlend weißen Buddha. Und um ihn herum jede Menge Dunkelheit.

«Lebe ein schönes Leben», sagte das dicke Meerschweinchen und löste sich in Luft auf.

Ich rief: «Hey, du kannst doch nicht einfach abhauen!» Aber ich wusste mittlerweile, dass der Blödmann konnte, was er nur wollte. Ich war wieder allein in der Dunkelheit und überlegte, was «etwas Höheres» bedeuten würde: Affe oder gar Mensch?

Aber was würde es mir bringen, als Mensch wiedergeboren zu werden? Ich wäre dann deutlich jünger als Lilly. Ein kleines Baby.

Doch plötzlich durchströmte mich wieder Hoffung: Mit zwei Jahren könnte ich als Menschenkind ja schon reden. Ich würde Alex alles erzählen und ihn davon abhalten, mit Nina zusammenzukommen. Vielleicht würde er ja sogar auf mich warten, bis ich erwachsen war, und mich wieder heiraten. Dann wäre er circa fünfzig Jahre alt und ich achtzehn ...

Hoppla, ich machte mir Gedanken darüber, Alex nochmal zu heiraten. Hatte ich etwa doch noch Gefühle für ihn?

Aber diese ganze Phantasie hatte eh einen Haken: Wenn sich die Menschen an ihre Wiedergeburt erinnern könnten, so wie ich es als Ameise und Meerschweinchen konnte, müssten dann auf dieser Welt nicht wahnsinnig viele Leute rumlaufen, die sich an frühere Leben erinnern? Menschen, die sagen: «Hey, ich war Humphrey Bogart und freue mich, dass ich nun viel größer bin.» Oder: «Ich war mal Tänzerin im Moulin Rouge, aber all meine Can-Can-Kenntnisse nützen mir als Mercedes-Vorstand nicht allzu viel.» Oder: «Ich war John Lennon, warum komme ich jetzt bei ‹Popstars› nicht in die nächste Runde?»

So aber waren die einzigen Menschen, die sich an frühere Leben erinnerten, entweder Shirley MacLaine oder verrückt – oder beides zusammen.

Doch egal, ob ich nun als Hund oder Mensch wiedergeboren würde, sicher wäre beides besser als ein Leben als mümmelndes Meerschweinchen. Ich musste also schnell weiter gutes Karma sammeln!

«Darf ich eins der Meerschweinchenkinder in die Arme nehmen?», fragte Lilly. Ich war wieder im Käfig. Die Sonnenstrahlen wärmten mich nicht mehr, der Himmel hatte sich wohl bewölkt. Ich fror.

Die Mama schleckte nun meine verklebten Augen frei. Das Erste, was ich als Meerschweinchen in dieser Welt sah, war also eine rosa Tierzunge. Aber das Zweite war schon Lilly! Sie sah so aus, als hätte sie für einen Augenblick ihre Trauer völlig vergessen. Die Anwesenheit von uns fünf Meerschweinchenbabys erfreute ihr Herz.

«Bitte, bitte, gib mir das Kleine in der Ecke da!», sagte sie und deutete auf mich. «Das schaut mich so dolle an.»

Mein Puls schlug wie wild. Ich wollte von Lilly in den Arm genommen und geknuddelt werden.

Alex öffnete die Käfigtür. Meine Geschwister schrien panisch durcheinander: «Fiiiiiip ...»

«Alles gut, meine Kleinen», säuselte die Meerschweinchenmama, «die Wallalalala essen keine Meerschweinchen.» (Offensichtlich war Mama Meerschweinchen noch nie in Chile gewesen.)

Meine Geschwister fiepten trotz der besänftigenden Worte weiter, während ich ganz ruhig blieb.

«Das in der Ecke ist das Einzige, das keine Angst mehr hat», stellte Lilly fest.

«Dann nehme ich das», sagte Alex.

Mein Puls schlug nun noch viel wilder, gleich würde er mich herausnehmen und in die Arme der Kleinen legen. Ich könnte mit ihr kuscheln, ihre Nähe spüren ...

«Was macht ihr denn da?», hörte ich Ninas Stimme.

«Lilly möchte eins der Meerschweinchen in die Arme nehmen.»

«Die sind doch gerade geboren worden. Das ist bestimmt nicht gut für die Kleinen», sagte Nina.

«Nicht gut?», rief ich. «Du hast doch keine Ahnung, wie sich so ein Meerschweinchen fühlt. Du bist doch nie ein Meerschweinchen gewesen. Höchstens ein Skihaserl.»

Natürlich hörte Nina nur ein lautes «Fiiiiiiiiiiip!». Aber durch mein Fiepen fiepten die anderen Meerschweinchen noch mehr.

«Seht ihr, die quieken ja ganz ängstlich», sagte Nina. Ich hielt sofort mein kleines Meerschweinchenmaul. Aber das half auch nichts mehr.

«Du hast recht», sagte Alex und wandte sich Lilly zu: «Wir warten, bis sie etwas größer sind.»

Er schloss den Käfig.

Und Lilly war wieder weit weg für mich.

25. KAPITEL

Die nächsten Tage wurden wir von unserer Mama aufgepäppelt. Und ich muss sagen: Sie war eine verdammt gute Päpplerin. Sie verwöhnte uns fiepende Wesen rund um die Uhr, redete uns gut zu und schleckte uns mit ihrer Zunge sauber. Und so merkwürdig das klingen mag: Es fing mir an zu gefallen. Nach all den aufregenden Tagen als Ameise war das hier fast schon ein Urlaub. Gut, mir wäre eine Wellnesswoche auf Sylt mit muskulösen Masseuren lieber gewesen (von denen abgeschleckt zu werden hätte sicherlich auch mehr Freude bereitet).

Eine ganze Weile fragte ich mich, warum es mir so gefiel.

Anfangs schob ich es darauf, dass ich als Meerschweinchen einen eingebauten «Mama soll mich lieb haben»-Instinkt hatte. Doch dann dämmerte es mir: Auch als Menschenkind hatte ich ihn gehabt, doch leider war meine Mutter die meiste Zeit zu sehr mit ihren eigenen Problemen beschäftigt gewesen.

Im Laufe der Jahre hatte ich verschiedene Strategien entwickelt, um ihre Aufmerksamkeit zu gewinnen: Als Mädchen versuchte ich sie mit guten Schulnoten zu beeindrucken, ohne Erfolg. Als Teenager revoltierte ich. Und als ich feststellte, dass auch dies meiner Mutter egal war, suchte ich mir meine Liebe woanders: In Alex fand ich nicht nur einen Liebhaber, sondern auch einen Freund, der mir Halt gab. Im Gegensatz zu mir kam er aus einem sehr behüteten Elternhaus. Seine Eltern waren schon über zwanzig Jahre glücklich verheiratet, sie hatten ihre Kinder lieb, und sie blickten stets positiv in die Zukunft. Kurzum, sie kamen mir vor wie Wesen aus einem Science-Fiction-Roman.

Bei ihnen am Mittagstisch fühlte ich mich wohl und unwohl zugleich. Wohl, weil es so harmonisch war. Unwohl, weil ich stets an den alten Song aus der Sesamstraße dachte: «Eins von den Dingen gehört nicht zu den anderen.»

Und dieses «Ding» zwischen all diesen harmoniebegabten Menschen war definitiv ich.

Doch Alex gab mir das Vertrauen, dass auch wir eine solche Familie gründen konnten, und zwischendrin hatte ich das sogar geglaubt.

Aber jetzt war meine Menschenfamilie dank meines Fehltrittes zerstört, und ich war Teil einer verdammten Meerschweinchenfamilie.

Nach zehn Tagen sagte Alex endlich zu Lilly: «Nun kannst du mal eins der Meerschweinchen in die Arme nehmen.» Ich drängelte mich sofort an die Tür, kämpfte mich an den anderen Meerschweinchen vorbei – bei einem besonders offensiv kuschelnden brauchte ich etwas mehr Nachdruck – und ignorierte dabei die Mama, die mahnend sagte: «Du darfst deinem Bruder nicht zwischen die Beine treten.»*

Ich fiepte nur kurz zurück, mein Sprechapparat hatte sich noch nicht ausgebildet, um richtig antworten zu können.

«Welches Meerschweinchen soll ich nehmen?», fragte Lilly. Ich warf ihr den treuherzigsten Blick dieser Welt zu.

Alex nahm mich vorsichtig aus dem Käfig. Seine Hände waren so groß wie mein ganzer Körper, und es war das erste Mal seit langer Zeit, dass er mich berührte. Ich merkte, wie sanft sein Griff war: zärtlich, doch kraftvoll. Wunderbar.

Ich fragte mich, ob er mich als Mensch auch jemals wieder so anfassen würde. Vielleicht würde ich ja wirklich mal als Mensch wiedergeboren, und er würde wirklich auf mich warten. Würde er mit fünfzig Jahren auch noch so sanfte Hände haben? Und als ich merkte, mit welcher Sehnsucht mich dieses irreale Gedankenspiel erfüllte, erkannte ich: Ich hatte wohl doch noch Gefühle für ihn.

Alex legte mich Lilly in die Arme und mahnte: «Vorsichtig.»

Lilly sagte aufgeregt zu mir: «Ich muss dir was zeigen!»

Und zu Alex sagte sie keck: «Und du darfst das nicht sehen.»

Er war etwas erstaunt, ließ sie aber gewähren.

Lilly ging mit mir in eine hintere Ecke des Gartens. Plötzlich musste sie niesen, aber dann legte sie ihren Finger an

* Aus Casanovas Erinnerungen: Ich fiepte die nächsten Stunden eine Oktave höher.

den Mund, machte ein «Psst!»-Zeichen und buddelte in der Erde – zum Vorschein kam ... ein Negerkuss.

«Das ist mein Süßigkeitenversteck», erklärte Lilly stolz.

Ich staunte. Als Mama hatte ich immer gedacht, dass das mit den Geheimnissen erst kurz vor der Pubertät losgehen würde.

«Komm, lass uns den Negerkuss teilen», schlug sie vor. Dies war aus zwei Gründen keine gute Idee: Zum einen konnte ich als kleines Meerschweinchen keine Negerküsse verdauen, und zum anderen würde Lilly von dem Ding garantiert schlecht werden.

Ich schüttelte heftig meinen Kopf, aber Lilly sagte nur zwischen zwei weiteren Niesern: «Wie du willst. Dann ess ich den eben allein.»

Das war die schlechteste aller Möglichkeiten. Und da ich nicht wollte, dass Lilly sich den Magen verdirbt, schnappte ich mir den nach Schimmel schmeckenden Negerkuss und futterte ihn tapfer auf. Eine gute Aktion, wenn man bedenkt, dass ich Lilly dadurch einiges erspart habe. Keine gute Aktion, wenn man in Betracht zieht, dass ich abends den ganzen Käfig vollkotzte.

Nachdem ich aufgemampft hatte, fragte sie mich: «Weißt du, was mir im Kindergarten immer passiert?»

Ich schüttelte den Kopf. Lilly nahm das wie selbstverständlich. Kinder wunderten sich nicht, wenn Tiere auf sie reagierten. (Als Erwachsener hingegen fragt man sich ja oft: «Kann mich das Tier verstehen?» Jetzt weiß ich: Die wiedergeborenen Menschen unter den Tieren können es. Und die denken sich dann ihren Teil zu Sätzen wie «Kutschi-kutschi-kutschi, wer ist mein kleiner Liebling?»)

«Die anderen ärgern mich.» Mit diesem Satz riss Lilly mich aus meinen Gedanken. Andere Kinder ärgern sie? Wut stieg in mir hoch. Ich wusste schon, warum ich die meisten Kinder nicht ausstehen konnte.

«Lukas und Nils nennen mich immer Pilly-Lilly, und sie hauen mich.»

Wütend schlug ich mit den Pfoten auf den Boden.

«Das machen sie schon seit Wochen», sagte Lilly mit Tränen in den Augen.

Seit Wochen?, dachte ich. Das bedeutete, die Mistgören hatten Lilly schon geärgert, als ich noch ein Mensch war. Warum hatte sie mir nie was gesagt? Und, viel schlimmer: Warum hatte ich nie etwas gemerkt?

Das Herz wurde mir unglaublich schwer: Offensichtlich wusste ich nicht genug über das Leben meiner Kleinen.

«Mama hat mir immer gesagt, ich soll selbstbewusst sein und mich wehren», redete Lilly weiter und kratzte sich am Arm, «aber ich kann das nicht.»

Mein Gott. Sie hatte es uns nicht erzählt, weil ich ihr immer gesagt hatte, dass sie selbstbewusst sein soll, wenn sie mal ein Problem im Kindergarten hatte. Ich hatte darauf gesetzt, dass sie sich von allein durchsetzt, und hatte damit dieses kleine Wesen behandelt wie einen Erwachsenen. Aber sie war erst fünf. Ich hätte ihr beistehen müssen und diesen blöden Kindern den Kopf waschen sollen. In der Kindergartentoilette.

Und jetzt konnte ich nichts tun, um meiner Kleinen bei ihren Schwierigkeiten zu helfen.

Lilly blickte mich traurig an. Hilflos legte ich meine kleine Pfote auf ihre Hand und streichelte sie. Die Kleine kratzte sich am Hals.

In der Nacht kämpfte ich gleichermaßen mit meinem schlechten Gewissen gegenüber Lilly und mit meinen Bauchkrämpfen. Während mein Magen mich vom Schlafen abhielt, sah ich von unserem Stall aus, dass Nina mit Alex gemeinsam in der Küche kochte. Das taten sie jeden Abend und setzten sich dann vor den Kamin, den Alex an kühlen Frühlingstagen immer gerne anwarf. Dabei lächelte Nina ihn immer wieder vorsichtig an, aber netterweise war er bisher nie darauf eingegangen. Mit der Betonung auf «bisher».

An diesem Abend saßen die beiden wieder vor dem Kamin und unterhielten sich. Dabei redete Alex, und Nina hatte ihre beste Zuhörmiene aufgesetzt. Höchstwahrscheinlich dachte sie eigentlich gerade darüber nach, ab welchem Zeitpunkt es wohl nicht mehr pietätlos wäre, Alex zu verführen.

Und plötzlich machte Nina eine Bemerkung.

Was sie sagte, konnte ich nicht hören, aber Alex lächelte. Das gefiel mir gar nicht. Nina redete weiter, und ich versuchte, ihre Lippen zu lesen.

«Frblmpf», las ich.

«Haaa, daaaffne, proll», las ich Alex' lächelnde Antwort.

Ich musste mich besser konzentrieren.

Ich las von Ninas Lippen: «Gynäkologen tanzen Sorbet.»

Alex erwiderte: «Und Urologen Tortellogni»

Ich musste mich noch viel besser konzentrieren.

Nina sagte: «Ich liebe deinen Karawan.»

Entweder das, oder sie sagte: «Ich liebe deinen Pipimann.»

Alex antwortete darauf: «Mein Pipimann hat auch Dolby Digital.»

«Argghhh!», schrie ich auf – dieses verdammte Lippenlesen machte mich wahnsinnig.

«Psst», sagte meine Meerschweinchenmama, «die anderen schlafen.» Trotz ihrer liebevollen Art spürte ich, dass ich langsam zu ihrem Problemkind avancierte.

Ich ging nicht auf sie ein und wollte weiter Lippen lesen,

doch das war gar nicht mehr nötig. Nina hatte irgendetwas gesagt, und Alex lachte. Laut. Aus vollem Herzen!

Wie konnte er nur lachen? Ich war tot! Zumindest für ihn! Da konnte er doch nicht lachen. Da musste er doch ständig weinen! Nächtelang! Tagelang! Bis er sich von einem Arzt die Tränendrüsen wieder auffüllen lassen musste!

Aber Alex lachte weiter. Er dachte gar nicht daran, sich die Tränendrüsen wieder auffüllen zu lassen.

Das Ganze machte mich so wütend, dass ich ein Ventil brauchte: Ich haute den Offensivkuschler. Da war es mir auch egal, dass er schlief. Er grummelte und schlief dann weiter.

Meerschweinchenmama aber belehrte mich: «Du musst netter zu den anderen sein. Ihr seid alles Geschwister, irgendwann wirst auch du sie mögen.»

Klar, dachte ich sauer, der Tag, an dem ich diese Meerschweinchen mag, ist der Tag, an dem der Papst zu «Hava Nagila» tanzt.

Ich sah weiter zu Alex hinüber. Er trocknete sich die Lachtränen! Dann sagte er zu Nina: «Danke» (das konnte ich einwandfrei lesen), verabschiedete sich mit einem «Ich geh meinen Pipimann waschen» (das konnte ich nicht ganz so einwandfrei lesen) und ging ins Schlafzimmer, während Nina ihm mit einem Gesichtsausdruck nachblickte, der sagte «Das wird noch was mit uns beiden» (das konnte ich wieder ganz klar lesen).

Ich starrte sie wütend an. Meine Phantasien in diesem Augenblick hätte man unter dem Titel «Die Attacke des Killermeerschweinchens» verfilmen können.

«Das Wallalalala-Weibchen ist ein gutes Wesen», riss mich die Meerschweinchenmama aus meinen Monster-Movie-Phantasien heraus.

«Dem Männchen ist vor kurzem sein altes Weibchen gestorben. Und jetzt kümmert sie sich lieb um ihn.»

«Gutes Wesen, pah!», fiepte ich so sarkastisch, wie ein Meerschweinchen nur sarkastisch fiepen konnte – was zugegebenermaßen nicht allzu sarkastisch klang.

Dann schaute ich wieder zu Nina und überlegte mir, wie man sie loswerden könnte. Doch außer dem wenig sinnträchtigen Plan, mir selbst die Tollwut einzufangen und Nina dann zu beißen, fiel mir nichts ein.

Stattdessen fand Nina einen Weg, mich aus dem Verkehr zu ziehen.

«Meinst du wirklich?», fragte Alex, als er mit Nina am nächsten Tag vor unserem Stall stand.

«Ich bin mir ganz sicher», bestätigte Nina, und ich merkte: Hier ging es nicht mehr um Pipimänner mit Dolby Digital.

«Es wird Lilly das Herz brechen, wenn wir die Meerschweinchen weggeben», erwiderte er.

Weggeben? Sie wollten uns weggeben?

«Es ist das Beste für die Kleine», sagte sie und Alex nickte.

«Das Beste?», fiepte ich. «Wie kommst du denn darauf, dass das das Beste ist? Das Beste ist, wenn du dich zur Hauptverkehrszeit auf die A1 stellst.»

«Das Gesicht der Kleinen ist schon angeschwollen», sagte Nina, «Lilly ist definitiv allergisch gegen Meerschweinchenhaare.»

O nein, das hatte ich nicht bedacht! Die Kleine hatte die ganze Zeit geniest und sich gekratzt, und das lag nicht an irgendeiner Erkältung oder einem Ausschlag, sondern an mir. Und was noch schlimmer war: Nina veranstaltete das Ganze aus Sorge um die Kleine. Das bedeutete, sie punktete bei Alex.

Ich tat meinen Protest lautstark fiepend kund.

«Die Mama müssen wir erst mal behalten. Sie ist zu groß. Aber ich kann die anderen Meerschweinchen mit zur Arbeit nehmen», sagte Alex.

Ich hörte auf zu fiepen. Alex hatte Arbeit?

Da fiel es mir wieder ein: Kurz vor meinem Tod hatte Alex mir erzählt, dass sein Kumpel Bodo ihm einen Job an der Uni angeboten hatte. Als wissenschaftlicher Mitarbeiter.

Im Tierversuchslabor.

Und ich fiepte Amok!

26. KAPITEL

Am nächsten Morgen fand ich mich mit meinen Geschwistern in einem kleinen Drahtkäfig wieder. Der stand in einem kargen, fensterlosen Raum auf einem Holztisch, direkt neben einem Computer, der seine besten Jahre Ende der 90er gesehen hatte. Wir atmeten Klimaanlagenluft. Es war Alex' neues Büro in einem ausgelagerten Forschungskomplex am Stadtrand. Ein trostloser Ort, der jeden Feng-Shui-Spezialisten in den Freitod treiben würde.

Und mir war auch schon nicht gut.

Warum hatte Alex nur diese Stelle angenommen? Tierversuche – auch für einen noch so guten Zweck – gingen Alex doch so gegen den Strich. Und ich hatte doch genug Geld hinterlassen und ...

Au, verdammter Mist, das hatte ich nicht! Ich hatte all mein Geld in die Villa gesteckt, weil ich mich bei den Renovierungskosten total verkalkuliert hatte. Und eine Lebensversicherung hatte ich nicht abgeschlossen. Um Hypotheken und Lebensunterhalt aufzubringen, musste Alex nun arbeiten.

Was sind wir Verstorbenen doch nur für Egozentriker! Die ganze Zeit hatte ich darüber nachgedacht, wie fies das Leben nach dem Tode ist. Aber das Leben vor dem Tode war für die Hinterbliebenen fast genauso schwer.

Das bereitete mir so ein schlechtes Gewissen, dass ich mir erst mal Luft machen musste: Ich haute den Offensivkuschler.

«Lass das endlich, du Kretin!», motzte er.

Ich staunte. Nicht nur, weil das schwarze Meerschweinchen mit dem weißen Fleck am Auge seinen Sprechapparat entwickelt hatte, sondern auch ob seiner Ausdrucksweise. Ich testete meinen eigenen Sprechapparat: «Ss...»

Meine Stimmbänder waren noch etwas rostig, dennoch kämpfte ich die Worte heraus: «Sind Sie Casanova?»

Die Augen des Kuschlers leuchteten auf: «Madame Kim?»

«Ja», erwiderte ich erfreut über diesen Lichtblick in düsterer Lage.

«Wie wunderbar, wir sind keine Ameisen mehr!», jubilierte der Signore und drückte sich so sehr an mich, dass ich mich nach einem Sauerstoffzelt sehnte.

«Das mit dem guten Karma hat sich gelohnt», plapperte er weiter. «Ich kann Ihnen gar nicht sagen, wie entzückt ich bin, wieder ein Säugetier zu sein! Und wissen Sie, Madame, worauf ich mich am meisten freue?»

«Nein, nicht wirklich.»

«Auf die Freuden des Fleisches.»

«‹Die Freuden des Fleisches›?», fragte ich irritiert.

«Als Ameise war der Liebesakt mit der Königin für mich ein höllischer Gräuel», erklärte Casanova, «aber jetzt bin ich ein männliches Meerschweinchen. Und, verzeihen Sie mir die profane Ausdrucksweise, die Meerschweinchen ram...»

«... ich will das ‹meln› gar nicht hören», sagte ich schroff, gehörte ich doch zu den potenziellen Partnerinnen.

Und es gab viel dringlichere Probleme als Casanovas Libido.

«Wir sind in einem Tierversuchslabor!», erklärte ich ihm.

«Was ist das?», fragte eine zarte Stimme hinter uns. Wir drehten uns um und blickten in die verängstigten Gesichter unserer drei Geschwister – auch ihre Stimmbänder waren jetzt ausgebildet.

«Das kann ich auch nicht erklären», antwortete Casanova dem skeptisch dreinblickenden braunen Meerschweinchen, das die Frage gestellt hatte.

«Und was ist ‹Liebesakt›?», fragte ein zweites – süßes, weibliches – fast ganz weißes Meerschweinchen.

«Das wiederum kann ich Ihnen ganz genau erklären, Mademoiselle», begann Casanova schwungvoll.

«Was heißt ‹Mademoiselle›?», unterbrach das dritte – sehr dicke – rötlich braune Meerschweinchen.

«Eine nicht verheiratete Frau nennt man ...», setzte Casanova an.

«Was ist ‹verheiratet›?», unterbrach das weibliche Meerschweinchen.

«Menschen ...», sagte Casanova.

«Was sind ‹Men...›»

«Mon Dieu, könnt ihr mich mal ausreden lassen!», schimpfte Casanova, und die Meerschweinchen hielten eingeschüchtert den Mund. Casanova versuchte nun tapfer, das Thema Liebe in all seinen Facetten zu erläutern, vergeblich. Es waren eben noch Kinder.

«Lasst uns über Männlein und Weiblein reden, wenn ihr etwas größer seid», brach ich das Ganze ab, und die kleinen Meerschweinchen nickten sehr einverstanden. Casanovas etwas zu detaillierte Erläuterungen des Geschlechtsaktes hatten sie doch irritiert.

«Aber was bedeutet nun ‹Tierversuch›?», insistierte das skeptische Meerschweinchen, das wohl spürte, dass Gefahr im Verzug war.

Ich setzte an: «Die Wallalalala machen mit uns unangenehme Dinge und ...»

Doch das reichte schon für eine Panik.

«Mama!», schrien die Kleinen. «Wir wollen zu Mama!»

Ich beschloss, die Erklärung abzubrechen.

«Was für Dinge?», wollte nun aber Casanova wissen.

Bevor ich etwas erwidern konnte, betrat Alex das Büro. Sicherlich wollte er uns für seine Experimente abholen. Ich fing an, wie wild zu schreien: «Ich bin's, deine Frau! Hol mich hier sofort heraus! Ich will nicht an irgendwelche Elektroden angeschlossen werden, bis ich nichts anderes mehr tun kann als ‹Lalalala Bamba› lallen!»

Die anderen Meerschweinchen – bis auf den besonnenen Casanova – krakeelten panisch mit, auch wenn sie weder Elektroden noch «La Bamba» kannten.

Doch Alex sagte mit beruhigender Stimme: «Ihr müsst euch nicht aufregen. Wir machen nur ein bisschen Verhaltensforschung.»

Verhaltensforschung? Nicht aufregen? Das hörte sich schon deutlich besser an. Immer noch nicht gut. Besser gesagt, immer noch ziemlich mistig. Aber deutlich besser als Elektroden.

In diesem Augenblick betrat Bodo, Alex' Kumpel aus Studientagen, das Büro. Er war Mitte dreißig und Single. Und das lag nicht nur daran, dass er klein war und verschlagen aussah. Es lag auch daran, dass es wesentlich bessere Aufreißersprüche gibt als «Ich verdien mein Geld mit Tierversuchen».

Alex und er hätten sich wohl nie kennengelernt, wenn ihr Professor sie nicht im Studium in einem Forschungsprojekt zusammengespannt hätte. Und da Alex stets das Gute in den Menschen sah, hielt er ihm seitdem die Treue: «Bodo ist nicht halb so ein übler Kerl, wie du denkst.»

«Herzlich willkommen im neuen Job», sagte Bodo lachend.

Alex nickte stumm. Er fühlte sich sichtlich wahnsinnig unwohl, dass er diesen Job überhaupt hatte annehmen müssen. Und ich fühlte mich noch unwohler. Zum einen, weil ich mit schuld daran war, dass er ihn überhaupt hat annehmen müssen, und zum anderen, weil ich jetzt zum Objekt seiner Tätigkeit wurde.

«Der Professor will die Labyrinth-Ergebnisse der Meerschweinchen schon morgen.»

«Wieso das denn? Das ist doch nur ein altmodischer Standardtest. Außer dem Professor macht den doch eh keiner mehr.»

«Verhaltensforschung ist nun mal sein Steckenpferd.»

«Muss ich wirklich heute schon damit anfangen?», fragte Alex.

«Ist das ein Problem?»

«Ich muss meine Tochter vom Kindergarten abholen.»

«Kann das niemand anders für dich übernehmen? Der Prof wäre nicht gerade happy, wenn du früher abhaust.»

«Da ... da wäre schon jemand», antwortete Alex zögerlich, und ich konnte es nicht glauben: Er wollte Lilly von Nina abholen lassen?!?

«Das ist die richtige Haltung. So überstehst du die Probezeit», sagte Bodo und ging wieder raus.

Alex seufzte, schaute uns an und sagte: «Dann mal ab ins Labyrinth.»

27. KAPITEL

Alex brachte uns in ein großes, neonbeleuchtetes Labor, in dem ein riesiges Spiegellabyrinth auf dem Boden aufgebaut war. Dann gab er jedem von uns Meerschweinchen eine Nummer. Von eins bis fünf. Ich war Nummer vier. Alex hatte schon mal nettere Kosenamen für mich gehabt.

Ich war unheimlich nervös. Meine anderen Geschwister fiepten ängstlich, während Casanova mich fragte: «Was hat Ihr Ehemann vor?»

«Wenn wir Glück haben, dann müssen wir nur durch ein Labyrinth laufen.»

Dabei zwirbelte ich nervös mit meiner kleinen Pfote an meinen Meerschweinchenbarthaaren.

Alex sagte sanft: «Habt keine Angst, ihr Kleinen. Wir machen nur ein harmloses Experiment.»

Wie gerne wollte ich ihm das glauben.

Alex setzte uns alle in der Mitte des Labyrinths aus. Es roch steril, es wurde wohl ständig gereinigt. Kaum waren wir alle abgesetzt, rannten meine kleinen Geschwisterchen nervös los. Casanova sagte: «Hier sind wir in Windeseile draußen», und sauste ebenfalls davon.

Ich aber setzte mich hin und streikte: Sollten die anderen sich doch anstrengen. Ich würde warten, bis es Alex zu doof werden und er mich aus dem Labyrinth wieder rausnehmen würde. Was konnte er schon tun?

In diesem Augenblick spürte ich einen harmlosen, aber kräftigen Stromschlag unter meinen Füßen.

Das konnte er also tun!

«Au, Scheiße, spinnst du?!?», schrie ich Alex an.

«Tut mir leid, Kleines», hörte ich ihn sagen. Seine Stimme

klang verunsichert. Es gefiel ihm nicht, was er da tat. Aber mir gefiel es deutlich weniger!

Vor lauter Erstaunen blieb ich erst mal stehen. Und ich spürte gleich den nächsten Stromschlag. Etwas heftiger.

«Was du hier tust, ist ein klarer Scheidungsgrund», rief ich Alex zu und rannte los.

Nach circa fünfzehn Sekunden knallte ich mit meiner Meerschweinchenbirne gegen die erste Spiegelwand.

Ich versuchte mich zu beruhigen. Irgendwie musste ich hier ja rauskommen können. Ich war ja kein simples Meerschweinchen. Ich war ein als Meerschweinchen wiedergeborener Mensch! Also normalen Versuchstieren haushoch überlegen! Wäre doch gelacht, wenn ich nicht innerhalb von einer Minute hier draußen sein würde!

Zwei Stunden später war ich immer noch nicht draußen. Und ich lachte nicht.

Meine Pfoten waren müde, mein Kopf tat mir weh. Ich war unzählige Male gegen Spiegel gelaufen. Aber immer wenn ich aufgeben wollte und etwas länger stehenblieb, gab es einen Stromschlag von Alex.

«Ich kann Ihren Gatten nicht ausstehen», sagte Casanova, der mir gegenüber in einer Sackgasse stand. (Oder war es nur sein Spiegelbild, und ich hörte ihn von woandersher sprechen?)

«Ich auch nicht!», antwortete ich. Was Alex hier mit mir machte, verlieh dem Begriff «Eheproblem» eine völlig neue Dimension. Dass ich daran schuld war, dass er jetzt an den Reglern saß, war mir mittlerweile egal. Ich hatte jedes schlechte Gewissen ihm gegenüber vor ungefähr zwölf Stromschlägen hinter mir gelassen.

Und ich bekam schon wieder einen.

«Okay, das war's! Ich lass mich scheiden!», schrie ich. Da beugte sich Alex über das Labyrinth. Sein von schlechtem Gewissen gebeuteltes, aus meinem Blickwinkel überdimensioniert wirkendes Gesicht wunderte sich anscheinend, was das kleine braun-weiß gefleckte Meerschweinchen unter ihm wohl zu zetern hatte. Dass es die Scheidung einreichen wollte, ahnte er sicherlich nicht.

Ich sauste eine weitere halbe Stunde müde weiter, mit durchhängendem Magen. Ich hatte schon lange nichts mehr zu essen bekommen und träumte davon, aus dem Labyrinth rauszukommen und was zu futtern. Da bog ich um eine Ecke und sah zwei Futternäpfe stehen. Einer war mit Gras gefüllt, der andere mit Mortadella.

Als Meerschweinchen roch das Gras für mich unglaublich lecker, und man hätte mich mit der Mortadella jagen können. Dabei war ich früher als Mensch ganz und gar keine Vegetarierin, wie man unschwer an meinen Hüften erkennen konnte, deren Biomassenzuwachs beeindruckend war. Doch nun war alles anders: Allein der Gedanke an die Unmengen Fleisch, die ich als Mensch gegessen hatte, ließ mich erschaudern. Vor allen Dingen, weil ich mich jetzt fragte, ob ich reinkarnierte Menschen verputzt hatte: War das Schweinefleisch süßsauer ein wiedergeborener Chinese? War die Currywurst vielleicht meine verstorbene Tante Kerstin? War die im Napf liegende Mortadella vielleicht mal Konrad Adenauer?

Diese Reinkarnationssache warf immer mehr unangenehme Fragen auf. Ich versuchte, weder an Tante Kerstin noch an Adenauer, noch an geraspelte Chinesen in süßsaurer Soße zu denken. Dafür schaute ich mir die beiden Näpfe genauer an: Wie kam Alex als Tester nur auf den bescheuerten Gedanken, dass irgendein Meerschweinchen sich für die Mortadella entscheiden würde?

Ich ging an den Napf mit Gras und bekam wieder einen Stromschlag.

«Au!», schrie ich, und mir war nun klar, wie er auf den bescheuerten Gedanken kam: Nur bei Mortadella gab es keinen Stromschlag.

«Ich hasse dich!», schrie ich ihn an. «Ich hätte dich schon viel früher mit Daniel Kohn betrügen sollen!»

Alex wartete darauf, ob ich an die Mortadella gehen würde. Das Ganze war ein absolut ...

«Sadistischer Scheiß!», vollendete Alex meinen Gedanken.

Ich war überrascht.

«Tut mir leid, ihr Kleinen. Ich nehm euch da raus», sagte er, «das Ganze hier ist ein blöder Fehler. Ich kündige!»

«Schon nach einem Tag?», fragte Bodo, der offenbar gerade den Raum betreten hatte.

«Ich kann so was einfach nicht machen», erklärte Alex.

«Du machst doch hier nur ein bisschen Verhaltensforschung mit leichten Stromstößen. Was meinst du wohl, was ich alles mit den Viechern veranstalte, drüben bei der Diabetesstudie.»

«Ich weiß, was du da tust», sagte Alex.

«Und es ist für einen guten Zweck», konterte Bodo.

«Mag sein. Aber ich bin einfach nicht der Typ für Tierversuche.»

«Ich dachte, deine Frau hat dir keine Kohle hinterlassen?», hakte Bodo nach, und in seinem Tonfall lag etwas Fieses.

«Lieber zieh ich in einen Plattenbau, als das hier weiterzumachen!», konterte Alex sauer. Seine Stimme war jetzt wieder fester. Er hatte seine alte Sicherheit wiedergefunden.

«Es bleibt dabei. Ich kündige!»

Mein Herz hüpfte vor Freude.

«Und die Meerschweinchen nehm ich mit.»

Mein Herz hüpfte nicht nur, es sprang Trampolin.

«Vergiss es. Ich brauche sie dringend heute noch drüben in der Diabetesforschung. Deswegen bin ich rübergekommen», sagte Bodo.

Jemand zog das Trampolin unter meinem Herzen weg.

«Eine meiner Testgruppen ist heute durch einen blöden Fehler abgekratzt. Wenn du die mir nicht überlässt, verlieren wir in der Diabetesstudie einen entscheidenden Tag.»

Alex überlegte. Dann antwortete er schlechtgelaunt: «Gut, dann nimm sie!»

Und mein Herz knallte mit einem «Platsch!» neben dem weggezogenen Trampolin auf dem Boden auf.

Alex verließ den Raum, ohne sich von Bodo zu verabschieden.

«Ich hol euch nachher ab», sagte Bodo zu uns und ging ebenfalls raus.

Man konnte Alex ja verstehen: Wir waren für ihn nur Meerschweinchen. Und bei der Studie ging es um kranke Menschen. Wie gesagt: Man konnte ihn verstehen. Man musste es aber nicht. Und ich tat es auch nicht. Ich war einfach wahnsinnig sauer auf ihn. Er hatte mich gequält und dann in den Fängen eines Sadisten zurückgelassen. Und er ließ zu, dass Nina Lilly vom Kindergarten abholte. Zu denken, dass ich vor kurzem noch phantasiert hatte, dass Alex und ich nochmal ein Paar werden könnten …

Ich war so wütend auf Alex, dass ich ausrastete und mich mehrfach mit dem ganzen Gewicht meines Meerschweinchenkörpers gegen mein Spiegelbild warf. Bis der Spiegel zersprang. Dahinter stand Casanova.

Er fragte interessiert: «Was bedeutet das: ‹Diabetesforschung›?»

«Dass man mit uns Versuche anstellt, damit kranken Menschen geholfen wird», erklärte ich und zwirbelte wieder heftiger an meinen Barthaaren.

«Das ist ja wunderbar», sagte Casanova.

Ich schaute ihn verdutzt an.

«Dann», so jubelte er, «sammeln wir hier ja gutes Karma!»

28. KAPITEL

Casanova war extrem gutgelaunt. Kunststück, hatte er doch – im Gegensatz zu mir – nie eine Sendung über Tierversuche moderiert. Ich wusste, dass gegen so eine Diabetesforschung ein Aufenthalt in Guantanamo Bay ein Urlaub im Club Med war.

So zitterte ich vor Angst, während Casanova sich ausmalte, dass er es vielleicht sogar bis ins Nirwana schaffen konnte.

Natürlich verlockte auch mich die Aussicht, gutes Karma zu sammeln. Aber sich dafür tagelang, ja vielleicht wochenlang mit Insulin oder anderen Präparaten vollspritzen zu lassen? Ich würde Fieber bekommen, Herzrhythmusstörungen und schließlich ins Delirium fallen.

Sicher, ich würde kranken Menschen helfen. Aber wollte ich mich wirklich zu Tode quälen lassen für irgendwelche Leute, die in ihrem Leben zu viele Süßigkeiten gefuttert hatten?

Aber was war die Alternative? Fliehen? Als Meerschweinchen?

Es gibt tausend Tierarten, die eine größere Chance hätten, aus so einer Situation zu fliehen. Ich hatte es ja nicht mal aus diesem dusseligen Labyrinth herausgeschafft.

Sollte ich es aber nicht wenigstens versuchen?

Während wir auf Bodo warteten, wog ich das Für und Wider einer potenziellen Flucht, so unwahrscheinlich sie auch sein mochte, ab.

Für: Ich würde nicht zu Tode gequält.

Wider: Ich würde kein gutes Karma sammeln.

Für: Ich würde nicht zu Tode gequält.

Wider: Ich würde vielleicht sogar schlechtes Karma sammeln.

Für: Ich würde nicht zu Tode gequält.

Wider: Mit schlechtem Karma würde ich vielleicht als Ameise wiedergeboren.

Für: Kein einziges dieser blöden Karma-Argumente konnte «Ich würde nicht zu Tode gequält» schlagen.

Damit war die Sache klar: Ich würde versuchen zu fliehen. Sollten sich die Diabetiker doch selber testen lassen!

Doch bevor ich einen Fluchtplan auch nur andenken konnte, betrat Bodo das Zimmer.

«So, ihr Lieben, eure Versuchsreihe ist aufgebaut», sagte er freudig. Und ich dachte mir: Es ist nicht immer positiv, wenn Menschen ihren Beruf lieben.

Bodo nahm ein Meerschweinchen nach dem anderen aus dem Labyrinth und steckte es in einen Käfig, den er neben sich auf den Boden gestellt hatte. Mich packte er als letztes mit seinen Fingern, die so nach Zigaretten stanken, dass man ihm empfehlen sollte, lieber in die Lungenkrebsforschung zu gehen.

Er wollte mich nun auch in den Käfig stopfen, in dem drei

meiner Geschwister saßen und verunsichert dreinblickten, während Casanova voller Vorfreude lächelte. Mir war klar, dass ich keine Chance auf eine Flucht hatte, sobald Bodo den Riegel des Käfigs hinter mir geschlossen hätte. Und so biss ich Bodo so fest ich konnte in den Nikotin-Stinkefinger.

Er schrie auf und ließ mich zu Boden fallen. Ich schlug auf den kalten Fliesen auf und flitzte trotz der unglaublichen Schmerzen los, so schnell mich meine kleinen Füßchen tragen konnten.

«Madame, was machen Sie da?», rief Casanova mir nach.

«Wir müssen hier abhauen!»

«Aber was ist mit dem guten Karma?»

«Scheiß auf gutes Karma!», rief ich und rannte um mein Leben.

29. KAPITEL

Bodo lutschte noch an seinem Finger, während ich auf die offene Labortür zusauste. Ich blickte mich kurz um und sah, wie meine Geschwister in dem Käfig überlegten, was sie tun sollten. Besonders Casanova.

Bodo bückte sich, um den Käfig zu schließen: «Reicht schon, wenn ich einem von euch nachrennen muss.»

Doch dann biss ihn auch Casanova in den Finger.*

«AHHH, was seid ihr nur für Mistbiester!», fluchte er laut los, während Casanova den Geschwistern zurief: «Los!»

* Aus Casanovas Erinnerungen: Ich sah die immense Furcht vor den Versuchen in Madame Kims Augen und dachte bei mir: Ich bin so viele Leben ohne gutes Karma ausgekommen. Da schaffe ich sicherlich auch noch ein weiteres.

Er hoppelte aus dem Käfig, und die anderen taten es ihm nach. Meerschweinchen waren halt – wie wir Menschen auch – Herdentiere.

So flitzten fünf kleine Meerschweinchen durch die Labortür.

Und ich hörte noch, wie Bodo rief: «Euch krieg ich!»

Wir flitzten durch einen langen leeren weißen Korridor, und ich suchte wie verrückt nach einem Treppenhaus. Bodo rannte hinter uns her, steckte dabei seinen Schlüsselbund in die Tasche und rief: «Wenn ihr nicht stehenbleibt, mach ich die Experimente ohne Narkose. Mir doch egal, was in den Vorschriften steht!»

Wir gelangten an das Ende des Korridors, wo nur eine Tür offen stand. Da Bodo schon hinter uns schnaufte, gab es keine Alternative.

«Da rein!», rief ich den anderen zu. Wir sausten durch die Tür. Mitten hinein in einen Albtraum: In dem Raum stand ein Käfig mit vier Affen – sie trugen Pflaster, Verbände, waren teilweise rasiert. Mich machte der Anblick so wütend, dass ich inständig hoffte, dass Bodo und seine Kollegen nicht als Darmbakterien, sondern als Versuchstiere wiedergeboren werden würden.

«Hab ich euch!», frohlockte Bodo. Er stand im Türrahmen. Die Affen sahen ihn und verkrümelten sich verängstigt in die Ecken ihres Käfigs, bis auf einen stolz wirkenden Orang-Utan, der eine Metallplatte auf dem Kopf hatte.

«Wir können an ihm vorbeilaufen», sagte Casanova. «Er kann nicht alle von uns greifen.»

«Aber einige», erwiderte ich und hatte keine Lust, dass ausgerechnet ich von ihm geschnappt würde.

Ich blickte mich um und sah, dass der Käfig der Affen verschlossen war. Aber ich erinnerte mich auch an den Schlüsselbund in Bodos Hosentasche. Ich rief den Affen zu: «Kann einer von euch mit dem Schlüssel den Käfig öffnen?» Der stolze Orang-Utan erwiderte: «Ich hab es oft genug gesehen.» Seine Stimme klang entschlossen, anscheinend hatte man seinen Willen noch nicht gebrochen, und ich fragte mich, ob er wohl ein wiedergeborener Mensch war. Und falls ja: Was hatte er wohl in seinem früheren Leben verbrochen?

«Wir brauchen den Schlüssel», sagte ich zu Casanova.

«Und wie sollen wir den bekommen?»

«Wenn er sich zu uns runterbeugt, dann beißen Sie ihn dahin, wo es besonders wehtut.»

«Madame, ich habe kein allzu großes Interesse daran, mich derart in den Schoß eines Mannes zu versenken.»

«Und wie groß ist Ihr Interesse daran, zu Tode gefoltert zu werden?»

«Touchez!», nickte Casanova.

«Jetzt geht es euch an den Kragen!», drohte Bodo und beugte sich über uns. Casanova krabbelte flink in eines von Bodos Hosenbeinen.

«Was machst du Biest da?»

Die Hose von Bodo beulte aus. Anscheinend kletterte der Signore an Bodos Beinhaaren hoch, bis ...

«AIIIIIIIII», schrie Bodo und ging zu Boden.* Ich rannte auf ihn zu, zog den Schlüssel mit meiner Schnauze aus der Hosentasche und schleppte ihn mit aller Kraft in Richtung Käfig. Mein Fell war klitschnass vor Schweiß.

* Aus Casanovas Erinnerungen: Auch für mich war dies eine Erfahrung, auf die ich mit großer Freude hätte verzichten können.

«AIIII», schrie Bodo weiter. Casanova ließ nicht locker.

«Gleich hast du es geschafft», feuerte mich der Orang-Utan mit der Metallplatte an. Auch die anderen Affen krabbelten zur Käfigtür. In ihren Augen sah ich eine Mischung aus Freiheitsdurst und Mordhunger.

Der fluchende Bodo versuchte indessen, Casanova zu greifen.

Ich schob den Schlüssel durch das Käfiggitter, der Orang-Utan schnappte ihn hastig, um den Käfig zu öffnen.

«Beeil dich!», drängelte ich.

«Eine Forderung, die ich nur unterstützen kann», rief Casanova.

«Keine Sorge», antwortete der Orang-Utan.

Bodo packte den Signore und drohte: «Jetzt bist du fällig.»

Doch dann ging die Käfigtür auf. Die Affen brachen aus. Bodo ließ Casanova panisch zu Boden fallen, der Signore knallte auf die Fliesen und röchelte: «Ich bin kein Freund von Rettungen in letzter Sekunde.»

Bodo wollte Richtung Tür flüchten. Aber die Affen waren schneller und stürzten sich mit furchterregendem Geheul auf ihn. Bodo schrie: «Lasst mich los, ihr Biester!» Doch die Affen prügelten auf ihn ein. Es war brutal. Auf eine angemessene Art und Weise.

Wir flitzten aus dem Gebäude hinaus in einen nahe gelegenen Wald. So weit, wie uns unsere kleinen Beinchen trugen und unsere Kondition nicht im Stich ließ. Schließlich waren wir das allererste Mal in freier Wildbahn unterwegs und es nicht gewohnt, weite Strecken zu laufen. Völlig fertig brachen wir schließlich auf einer kleinen Wiese zusammen. Endlich außer Gefahr. Als wir wieder Luft bekamen, futterten wir das Wiesengras. Und ich muss sagen: Es war eindeutig leckerer als Konrad-Adenauer-Mortadella.

Als unsere Mägen voll waren, wollte das skeptische Meerschweinchen, den Alex Nummer eins genannt hatte, wissen: «Und, was machen wir jetzt?»

«Am besten, wir bringen euch zu Mama», sagte ich, denn ich wollte ja zu meiner Tochter. «Und dafür suchen wir erst mal eine Straße!»

Die drei waren froh, dass sie ihre Mama vielleicht wiedersehen konnten, und rannten beschwingt durch den Wald. Auch mir bereitete es eine unglaubliche Freude, mich endlich frei zu bewegen. Und während wir so durch den Wald liefen, konnte ich feststellen, dass sich die Charaktere meiner Geschwister – wohl durch die Freiheit befeuert – schon sehr weit ausgebildet hatten. Nummer eins, der Skeptiker, vermutete hinter jedem Baum eine Bedrohung. Nummer zwei, der Dicke, hielt alle nasenlang an, um seine Lieblingsfrage zu stellen: «Kann man das essen?» («Nein, Nummer zwei, das ist ein Stein.») Und Nummer drei, die kleine Süße, löcherte Casanova mit Fragen zum Thema «Unterschiede zwischen Männlein und Weiblein und warum genau diese Unterschiede zu jeder Menge Spaß führten» – Fragen, die der Signore mit wahnsinnig schönen Schilderungen beantwortete. Auch ich lauschte andächtig und sehnte mich nach Sex, wobei sich in meiner Phantasie Alex und Daniel Kohn abwechselten.

Ich ertappte mich auch dabei, wie ich begann, die kleinen, neugierigen Wesen zu mögen. Die Meerschweinchenmama hatte also recht gehabt: Ich hatte die Kleinen tatsächlich – auch wenn ich es nie für möglich gehalten hätte – in mein Herz geschlossen. Und ich malte mir aus, wie der Papst im Vatikan zu «Hava Nagila» tanzte.

Nach einer Weile erreichten wir einen leeren Autobahnrastplatz. In der Nähe hörte man das Vorbeirauschen der Autos, was die anderen Meerschweinchen, inklusive Casanova, verstörte. Noch mehr erschreckte sie aber der Laster, der auf den Parkplatz fuhr.

«Eine Kutsche ohne Pferde?», fragte Casanova erstaunt, «und dabei auch noch so außerordentlich scheußlich aussehend?» Ich vergaß immer wieder, dass der Signore aus einer anderen Zeit stammte und sich an dieses Jahrtausend erst mal gewöhnen musste.

Aus dem Laster stieg ein stämmiger Fahrer um die dreißig aus, der ein Baseball-Cap trug und extrem schief den Countrysong «I Show You how I Love You» sang, während er ins Gebüsch strullerte. Ich sah, dass sein Laster ein Potsdamer Kennzeichen hatte, und begriff sofort, was das bedeutete: Mit diesem Truck konnten wir nach Hause kommen.

Ich bedeutete den Meerschweinchen, mir zu folgen. Wir hüpften über einen vor dem Laster liegenden weggeworfenen Kanister auf das Trittbrett und von da aus ins Führerhaus. Dort quetschten wir uns unter den Sitz, damit der Trucker uns nicht bemerkte. Nach einer kurzen Weile stieg der Mann in den Laster, zog Schuhe und Socken aus, und wir waren mucksmeerschweinchenstill. Wir starrten direkt auf seine nackten Füße, die Gaspedal und Kupplung drückten, und ich verfluchte den guten Geruchssinn, den Meerschweinchen haben.

Der Trucker, der weiter Countrysongs trällerte, hätte uns garantiert auch nicht bemerkt, wenn er nicht etwas von seinem Butterbrot hätte fallen lassen. Ich sah in den Augen von Nummer zwei, dass er sich auf die Brotkrumen stürzen wollte, und legte mich in seinen Weg, bevor er unter dem

Sitz hervorkommen konnte. Das führte aber leider dazu, dass Nummer zwei laut protestierte: «Lass mich durch!»

Der Lastwagenfahrer hörte das Fiepen, sah unter seinen Sitz und hätte vor lauter Schreck beinahe die nächste Vollsperrungsmeldung im Verkehrsfunk verursacht.

Er fuhr an den Standstreifen, grinste uns Meerschweinchen an und fragte: «Habt ihr Hunger?» Stellvertretend für meine Geschwister, die die Menschensprache ja nicht verstanden, nickte ich. Er gab uns aus einer Tupperdose Karotten, und es war schön, zur Abwechslung mal auf jemanden zu treffen, der einem Futter gab, ohne einen vorher mit Stromschlägen zu drangsalieren wie mein völlig bescheuerter Ehemann. Oder sollte ich völlig bescheuerter Exmann sagen?

Wir krabbelten auf den Beifahrersitz, während der Trucker sich freundlich vorstellte: «Ich heiße Elle. Und ihr?»

In diesem Augenblick wurde mir klar, dass die kleinen Meerschweinchen keine Namen hatten, sondern nur die Nummern, die ihnen Alex verpasst hatte.

«Ich geb euch jetzt Namen», sagte ich zu ihnen.

Die Meerschweinchen Nummer eins bis drei schauten mich irritiert an.

«Ihr seid keine Nummern, ihr seid Meerschweinchen», verkündete ich mit Spartakus-Pathos in der Stimme.

Den Skeptiker mit der Nummer eins nannte ich Schopenhauer. Die süße Kleine, die ein Auge auf Casanova geworfen hatte, nannte ich Marilyn. Und dem Dicken, der so voller Lebenslust aß, verpasste ich den Namen Depardieu.

Die drei waren sehr zufrieden mit ihren Namen, und ich fiepte dem Trucker als Antwort auf seine Frage: «Wir heißen Schopenhauer, Casanova, Marilyn, Depardieu und Kim.»

Elle grinste, startete den Wagen erneut, streichelte vor dem Losfahren liebevoll über ein Foto, das an seinem Armaturenbrett festgeklebt war, und sagte: «Meine Familie wird sich wahnsinnig auf euch freuen.» Vom Foto aus strahlte mir eine dicke Frau, die einen Weight-Watchers-Kurs dringend nötig gehabt hätte, entgegen. Und drei dicke Kinder, die für eine Kampagne zum Thema «Fettleibigkeit und ihre verheerenden Auswirkungen» ein gutes Postermotiv abgegeben hätten. Aber: Diese Familie schien, sosehr sie auch körperlich aus den Fugen geraten war, viel glücklicher zu sein als die meine.

Und der Trucker war ein noch glücklicherer Mann. Er hatte eine tolle Familie, einen Job, den er mochte, und seine Country-Songs, die er die ganze Fahrt über fröhlich trällerte.

Dieser Mann brauchte kein Nirwana.

Er hatte sein Leben.

Ich hätte nie gedacht, dass ich mal einen Trucker beneiden würde.

30. KAPITEL

Der Laster fuhr in den Stadtteil Babelsberg, dessen Alleen so von den letzten Sonnenstrahlen des Tages beschienen wurden, dass ein Foto davon garantiert kitschig gewirkt hätte. Aber da ich diesen Anblick live hatte, war er für mich wunderschön. Sicher auch, weil ich wusste, dass ich nicht mehr allzu weit von Lilly weg war. Ich musste nur mit den Meerschweinchen irgendwann aus diesem Laster springen und dann zu uns nach Hause laufen.

Elle hielt seinen Laster an einer roten Ampel, und während ich mir wohlig vom Armaturenbrett aus die von der untergehenden Sonne angestrahlten Bäume in ihrer funkelnden Pracht betrachtete, hielt schräg vor dem Laster ein feuerrotes Porsche Cabrio. Ich sah durch die Scheibe auf ihn, und am Steuer saß ... Daniel Kohn!

Mein Meerschweinchenherz machte sofort pitter-di-patter ... so aufgeregt war ich, ihn wieder zu sehen. Jetzt, nach den Stromschlägen von Alex, erschien mir Daniel Kohn noch attraktiver.

Jedenfalls hatte er immer noch eine enorme erotische Ausstrahlung auf mich. Und ich hoffte – völlig irrational –, ich hatte noch immer eine für ihn. Natürlich nicht als Meerschweinchen. Aber als Mensch, wie ich einst war. Er sollte denken, dass ich die erotischste Frau der Welt war, auch wenn ich etwas dicke Schenkel gehabt hatte.

Ich schaute an mir herunter, auch meine Meerschweinchenschenkel waren dick. Und sie waren auch noch behaart, für eine Frau wäre das eine tödliche Kombination gewesen.

Ich richtete mich auf und stützte dabei meine Pfoten an der Scheibe ab, um noch besser sehen zu können. Ich sah, dass Daniel Kohn nicht allein war. Ganz und gar nicht allein. Neben ihm saß eine Blondine. Sie hatte einen jener 90-60-90-Körper, die man außerhalb von Reportagen über das Nachtleben von Saint-Tropez eher selten sieht. Sie war schätzungsweise fünfundzwanzig Jahre alt, und ihr Intelligenzquotient schien auch nicht wesentlich höher zu sein. Sie kicherte nämlich einfach bei allem, was Daniel sagte. Höchstwahrscheinlich hätte sie sogar dämlich gekichert, wenn er gesagt hätte: «Im rechtwinkligen Dreieck ist die Summe der Kathetenquadrate gleich dem Hypotenusenquadrat.» Oder wenn er ihr zugeflüstert hätte: «Ich habe gerade deine Oma exhumiert.»

Ich sah, wie Daniel Kohn diese gackernde Frau charmant

anlächelte, so wie er mich früher charmant angelächelt hatte, und mein Herz hörte mit dem aufgeregten «Pitter-di-patter» auf und machte stattdessen «sprotz».

Ich war enttäuscht und zutiefst verletzt. Ich hatte gehofft, dass Daniel traurig durch ein Leben ging, das nur von einem Gedanken beherrscht wurde: Kim war die wundervollste Frau, die ich je kennengelernt habe. Ich werde nie wieder jemand wie sie finden. Am besten, ich werde gleich ein Mönch.

Nun, das dachte Daniel anscheinend nicht. Dafür ließ er sich von dieser Pamela Anderson für Arme am Ohr knabbern.

Ich war deprimiert und schämte mich sehr dafür, dass ich darauf gehofft hatte, ausgerechnet Daniel Kohn würde mich vermissen.

Aber ... aber vielleicht vermisste Daniel mich ja doch. Vielleicht war diese Frau ja nur ein Mittel zum Zweck, um über den Schmerz hinwegzukommen.

Genau, Daniel war kein Typ, der ins Kloster geht oder auch nur Spuren von Melancholie zeigt. Er würde seinen Schmerz über meinen Tod tief in seinem Herzen begraben und sich ins lustvolle Leben stürzen, um die Leere in seinem Inneren irgendwie zu füllen.

Ja, das war die Erklärung, warum er mit so einer Tussi durch die Gegend fuhr.

Mein Herz machte wieder «pitter-di-patter, pitter-di-patter, pitter-di-patter ...»

Da sah ich, wie Daniel ihr nun eindeutig die Hand in den Schoß legte.

Mir wäre die Mönchvariante des Trauerns lieber gewesen.

Daniels Hand krabbelte nun zum Rockansatz der Blondine, die darauf noch aufgeregter an seinem Ohr knabberte.

Da erkannte ich: Ich machte mir was vor. Er vermisste mich nicht.

Und jetzt schämte ich mich nicht nur, dass ich mir gewünscht hatte, dass er sich nach mir sehnt, sondern auch, dass ich so albern war, es mir zu wünschen, obwohl ich ihn mit einer anderen Frau sah und alle Fakten dagegen sprachen. Ich dachte immer, ich wäre weniger naiv.

Die Ampel schaltete auf Grün, und der Laster fuhr los. Meine Vorderpfoten glitschten an der Scheibe ab. Ich konnte mein Gleichgewicht nicht halten und knallte vom Armaturenbrett auf den Boden, direkt neben die Pedale. Elle war mittlerweile so an uns gewöhnt, dass es ihm nichts ausmachte, wenn Meerschweinchen zwischen seinen nackten Füßen herumpurzelten.

Ich rappelte mich wieder auf, leckte meine schmerzende Pfote und dachte: Ich muss Daniel Kohn ein für alle Mal vergessen.

Da war mir natürlich schon klar, dass dies völlig unmöglich sein würde.

Elle hielt bei einer Tankstelle an, die ganz in der Nähe von unserem Haus lag. Ich versuchte, meine Gedanken von Daniel Kohn abzuziehen und mich auf die Flucht zu konzentrieren.

Als Elle die Tür aufmachte, bedeutete ich meinen Geschwistern loszuhoppeln. Wir sprangen aus dem Laster. Elle war verblüfft und rief: «Hey, wo wollt ihr denn hin?» Mir tat es leid, dass ich ihm das Ganze nicht erklären konnte. Er war wirklich ein feiner Kerl, auch wenn man ihm am liebsten mal eine Fußpflege spendiert hätte.

Ich führte die Meerschweinchen durch die Straßen von Potsdam, sagte ihnen, wie sie eine Straße überqueren mussten, um nicht überfahren zu werden, und erreichte schließlich die Allee, in der unser Haus stand.

Glücklich lief ich darauf zu, in meinem Schlepptau Schopenhauer, Marilyn, Casanova und ... keinen Depardieu?!?

Ich war noch nicht ganz auf der anderen Straßenseite angekommen, da drehte ich mich um und sah, wie Depardieu mitten auf dem aufgeplatzten Pflaster der Allee stehengeblieben war, weil dort ein Gänseblümchen wuchs. Ein einziges kleines, bekloppptes Gänseblümchen. Depardieu mümmelte es mit dem gleichen glückseligen Gesichtsausdruck, den Buddha auf seiner LSD-Wiese gehabt hatte. Mit einem Unterschied: Auf Buddha war kein Renault Scenic zugerast.

«Depardieu!», schrie ich.

Keine Chance – wenn er mümmelte, vergaß er die Welt um sich herum.

«DEPARDIEU!», schrie ich nochmal. Jetzt sahen auch die anderen, die mittlerweile auf dem Bürgersteig hockten, was los war. Nur die Fahrerin, eine verzweifelte Hausfrau, sah ihn nicht. Sie war viel zu sehr damit beschäftigt, ihre Kinder auf der Rückbank anzublöken.

Wir schrien jetzt alle: «DEPARDIEU!!!»

Aber der mümmelnde Kerl hörte nicht. Und plötzlich lief Casanova los, um Depardieu aus dem Weg zu schubsen.*

Ich dachte bei mir: «Er schafft es! Er schafft es! Er schafft es ...»

Er schaffte es nicht.

* Aus Casanovas Erinnerungen: Mein Begehr war es, gutes Karma zu sammeln. Und nebenbei bei dem Meerschweinchenweibchen Marilyn Eindruck zu schinden.

Casanova stieß Depardieu zwar weg, konnte sich aber selbst nicht mehr helfen und wurde von dem Renault Scenic erfasst. Der Signore wurde durch die Luft gewirbelt und knallte direkt neben mir auf die Straße.*

Casanova war tot. Ich stand da wie gelähmt. Und das war nicht gut. Denn von der anderen Seite kam ein VW Polo. Er raste direkt auf mich zu. Viel zu schnell, um auszuweichen. Ich betete in den wenigen Sekunden, die mir verblieben, dass der Fahrer – ein junger Typ Marke Versicherungskaufmann – mich noch rechtzeitig sehen würde.

Meine Gebete wurden erhört.

Er sah mich.

Ich konnte es an seinem Gesicht erkennen.

Er sah mich wirklich!

Aber das half mir nicht.

Denn er bremste nicht für wiedergeborene Menschen.

31. KAPITEL

Mein letzter Gedanke war: «An dieses Scheißsterben werde ich mich wohl nie gewöhnen.»

Es folgte wieder die «Leben zieht an mir vorbei»-Nummer: Alex und Nina lachen gemeinsam über Pipimänner. Lilly kuschelt sich an mich. Alex gibt mir Stromschläge. Ich ruf: «Scheiß auf gutes Karma!» Ich gebe den Meerschweinchen ihre Namen. Ich stelle fest, dass Daniel Kohn keinen Gedanken an mich verschwendet. Und dass ein schlichter Trucker ein glücklicheres Familienleben hat als ich.

* Aus Casanovas Erinnerungen: Im Augenblick des schmerzhaften Todes dachte ich: Dieses gute Karma ist die ganze Mühsal nicht wert.

Dann kam das Licht.
Ich fühlte mich wieder so wohl.
So geborgen.
So glücklich.
Das Übliche halt.

Das Übliche, das nie lange anhält.

In dem Moment, in dem das Licht mich wieder abstieß, fragte ich mich schon, als was ich wohl diesmal wiedergeboren würde.

Es gibt schönere Dinge, als festzustellen, dass man einen Euter hat.

Es gibt auch schönere Dinge, als festzustellen, dass man in einem stinkenden Kuhstall gekalbt wurde. Aber wenn der Bauer dann noch «Fuck, this is a really shitty birth!» flucht und man so feststellt, dass man definitiv nicht in Potsdam ist, wird man richtig schlechtgelaunt.

«Buddha!!!», schrie ich mal wieder, was für Außenstehende aber klang wie «Möhhh».

Und wie auf Bestellung kam eine enorm dicke Kuh aus einer Ecke des Kuhstalles auf mich zugewackelt.

«Hallo, Kim!»

«Wo zum Teufel bin ich?»

«Auf einem Bauernhof in Yorkton.»

«Yorkton?»

«Provinz Saskatchewan.»

«Saskatchewan?»

«Kanada.»

«Kanada?!?»

«Nordamerika.»

«Ich weiß, wo das beknackte Kanada liegt!!!»

«Warum fragst du dann?», grinste Buddha, dessen Sinn für Humor meiner Meinung nach eindeutig zu wünschen übrigließ. Ich war so wütend auf ihn, dass ich mich gar nicht mehr unter Kontrolle hatte und Buddha an die Gurgel wollte, doch als frisch geborenes Kalb war ich so wackelig auf den Beinen, dass ich mich schon nach drei Schritten auf die Nase und ins Heu legte.

«Warum hast du mich überfahren lassen?», fragte ich sauer, nachdem ich das trockene Heu ausgespuckt hatte.

«Du bist selbst dafür verantwortlich, was in deinem Leben passiert. Ich bin nur für die Reinkarnationen zuständig.»

Scheiße, dachte ich bei mir, ich bin also auch noch selbst schuld, dass ich überfahren wurde?

«Und warum bin ich jetzt eine Kuh?»

«Weil du gutes Karma gesammelt hast.»

Ich war überrascht: Ich hatte gutes Karma gesammelt?

«Aber ... aber, ich bin abgehauen und hab den Diabeteskranken absichtlich nicht geholfen.»

«Du hast aber die Meerschweinchen gerettet.»

«Ich wollte mich selbst retten.»

«Und du hast den Meerschweinchen Namen gegeben.»

Ich stutzte.

«Und damit Selbstbewusstsein.»

Ich wusste gar nicht, was ich erwidern sollte.

«Und du hast nicht aus egoistischen Motiven gehandelt, sondern es aus reinem Herzen getan.»

Er hatte recht.

«Du bist doch kein so schlechtes Wesen», sagte Buddha.

«Sag ich doch die ganze Zeit, verdammt nochmal!» Ich scharrte auf dem Boden.

«Dann mach weiter so», erwiderte Kuh-Buddha und führte erneut seinen patentierten «Ich löse mich in Luft auf»-Trick vor.

Sofort überlegte ich, wie ich aus diesem verdammten Kanada nach Hause kommen konnte. Ich konnte als Kalb ja schlecht am Reiseschalter einen Economy-Flug «Saskatchewan – Berlin» verlangen.

Und je mehr ich nachdachte, desto klarer wurde mir: Ich komm hier nur weg, indem ich gutes Karma sammele und mal wieder sterbe.

32. KAPITEL

Kuh – Regenwurm – Kartoffelkäfer – Eichhörnchen.

Es war eine verdammt harte Zeit.

So weit entfernt von zu Hause, vermisste ich Lilly. Und ich fragte mich, wann ich sie wohl wiedersehen würde.*

Aber das Heimweh war nicht mein einziges Problem.

* Aus Casanovas Erinnerungen: Zwei Jahre. So lange dauerte es, bis ich Madame Kim wiedersehen durfte. Durch meine heldenhafte Rettung Depardieus sammelte ich gutes Karma und wandelte fortan als Kater auf Erden. Als solcher lebte ich in der Nähe des Domizils von Monsieur Alex, in der steten Hoffnung, einen Blick auf Mademoiselle Nina zu erhaschen. Dieses bezaubernde Wesen verweilte jedes Wochenende bei dem von ihr geliebten Monsieur Alex. Und jedes Mal wenn ich sie sah, schlug mein betörtes Herz höher. So geriet ich in die wohl ungewöhnlichste Dreiecksliebe, in der ich mich je befand. Und das will was heißen, war ich doch schon in außerordentlich vielen ungewöhnlichen Dreieckslieben.

Schon in meiner ersten Woche als kleines Kalb hatte ich Trouble mit dem Rancher Carl. Er sah aus wie einer Marlboro-Werbung entsprungen, war ständig schlechtgelaunt und kündigte sich durch seinen chronischen Raucherhusten schon aus einiger Entfernung an. Als er uns Jungtieren sein Brandzeichen aufdrücken wollte, jaulten die anderen Kälber verzweifelt auf. Er traktierte sie mit den glühenden Eisen, und ich konnte die Schmerzensschreie kaum ertragen. Als Carl dann mit dem heißen Ding auf mich zukam, entschloss ich mich zum Präventivschlag: Ich versetzte ihm einen heftigen Tritt gegen die Kniescheibe.

Carl fluchte laut und näherte sich erneut mit dem glühenden Eisen. Ich forderte – wie der Affe mit der Metallplatte im Labor – die anderen Kälber auf, mir zu helfen. Es war ein wahrer Aufstand. Carl lief panisch aus dem Stall.

Am nächsten Tag ließ er mich und die anderen Kälber einschläfern.

Wie ich so gutes Karma gesammelt hatte? Nun, gar nicht. Es war schlechtes. Ich war für den Tod der anderen Kälber verantwortlich.

Und dadurch sauste ich die Reinkarnationsleiter wieder nach unten.

Ich wurde als Regenwurm in Irland wiedergeboren. Dort ringelte ich mich tagein, tagaus über feuchte Erde und erlebte, was es heißt, ein Zwitter zu sein. (Es gibt zum Beispiel keine Konflikte zwischen den Geschlechtern – was das Leben sehr erleichtern kann.)

Ich erlebte außerdem, was es bedeutet, sich zu teilen, wenn einen ein Rasenmäher überfährt.

Aber vor allen Dingen erlebte ich, was es bedeutet, sich absolut ohnmächtig zu fühlen. Ich konnte Nina nicht vertreiben und hoffte daher inständig, dass Alex sie vielleicht von sich aus aus seinem Leben verbannte.*

Doch darauf konnte ich mich nicht verlassen. Ich riss mich zusammen und wollte nun wirklich gutes Karma sammeln. Meine einzige Hoffnung, dass ich irgendwann in der Nähe von Potsdam wiedergeboren würde. Also sammelte ich gutes Karma, in dem ich anderen Regenwürmern beibrachte, wie man sich Rasenmähern aus dem Weg ringelt.

Als Kartoffelkäfer futterte ich auf Korsika mit anderen Artgenossen ein Kartoffelfeld leer. Ich traf dabei auf einen besonders kleinen, Französisch sprechenden Käfer, der in einem früheren Leben wohl Napoleon gewesen war. Und ich sammelte gutes Karma, indem ich ihn, unter Einsatz meines Lebens, daran hinderte, die Kartoffelkäfer in einen sinnlosen Vernichtungskrieg gegen Borkenkäfer zu führen.

* Aus Casanovas Erinnerungen: Als Kater beobachtete ich, wie Mademoiselle Nina eines Abends am lodernden Kamin von einem Lachen des Herrn Alex so ermuntert wurde, dass sie versuchte, ihm einen Kuss zu geben. Alex stieß sie voller Schreck von sich. Mademoiselle weinte darauf herzzerreißend, stürmte aus der Villa und fuhr in ihrer pferdelosen Kutsche in die Nacht. In den folgenden Tagen sprach Alex in seinem Wohnsalon immer wieder aufgeregt in eine kleine Schachtel. War er verrückt geworden? Oder war diese Schachtel irgendein Zaubergerät, mit dem man in die Ferne kommunizieren konnte? Was dieses Gerät auch war, eines verregneten Nachmittages stand Mademoiselle Nina wieder bei ihm im Salon. Die beiden blickten sich kurz an, dann küssten sie sich leidenschaftlich und ... ich wandte meinen Blick ab. Nicht aus Scham, hatte ich als Mensch doch oft genug andere beim Liebesspiel betrachtet (und dabei gerne unterstützend eingegriffen). Nein, ich wandte meinen Blick aus Schmerz ab, wusste ich doch, dass ich Mademoiselle Nina – zumindest vorerst – verloren hatte.

Als Eichhörnchen merkte ich nahe der deutsch-holländischen Grenze, wie wunderbar es ist, von Baum zu Baum zu springen. Und ich sammelte gutes Karma, indem ich jeden Tag aus den Center-Parc-Bungalows in der Nähe Chips und Schokolade klaute. Damit rettete ich meine Artgenossen vor dem winterlichen Hungertod (und die Touristen vor erhöhten Cholesterinwerten).

Und nach dieser Kuh-Regenwurm-Kartoffelkäfer-Eichhörnchen-Phase begann mein letztes Leben als Tier.

33. KAPITEL

Ich wachte erneut mit blinden Augen auf, aber als ich meinen Mund aufmachte und «Buddha» rief, kam diesmal kein «Fiep». Es gab eine Art Jaulen: «Rauuuuhhhhhh.» Und um mich herum winselten auch andere «Rauuuuhhhhhh». Ich war also kein Meerschweinchen. Auch keine Ameise, kein Regenwurm oder Eichhörnchen. Als solches war ich ja gerade frisch verstorben. Ein Tourist hatte mit einem Handy meinen Kopf getroffen, als ich ihm seine Paprikachips klauen wollte. Dies bewies zweierlei: Menschen finden Eichhörnchen nur so lange niedlich, solang sie ihnen nicht auf die Nerven fallen. Und es gibt Menschen, die können im Urlaub einfach nicht entspannen.

«Wie geht es dir?», fragte eine mir wohlbekannte Weihnachtsmannstimme.

«Hallo, Buddha, ich würde ja gerne sagen: Lange nicht mehr gesehen, aber ich kann gerade nicht sehen.»

«Das kann man ändern», antwortete er, und plötzlich waren meine Augen voll funktionstüchtig. Ich war ein Beagle-welpe und lag zwischen anderen Welpen in einem Körbchen. Und das wiederum befand sich in einem Zwinger. Man hatte uns wohl gerade frisch nach der Geburt von der Mama getrennt. Und obwohl ich mal ein Hund werden wollte, hielt sich meine Begeisterung in Grenzen: Ich fand diese Beagle-Modeerscheinung schon immer albern. «Wenn du alles richtig machst, ist dies das letzte Mal, dass du als Tier wiedergeboren wurdest», sagte Buddha, der mir als extrem dicker, schwarz-braun-weißer Beagle erschien und sogar noch alberner aussah als Otto-Normal-Beagle.

«Das letzte Mal ...?», fragte ich ungläubig.

«Du hast sehr viel gutes Karma gesammelt in all deinen Leben: Du hast Ameisen gerettet, Meerschweinchen nach Hause gebracht, Eichhörnchen vor dem Verhungern bewahrt. Und auch wenn du zwischendrin mal gutes Karma verloren hast, hast du jetzt sehr viel davon auf der Habenseite. Du hast mehr geleistet als je in deinem Leben als Mensch. Du kannst stolz auf dich sein», sagte Buddha.

Für einen Moment dachte ich, dass ich wirklich stolz sein konnte.

Aber ich dachte es nur. Ich fühlte es nicht. Ich vermisste Lilly. Wie lange hatte ich sie nicht gesehen? Sieben Monate? Acht Monate? Man verliert bei so vielen Leben schon mal das Zeitgefühl.

«Fast zwei Jahre», sagte Buddha.

«Zwei Jahre?» Mein Herz stockte. Das ... das bedeutet, Lilly war jetzt schon fast sieben Jahre alt und ging schon zur Schule. Sie war schon seit zwei Jahren ohne ihre Mutter.

Ich war völlig fertig. Und stinkewütend. Auf Buddha. Er hatte mir Lilly genommen, er hatte dafür gesorgt, dass ich nicht mehr in ihrer Nähe war.

«Für deine Leben bist nur du selbst verantwortlich», sagte er lächelnd.

Am liebsten hätte ich ihm selbstverantwortlich eine gescheuert. Aber ich war ein Beagle-Welpe, und er war nicht nur ein dicker, ausgewachsener Hund, er war der verdammte Buddha. Höchstwahrscheinlich konnte er mich in eine verdammte Regentonne verwandeln, wenn ihm danach war.

«Fluch nicht immer so viel.»

Und er war ein verdammter Gedankenleser.

«Es gibt nur noch eine Sache, die du lernen musst», sagte Buddha.

«Und sagst du mir auch, welche das ist?», fragte ich mit genervtem Unterton.

Aber Buddha lächelte nur milde und schwieg.

«Diese Antwort habe ich erwartet», sagte ich, noch genervter.

«Du wirst deine Lektion schon noch lernen», erklärte Buddha und rollte seinen Beaglekörper Richtung Zwingertür.

In diesem Augenblick wurde es für mich wieder dunkel. Er hatte mir die Fähigkeit zu sehen genommen. Und ich fragte mich, welche Lektion der dicke Beagle wohl meinte.

34. KAPITEL

In den folgenden Wochen wurde ich von Hundezüchtern hochgepäppelt. Als ich alt genug war, floh ich aus dem Zwinger, rannte auf die Straße und sprang in einen Bus. Ich wollte zu unserem Haus, obwohl ich mir gar nicht sicher sein konnte, ob Alex es überhaupt hatte halten können.

Ich hüpfte an unserer Haltestelle aus dem Bus heraus ins ungemütliche Wetter. Es war zwar schon März, aber der Frühling machte keinerlei Anstalten, sich zu nähern. Der Regen pladderte auf mein kurzes Fell herab, und ich begann nach nassem Hund zu stinken. Doch ich spürte die Kälte nicht, und auch mein strenger Körpergeruch machte mir nichts aus, denn ich sah, wie unser Haus erleuchtet im Regen stand.

Ich sah, wie der Regen an die Fensterscheiben prasselte.

Ich sah, wie der Kamin im Wohnzimmer vor sich hin loderte.

Ich sah wie ...

... wie Nina Alex tief in die Augen blickte.

Was zum Teufel machte sie da?

Was sagte sie zu ihm?

Wieso holte sie einen Ring aus einer Schatulle?

Mein Gott, sie machte ihm einen Heiratsantrag!

Das ... das ... das ... macht man als Frau doch nicht ...

Das ... das ... das ... tat mir weh ...

Das ... das ... das ... musste verhindert werden. Sie durfte nicht Alex' Frau und damit Lillys Mama werden!

Ninas Lippen formten gerade die Worte «Willst du ...?», da rannte ich los. Auf sie zu. So schnell ich konnte.

Mit Volldampf gegen die Terrassentür.

Scheiß entspiegeltes Glas!

Es donnerte wie verrückt. Sowohl in meinem Kopf als auch außerhalb. Alex sprang sofort auf, lief zur Scheibe und öffnete die Tür. Nina war geschockt: «Was ist denn das für ein Hund?»

«Keine Ahnung», antwortete Alex, «aber ich glaube, er hat sich wehgetan.»

«Du willst ihn doch nicht etwa reinholen?», fragte Nina.

«Ich kann ihn doch nicht so draußen liegenlassen.»

«Ach, der hat sich bestimmt schnell erholt», sagte Nina und wollte die Terrassentür wieder zuziehen.

Ich ließ mich hastig auf den Boden fallen, streckte alle viere in die Luft und röchelte: «Chrrlllllllll!»

Es war eine oscarwürdige Darbietung des sterbenden Beagles.

«Ihm scheint es wirklich schlechtzugehen», sagte Alex. «Ich trag ihn rein.»

«Lass das sein. Wenn er krank ist, steckst du dich an!», bat Nina. Echte Sorge um Alex lag in ihrer Stimme.

«Ich kann ihn einfach nicht draußen liegenlassen», erwiderte Alex, und Nina gab sich geschlagen.

Mit seinen kräftigen Armen trug mich Alex über die Schwelle. Wäre ich ein Mensch gewesen, hätte das etwas schwer Romantisches gehabt.

«Wir rufen einen Tierarzt», sagte Alex und ging zum Telefon. Nina nickte skeptisch. Ihr war das Ganze nicht geheuer.

Mein Blick fiel indessen auf den Ring, mit dem Nina ihren Antrag hatte machen wollen. Ich überlegte. Aber nur eine Nanosekunde. Dann war mir klar, was ich zu tun hatte.

Ich sprang auf.

«Der Hund ist wieder fit», rief Nina.

Und gleich darauf schrie sie: «Und er frisst den Ring!!!»

Es gibt Dinge, die besser schmecken als so ein Goldring, aber noch nie hat mir eine Mahlzeit so viel Genugtuung bereitet wie diese hier.

Alex schaute erstaunt. Er hatte immer einen sehr süßen Gesichtsausdruck, wenn eine Situation ihn verwirrte. Und dank meiner supersensiblen Beaglenase stellte ich auch fest, dass er ungemein gut roch. Und damit meine ich nicht sein Eau de Toilette, nein sein natürlicher Geruch war umwerfend. Es gibt Männer, die gut riechen. Es gibt Männer, die phantastisch riechen. Und es gibt Alex. Und mit einer Hundenase roch er für mich noch besser als früher. So betörend, dass ich die Stromschläge und die Tatsache, dass Nina bei ihm wohnte, so gut wie vergaß. Ich war nachgerade von ihm benebelt. Gut, dass ich nicht läufig war.

«Wie kriegen wir jetzt den Ring wieder?», fragte Nina entsetzt.

Zu meiner Überraschung grinste Alex und sagte: «Wir warten einfach ab. Irgendwann muss er ja auf natürliche Art und Weise herauskommen.»

«Ich weiß nicht, ob ich den Ring danach noch so romantisch finde», sagte Nina und ging, tief enttäuscht, dass ihr Antrag geplatzt war, in Richtung Schlafzimmer. Und ich dachte zufrieden: «Alle Heiratsanträge stehen still, solange mein Schließmuskel es will.»

«Und was machen wir jetzt mit dir?», fragte mich Alex.

Ich bellte: «Mich hier aufnehmen. Gleich nachdem du Nina hochkant rausgeworfen hast.»

«Ich kann dich ja schlecht im Regen stehenlassen», lächelte Alex und tätschelte dabei meinen Kopf. «Leg dich vor den Kamin. Sei aber leise. Meine kleine süße Tochter schläft.»

Ich wollte am liebsten gleich zu Lilly ins Zimmer rennen, aber ich war völlig erschöpft von meiner Reise hierher – und so tat ich, wie mir geheißen. Die Wärme des Kamins trocknete mein Fell und ließ mich langsam eindämmern. Es war schön, wieder zu Hause zu sein.

Ich wurde durch ein Stöhnen geweckt.

«Gib's mir, Alex!», hörte ich Nina.

Ich wusste nicht, was mich in diesem Augenblick mehr verblüffte: dass die beiden miteinander Versöhnungssex hatten oder dass eine Frau tatsächlich «Gib's mir» dabei sagte. Wenigstens war Alex ein Name, mit dem man «Gib's mir» noch halbwegs kombinieren konnte. «Gib's mir, Gisbert!», «Gib's mir, Klaus-Maria!» oder «Gib's mir, Schweini!» würden sicher deutlich schräger klingen.

Nina stöhnte immer lauter. Ich merkte, dass man auch als Beagle rot werden konnte. Und ich war deprimiert, denn Alex hatte nach meinem Tod nicht das Zölibat gewählt. Genauso wenig wie Daniel Kohn. So viel also zu meiner nachhaltigen Wirkung auf Männer.

Ich hätte am liebsten weggehört. Ging aber nicht mit meinem bescheuerten Hundegehör!

Wut stieg nun in mir hoch: Wie konnte Alex mich nur so schnell hintergehen? Ich war doch gerade erst zwei Jahre tot. Okay, als ich ihn mit Daniel betrogen hatte, war Alex sogar noch am Leben. Durfte ich da eigentlich sauer sein?

Klar, entschied ich, denn das hier war was anderes! Genau, was ganz anderes, weil ... weil – ich suchte nach einem Argument – weil ... weil ... es bei ihm irgendwie pietätlos war. Genau, pietätlos. Tolles Wort. Machte mich selbst moralisch gleich viel wertvoller als ihn.

Nina kam inzwischen richtig in Fahrt. Oder sie tat zumindest so. Nina hatte mir nämlich mal in einem stillen Moment gebeichtet, dass sie öfters mal einen Orgasmus vortäuscht: «Das ist besser, als dem Mann zu sagen: ‹Lies mal ein gutes Buch zu dem Thema.› Oder: ‹Ich mach lieber alleine weiter.›»

Ich selbst hatte nach dem Gespräch mit Nina bei meinem nächsten Frustsex ebenfalls versucht, einen Orgasmus vorzutäuschen. Es war bei einem Date mit dem Jurastudenten Robert, mit dem der Sex ungefähr so viel Spaß machte wie eine Netzhautspülung.

Deswegen wollte ich auch lieber fernsehen. Ein Blick auf die Uhr verriet, dass in zwei Minuten Ally McBeal kam, und ein gefakter Orgasmus schien mir das geeignete Mittel, noch rechtzeitig die Glotze anmachen zu können. Ich legte mich also voll ins Zeug. Aber ich war anscheinend eine schlechtere Schauspielerin als Nina, denn Robert fragte mich bei meinem Gestöhne nur: «Hast du einen Wadenkrampf?»

Nina wurde jetzt immer lauter. Und ich befürchtete ernsthaft, dass das alles nicht gespielt war. Ich konnte es einfach nicht mehr ertragen. Und deswegen entschloss ich mich zu handeln: Ich drückte die Schlafzimmertür mit meiner Schnauze auf und bellte: «Steig sofort von ihm runter. Du solltest dich was schämen. Und du auch, Alex. Was du machst, ist pietätlos! Total pietätlos! Pietätloser geht es nicht!»

Nina und Alex hielten mitten im Geschehen inne und starrten entgeistert auf den kläffenden Köter, der da im Schlafzimmer stand.

«Was hat denn der Hund?», fragte Nina und zog verängstigt die Decke über ihre Brüste, die geradezu unverschämt fest waren. Wie schaffte sie das nur? Als Kim Lange konnte ich Bruststraffungsübungen machen, soviel ich wollte (ich wollte eigentlich nie, aber in der Verzweiflung macht man manchmal sogar Sport), aber mein Busen reagierte nicht darauf, sodass ich vor dem Spiegel sehr häufig den Satz «Schwerkraft ist echt bescheuert» murmeln musste.

«Ich schaff ihn raus», beschloss Alex und kam mir entschlossen näher. Ich war so rasend wütend auf ihn, dass ich meinem Instinkt folgen wollte. Und mein Instinkt riet mir: «Beiß diesem pietätlosen fremdgehenden Tierversuchler heftig in den Hintern!»

Doch bevor ich zubeißen konnte, stand die von meinem Gekläffe aufgewachte Lilly in der Schlafzimmertür. Sie war unglaublich groß geworden. Ein richtiges kleines Schulmädchen. Und es war absolut überwältigend, sie so zu sehen.

Sie strahlte mich überglücklich an: «Ihr habt mir ja doch einen Hund zum Geburtstag gekauft!»

Sie hatte Geburtstag?!?

«Dann bin ich also doch nicht zu jung für einen Hund!», jubelte sie. Sie drückte mich, und mir schossen die Tränen in meine Hundeaugen. Es war so schön, Lilly wieder zu spüren, nach all den Jahren.

Alex und Nina blickten sich unsicher an: Wenn sie jetzt Lilly erzählen würden, dass ich nicht ihr neuer Hund wäre, würden sie ihr das Herz brechen.

Nach einer Weile sagte Nina: «Wir haben ihn hier zur Probe.»

Offensichtlich wollte sie sich damit bei Lilly einschleimen. Und so bei Alex wieder punkten. Aber in diesem Fall konnte es mir sogar recht sein.

«Komm», sagte Lilly zu mir, «du kannst neben meinem Bett schlafen.»

Sie ging los, und ich wollte folgen. Aber Alex stellte sich mir sorgenvoll in den Weg. Ich spürte seine tiefe Besorgnis, dass ich der Kleinen etwas antun könnte. Daher blickte ich ihm tief in die Augen und versuchte damit zu sagen: «Keine Angst. Eher würde ich mich wieder von einem Rasenmäher zerteilen lassen, als die Kleine zu verletzen.»

Er schien die tiefe Liebe zu Lilly in meinen Hundeaugen lesen zu können und entschloss sich daher, mir zu vertrauen: «Also gut.»

Ich ließ mir das nicht zweimal sagen und lief hinter Lilly her. Als wir in ihrem Zimmer waren, sagte die Kleine zu mir: «Dass du neben dem Bett schläfst, habe ich Papa nur so gesagt. Du kannst natürlich unter meine Decke.»

Ich bellte zustimmend und hüpfte zu ihr ins Bett.

Da lag ich endlich wieder neben meiner Tochter und blickte zu den Leuchtsternen an der Decke. Doch im Gegensatz zum letzten Mal, als ich noch als Ameise bei Lilly lag, konnte ich kaum Glück empfinden. Zu groß war der Schmerz, dass ich sie zwei Jahre nicht hatte sehen können. Zwei Jahre ihres Lebens, die ich verpasst hatte. Und die nie wiederkommen würden. Ich blickte tieftraurig auf Lillys kleinen Snoopy-Wecker: Es war schon zwanzig nach zwölf. Ihr siebter Geburtstag war vorbei. Auch den hatte ich also verpasst. Und auch er würde nie wiederkehren. Lillys Augenlider fielen nun zu, und sie schlief ein. Ich hörte ihr langsames, ruhiges Atmen, sah auf ihr süßes, kindliches Gesicht. Und ich schwor mir: Ich werde nie mehr einen Geburtstag von Lilly verpassen!

35. KAPITEL

Am nächsten Morgen ließ ich mich beim Frühstück von Lilly mit Möhrchen füttern – selbst als Hund war ich durch diese ganze Wiedergeburtskiste zur überzeugten Vegetarierin geworden (sollte doch jemand anders Konrad Adenauer essen.)

Während dieser gemeinsamen Mahlzeit erfuhr ich so einiges: Nina hatte ihr Reisebüro in Hamburg dichtgemacht und eins in Potsdam eröffnet. Alex hatte sich seinen langjährigen Traum erfüllt und ein Fahrradgeschäft gegründet, und mit dem Geld, das er dort verdiente, konnte er tatsächlich das Haus halten. Fahrräder zu verkaufen war ein Traum, den er immer als Alternative zum Studium hatte. Doch nach Lillys Geburt hatte er ihn erst mal aufs Eis gelegt, um sich um die Kleine zu kümmern.

Aber die interessanteste Erkenntnis des Morgens war: Ich konnte meinen Schließmuskel unglaublich lange zusammenkneifen.

«Ich geh heute nicht zur Arbeit», sagte Nina.

«Warum das denn nicht?», fragte Alex.

«Ich warte auf den Ring», erwiderte sie.

«Aber der kommt doch irgendwann automatisch raus», lächelte Alex. Irgendwie schien es ihm nicht eilig zu sein, dass sich der Heiratsantrag wiederholte, und das freute mich.

Dann machte er sich fertig, um Lilly zur Schule zu bringen (Mein Gott, sie war tatsächlich schon ein Schulkind!) und anschließend seinen Fahrradladen aufzumachen. Er zeigte dabei einen Elan, den ich mir früher auch von ihm gewünscht hätte. Und beim Anblick dieses verwandelten, schwungvollen Alex schoss mir ein schrecklicher Gedanke durch den Kopf: Nina tut ihm gut!

Das hatte damals ja schon die Meerschweinchenmama gesagt. Und kaum dachte ich an sie, fiel mir Casanova ein. Was war nur aus ihm geworden?*

Ich rannte auf die Terrasse und blickte in den Garten, aber es war kein Käfig mehr zu sehen. Keine Meerschweinchen. Kein Signore.

Nina folgte mir nach draußen. Sie zog sich Gummihandschuhe an, nahm sich einen Gartenstuhl, setzte sich vor mich hin und sagte zuckersüß: «Jetzt mach mal feini.»

Ich kläffte zurück: «Rede gefälligst vernünftig mit mir.»

Und es folgte ein dreistündiges Geduldsspiel.

Mein Beagle-Gesicht schwoll rot an, und ich röchelte: «Iiichhhh haaaaalt durchhhhh ... Kkkk...keinnn ... Problemmmm ...»

Doch die Zeit spielte Nina in die behandschuhten Hände: Der Ring musste schließlich raus. Kaum lag er auf der Terrasse, griff sie zu. Dabei seufzte sie: «Was ich nicht alles für die Liebe mache.»

Während ich Nina noch frustriert anblickte, hörte ich hinter mir eine Stimme keifen: «Hey, was ist denn das für ein Hund?»

Ich drehte mich um. Es war meine Mutter, die gerade durch die Gartenpforte kam. Ich freute mich, sie zu sehen. Nach ein paar Jahren als Tier vergisst man schon mal die Animositäten.

* Aus Casanovas Erinnerungen: Mademoiselle Nina verschenkte die Meerschweinchen an eine alte Dame, deren Domizil in der Nähe lag. Ich besuchte die Tiere als Kater des Öfteren, um nach dem Rechten zu sehen. Und um die Katze zu verführen, die dort lebte. Ich liebte zwar Mademoiselle Nina. Doch Liebe ist kein Grund für Abstinenz.

Ich rannte auf sie zu, sprang hoch und bellte freudig: «Wahu-wahu-wahu!»

Martha stieß mich heftig von sich weg: «Spring mich nicht an, du blöder Köter!»

So viel zur Wiedersehensfreude.

«Der Hund ist uns zugelaufen, und jetzt gehört er Lilly», erklärte Nina.

«Und was ist das für ein Ring?», fragte Martha.

«Ich will Alex einen Antrag machen», erklärte Nina.

«Du willst nicht warten, bis Alex dich fragt?», wollte meine Mutter wissen.

«Nein.»

«Gut so! Der kommt von allein ja nie in die Hufe!»

Gut so? – Ich konnte es nicht fassen. Meine Mutter fand das gut? Sie war für Nina? Und damit auch irgendwie gegen mich?

Ich blickte Martha an und stellte fest: Es gibt Menschen, bei denen fällt es leichter, die Animositäten zu vergessen, wenn sie nicht in der Nähe sind.

Nina führte Martha in das Haus und machte die Terrassentür zu. Durch das Glas sah ich, wie gut die beiden sich verstanden. Sie lachten und amüsierten sich, und ich war völlig perplex: Man konnte sich mit meiner Mutter amüsieren? Mit der Frau, die nur lacht, wenn sie 1,3 Promille im Blut hat? Tat Nina meiner Mutter etwa auch gut?

Au Mann, diese «Nina tut gut»-Geschichte nervte vielleicht!

Als Alex mittags nach Hause kam, fragte er mich: «Hey, was hältst du von Gassigehen?»

«Du nimmst den Hund mit, aber mich nicht?», fragte Nina.

«Ich will alleine ans Grab», antwortete Alex, und ich schluckte: Er redete von meinem Grab.

Nina verstand und nickte stumm.

«Was ist, willst du nun mit?», fragte Alex mich.

Ich war unentschlossen. Das eigene Grab zu sehen war sicherlich nicht gerade der Höhepunkt in der Sightseeingtour des Lebens.

Alex lächelte mich an, und so ermuntert machte ich ein zustimmendes Winselgeräusch und ging mit ihm zum Friedhof.

36. KAPITEL

Auf dem Weg wurde mir klar, warum Alex mich dabeihaben wollte. Er brauchte jemanden zum Reden. Jemanden, der ihm nicht dazwischenquatschen würde. Jemanden, dem er die größten Geheimnisse anvertrauen konnte. Einen Hund eben. Hätte er auch nur einen blassen Schimmer gehabt, wer dieser Hund neben ihm war, er hätte geschwiegen.

«Weißt du ...», fing er an und unterbrach sich gleich wieder. «... Wie heißt du eigentlich?»

Was sollte man darauf als Antwort bellen?

«Ich nenn dich einfach Tinka», sagte Alex.

Ein Name, mit dem ich leben konnte.

«Weißt du, Tinka, meine Frau ist heute vor zwei Jahren gestorben.»

Ich sah wieder vor meinem geistigen Auge, wie die bekloppte Raumstation auf mich zuraste.

«Und ich habe sie sehr geliebt», sagte Alex.

Wie? Er hat mich auch zum Schluss noch geliebt?

«Kurz bevor sie starb, war unsere Ehe am Ende. Sie liebte mich nicht mehr. Und das hat mich total fertiggemacht.»

«Was?», bellte ich ihn an. «Warum hast du mir das nie gesagt?»

Er schaute mich überrascht an: «Ist was?»

Ich tat hastig so, als ob ich mich für einen Baum interessieren würde und deswegen gebellt hätte.

«Ich hätte um sie kämpfen sollen ...», sagte Alex und ging nachdenklich weiter. Inzwischen hatten wir den Friedhof erreicht; ich drehte mich um und sah unsere Fußspuren in der dünnen Schneedecke. Es war ohnehin noch sehr kühl für diese Jahreszeit, und jetzt hatte sich das Wetter nochmals zum Schlechten gewandelt. Nasser Schnee fiel vom Himmel und machte den Friedhof endgültig zum unwirtlichen Ort.

«Warum hast du denn nicht gekämpft?», bellte ich. Aber natürlich verstand er die Frage nicht. Stattdessen blieb er stehen, atmete tief ein und sagte: «Ich vermisse sie. So sehr.»

Ich konnte es kaum glauben.

«Willst du wissen, warum ich nicht um sie gekämpft habe?», fragte Alex.

«Ja, verdammt nochmal!», bellte ich.

«Ich hatte das Gefühl, ich bin nicht gut genug für sie.»

O Gott, wie kam er denn darauf?

«Sie war erfolgreich. Und ich hab nichts auf die Reihe bekommen.»

Ich schluckte.

«Und ich habe sie immer angemotzt, dass sie sich nicht genug um mich und Lilly kümmerte. Aber im Hinterkopf hatte ich dabei immer, dass sie erfolgreicher war und ich ein Nichts. Komisch, nicht wahr, ich hatte meiner eigenen Frau gegenüber Minderwertigkeitskomplexe.»

Das hatte er mir nie gesagt.

«Bei Nina ist das anders», erklärte er, und ich war wie vom Donner gerührt. «Sie ermutigt mich, steht zu mir. Ohne sie hätte ich nie den Fahrradladen eröffnet.»

Deswegen war er mit ihr zusammen? Weil er bei ihr selbstbewusster sein konnte?

«Und sie hat lange auf mich gewartet.»

«Lange?»

«Ich hab sie erst nach eineinhalb Jahren das erste Mal geküsst.»

Ich wiegte meinen Kopf hin und her: Achtzehn Monate wären für außenstehende Beobachter, die wussten, dass unsere Ehe am Ende gewesen war, vielleicht eine lange Zeit gewesen. Aber meiner Meinung hätte er mindestens achtzehn Jahre warten müssen. Oder besser: achtzehn Leben!

«Dennoch war es gut, dass du gestern gekommen bist. Ich hätte sonst bei Ninas Antrag ‹nein› sagen müssen. Ich habe das Gefühl, dass ich Kim verrate, wenn ich Nina heirate.»

«Genau das tust du», jaulte ich auf.

«Sag mal, kannst du mich verstehen?», staunte Alex. Ich schüttelte schnell den Kopf.

Das war nicht schlau.

Denn genau diese Reaktion verriet mich.

«Du verstehst mich wirklich?» Alex konnte es nicht fassen.

Ich wusste überhaupt nicht mehr, wie ich reagieren soll. Ich entschied mich für nervöses Schwanzwedeln.

«Ach, ich fange schon an, mir Dinge einzubilden», sagte Alex. Dann ging er weiter über den Friedhof. Ich folgte ihm und stellte mir jede Menge Fragen: War ich schuld am Ende unserer Ehe? Wäre sie zu retten gewesen, wenn ich etwas mehr so wie Nina gewesen wäre? War sie sogar die bessere Frau für ihn?

Aber die allerwichtigste Frage, die mir durch den Kopf schoss, lautete: Was zum Geier macht Daniel Kohn auf dem Friedhof?

Eine Frage, die Alex sich ebenfalls stellte. Und er richtete sie auch gleich an Daniel Kohn: «Was machen Sie hier?»

Daniel schaute ihn überrascht an, Alex hatte ihn offenbar aus seinen traurigen Gedanken gerissen. Der Schnee hatte auf Daniels Schultern schon eine kleine Decke gebildet. Anscheinend stand er schon eine Weile vor meinem Grab.

Es hatte keinen Grabstein, sondern eine Platte, auf der eine Sonne zu sehen war und die Worte: «In ewiger Liebe, deine Familie».

Als ich das sah, begann ich laut zu heulen.

«Was hat denn der Hund?», fragte Daniel.

«Keine Ahnung, mal denke ich, er ist ein ganz besonderes Tier. Und mal denke ich, er ist einfach nur verrückt», erwiderte Alex.

Und ich dachte mir: Mit beiden Vermutungen hat er recht.

«Was machen Sie an dem Grab meiner Frau?», hakte Alex nach.

«Sie sind der Ehemann von Kim?», fragte Daniel zurück. Nichts in seiner Miene verriet, dass er mit mir in der letzten Nacht meines Menschenlebens geschlafen hatte. Kohn besaß nun mal ein Pokerface.

«Herzliches Beileid», sagte er, ohne Alex die Hand zu geben.

Und ohne auf die Frage einzugehen.

Alex erwiderte nichts: Sollte er bislang nicht geahnt haben, dass Daniel und ich was miteinander gehabt hatten, dann war es jetzt so weit. Zumal Daniel eine rote Rose in der Hand hatte.

Unglaublich. Eine rote Rose. Männer finden das normalerweise kitschig. Aber wir Frauen, besonders wir toten Frauen, finden so etwas rührend. Es bedeutete: Daniel Kohn hatte Gefühle für mich.

Innerhalb von wenigen Minuten erfuhr ich also, dass die beiden Männer in meinem Menschenleben mich bis zum Schluss geliebt hatten.

Das war schön.

Verwirrend, aber schön.

Blöd nur, dass ich als Beagle nicht allzu viel davon hatte.

Alex und Daniel blickten sich in die Augen. Jeder wusste, was Sache ist. Daniel legte souverän die Rose auf das Grab, nickte Alex zu und ging. Er war schon ein cooler Hund. Jedenfalls ein coolerer als ich.

«Tinka, glaubst du, dass die beiden was miteinander hatten?», fragte mich Alex.

Ich schüttelte hastig mein Beagleköpfchen.

Aber das konnte seine Zweifel offenbar nicht zerstreuen. Alex sprach den gesamten Weg nach Hause nicht mehr mit mir.

Und ich wusste: Seine Hemmungen, Ninas Antrag anzunehmen, waren gerade gewaltig gesunken.

37. KAPITEL

Die nächsten Tage sah ich Nina und Alex in Aktion. Sie machten so gut wie alles gemeinsam: Haushalt, Ausflüge, Shoppen – auf diese Weise verbrachten sie an einem Tag fast mehr Zeit miteinander als Alex und ich früher im Quartal. Nina kümmerte sich auch um Martha, die alle nasenlang zu Besuch kam. Sie versuchte sogar, sie für ihr Reisebüro als Aushilfe anzulernen. Ich verstand zuerst nicht genau, warum sie das tat, doch nach und nach wurde mir klar: Nina mochte die alte Dame. Seltsam, aber wahr. Man konnte meine Mutter anscheinend mögen.

Aber das Schlimmste war, dass Nina auch viel Zeit mit Lilly verbrachte. Sie half ihr sogar bei den Hausaufgaben, mit einer beeindruckenden Geduld (ich selbst hatte zu Kindergartenzeiten nicht mal die Muße gehabt, ihr vernünftig das Schleifebinden beizubringen, und daher nur Schuhe mit Klettverschlüssen gekauft). Sie brachte Lilly sogar dabei zum Lachen.

Ich kann gar nicht sagen, wie sehr ich mittlerweile diese «Nina tut gut»-Gedanken hasste.

Nina war dabei, sich eine richtige kleine Familie aufzubauen.

Aus meiner Familie.

Um nett zu Lilly zu sein, akzeptierte sie sogar den Beagle im Haus. Dabei konnte sie mich nicht ausstehen. Logisch, sorgte ich doch dafür, dass ihr Sexualleben sich der Frustgrenze näherte: Bei jedem ihrer Stöhner jaulte ich vor der Schlafzimmertür. So laut, dass Nina sich nicht mehr auf den Sex konzentrieren konnte.

Kein Wunder also, dass Nina mir, als keiner hinhörte, den Namen «Verhütungsmittel» verpasste.

Doch dann kam der schreckliche Tag, an dem Alex und Nina das verkündeten, was ich schon vorausgeahnt hatte: «Wir heiraten!»

Und während ich noch vor Schreck meinen Hundekuchen verschluckte und röchelnd überlegte, wen ich zuerst beißen sollte – die lächelnde Nina, den lächelnden Alex oder meine vor Rührung fast weinende Mutter –, lief Lilly aus dem Haus.

«Warte!», rief Alex ihr nach und wollte hinterher. Aber Nina hielt ihn zurück: «Lass sie. Sie braucht einen Moment, um das zu verarbeiten.»

Alex nickte. Ich aber ließ Hundekuchen Hundekuchen sein und rannte in den Garten. Dort saß Lilly auf der Schaukel und weinte. Ich ließ mich neben ihr nieder, wollte sie trösten und legte ihr meine Pfote sanft aufs Knie.

«Ich vermisse meine Mami», sagte sie und drückte mich fest an sich. Ich spürte ihre Tränen auf meinem Fell und winselte leise: «Mama ist bei dir.»

Lilly blickte mir darauf in die Augen und schien zu verstehen. Jedenfalls beruhigte sie sich und kraulte mich, ohne etwas zu sagen. Ich bellte: «Alles wird gut.»

«Aber nur, wenn wir etwas unternehmen», sagte eine Stimme von oben.

Ich blickte hoch und sah auf einem Ast über mir einen braunen Kater mit schwarzem Fleck um das rechte Auge herum sitzen. Ein Kater, der sehr breit grinste.

Lilly ging – wieder etwas gefasster – ins Haus. Ich aber starrte aufgewühlt den Kater an.

«Casanova …?», fragte ich vorsichtig.

Der Kater erwiderte: «Madame Kim?»

Ich nickte. Er sprang vom Baum herunter. Wir beide liefen rasend schnell aufeinander zu und umarmten uns innig, was ziemlich merkwürdig aussah, denn eine innige Umarmung zwischen Vierbeinern klappt nur, wenn man am Boden liegt. Für einen Beobachter, den es dankenswerterweise gerade nicht gab, sah es also bestimmt so aus, als ob da eine Katze und ein Beagle nicht wussten, dass sie sexuell inkompatibel waren.

Als wir damit fertig waren, glücklich über den Rasen zu rollen, plapperten wir drauflos und erzählten uns, was in den letzten beiden Jahren so alles passiert war. Ich berichtete von meinen Leben als Kalb, Regenwurm, Käfer und Eichhörnchen. Und Casanova teilte mir mit, dass er als Depardieu-Retter gutes Karma für den Aufstieg zum Kater gesammelt hatte und seitdem ein schönes Leben führte: «Streunen liegt mir.»

«Und, warum haben Sie nicht weiter gutes Karma gesammelt?», wollte ich wissen.

«Ich glaube, dafür fehlt mir Ihr guter Einfluss», erwiderte er grinsend.

«Sind Sie hierhergekommen, um nach mir Ausschau zu halten?»

«Nein», antwortete Casanova, was mich etwas enttäuschte. «Ich habe mein Herz an Mademoiselle Nina verloren.»

«Au, Mann, was findet ihr nur alle an der verdammten Kuh!», platzte es aus mir heraus.

«Mademoiselle Nina ist wunderschön, liebenswert, hilfsbereit ...»

«Es gibt Fragen, auf die man keine Antwort will», motzte ich.

«Dann antworte ich nicht», erwiderte Casanova nett.

«Vergessen Sie Nina. Sie haben keine Chance bei ihr», schimpfte ich weiter.

«Wie kommen Sie denn auf diesen abwegigen Gedanken?»

«Nun, erstens will sie Alex. Zweitens kommen Sie aus unterschiedlichen Jahrhunderten. Und drittens: Sie sind ein VERDAMMTER KATER!!!!»

Casanova erwiderte pikiert: «Erstens, Liebe überwindet alle Schranken. Zweitens, womöglich bleibe ich nicht ewig ein Kater. Und drittens: Mademoiselle Nina würde Monsieur Alex nicht wollen, wenn sie wüsste, dass es mich gibt.»

«Blödsinn. Nina und Alex wollen jetzt heiraten!», schleuderte ich ihm entgegen.

Diese Nachricht schockte den Signore. Sein Fell sträubte sich und er sagte tapfer: «Mademoiselle Nina denkt darüber nur nach, weil sie meiner Existenz noch nicht gewahr ist.»

Ich jaulte höhnisch.

Der Signore setzte nach: «Und Alex würde Mademoiselle Nina nicht heiraten, wenn er wüsste, dass Sie noch leben.»

«Doch, das würde er», erwiderte ich traurig. «Er weiß nun, dass ich ihn mit einem anderen Mann betrogen habe.»

«Das ist kein Grund, jemanden nicht zu lieben», lachte Casanova.

«Was?», fragte ich erstaunt.

«Glauben Sie mir, Madame, mich haben genug Frauen geliebt, die wussten, dass ich sie hintergangen habe. Und ich habe ebenfalls viele Frauen geliebt, die mich betrogen haben. Eifersucht ist kein Hinderungsgrund für die Liebe.»

Ich staunte. Casanova hatte eine beneidenswerte Art, moralische Liebesfragen in eine ihm genehme Perspektive zu rücken.

«Oder lieben Sie Monsieur Alex etwa weniger, nur weil er mit Madame Nina den Beischlaf vollzieht?»

Ich war verwirrt: Die Frage, ob ich meinen Mann noch

liebte, warf mich aus der Bahn. Ich hatte sie mir seit den Stromschlägen im Labor nicht mehr gestellt ...

«Wenn wir die Hochzeit verhindern, haben wir eine Chance, unsere Lieben wiederzubekommen.»

«Ich will Alex aber gar nicht wieder», sagte ich mit der Vehemenz der plötzlich Verunsicherten.

«Sind Sie sich da sicher?», fragte er.

«Ja!», erwiderte ich noch vehementer.

Aber Kater Casanova grinste nur besserwisserisch.

Ich fühlte mich ertappt und konterte: «Das ist ja auch egal. Die werden sich nie in uns verlieben. Wir sind Tiere!»

«Vielleicht werden wir ja irgendwann als Menschen wiedergeboren, wenn wir genug gutes Karma sammeln.»

Da war was dran: Buddha hatte ja gesagt, dass das hier mein letztes Leben als Tier sein könnte. Und mir fiel wieder meine Phantasie ein, in der ich als Achtzehnjährige den fünfzigjährigen Alex küsse. Bei dieser Vorstellung kribbelte es in meinem Magen. Sollte Casanova recht haben: Wollte ich Alex wieder?

Jedenfalls musste ich mir eingestehen, dass ich mir den Beinamen «Verhütungsmittel» eingehandelt hatte, weil ich eifersüchtig auf Nina war.

Leider hatte Casanovas Logik aber einen kleinen Webfehler: «Wenn wir die Hochzeit verhindern, sammeln wir mieses Karma!», wandte ich ein. «So werden wir nie zu Menschen.»

Doch Casanova lächelte nur ein freches Katerlächeln: «Wie kann man mieses Karma sammeln, wenn man etwas aus Liebe tut?»

38. KAPITEL

Um eine Hochzeit zu torpedieren, gibt es nichts Besseres, als das Hochzeitskleid zu zerstören.

Nina hatte dafür gesorgt, dass die kirchliche Trauung zuerst stattfand: «Wenn ich das erste Mal ‹ja› sage, dann will ich es nicht in einem Standesamt tun, sondern ganz in Weiß in der Kirche», hatte sie zu Alex gesagt, und auch den Pastor hatte sie von dieser ungewöhnlichen Hochzeitsreihenfolge überzeugen können.

Die Sonne schien, als der Hochzeitstross aus unserem Haus trat. Selbst das verdammte Wetter war auf Ninas Seite! Die Frühlingsblumen rochen himmlisch. Aber Alex sah noch himmlischer aus. Er ging in einem wunderbaren schwarzen Smoking auf die weiße Limousine zu, die er extra für diesen Anlass gemietet hatte. Alex trug eine Fliege – so blieb er sich in seiner Krawattenabneigung treu – und hatte Lilly untergehakt, die in ihrem niedlichen rosa Kleid die wohl süßeste Rosenstreuerin war, die man sich nur vorstellen konnte. Alex sagte zu ihr: «Du siehst aus wie eine Prinzessin», und gab ihr ein Küsschen. Lilly lächelte strahlend: Anscheinend hatte sie mit der Vermählung ihren Frieden gemacht.

Ganz im Gegensatz zu mir!

Als Nächstes trat meine Mutter aus dem Haus. Sie sah schick aus – jedenfalls für ihre Verhältnisse – mit einem blauen Hosenanzug und einer neuen Frisur.

Und dann kam Nina.

«O mein Gott, was für eine wunderbare Erscheinung», sagte Casanova. Und ich dachte: «Scheiße, er hat recht!»

Nina sah phantastisch aus, das weiße Kleid war dezent und betonte ihre Figur auf geradezu unverschämte Art und

Weise. Um so ein Kleid tragen zu können, müssten die meisten Frauen ein Dauerabo beim Schönheitschirurgen bestellen.

Ich riss mich zusammen und konzentrierte mich auf meine Aufgabe: Da Nina mich wohlweislich nicht mit in die Kirche nehmen wollte, war jetzt – vor der Abfahrt – der große «Hochzeitskleid-Zerstör-Moment» gekommen.

Ich war mir nicht sicher, ob ich Alex wirklich wiederhaben wollte, aber ich wusste ganz genau, dass ich diese Hochzeit nicht ertragen würde.

Ich lief auf Nina zu. Sie blickte in meine Augen, ahnte, was kommen würde, und rief: «O nein! Schafft mir den Hund vom Hals!»

Meiner Mutter musste man das nicht zweimal sagen. Sie schnappte sich den Brautstrauß und prügelte damit auf mich ein. «Nimm dies! Und das! Du verdammter Köter!»

Ich ließ mich von ihr zurücktreiben, denn ich war ja nur die Ablenkung: In diesem Moment ließ sich Casanova von einem Ast auf Nina fallen und zerfetzte mit seinen Katzenkrallen das Kleid.

«Nehmt dieses Vieh von mir weg!», schrie Nina. Aber da war es auch schon zu spät: Das Kleid sah aus, als ob es Edward mit den Scherenhänden in die Scherenhände gefallen wäre.

Alle starrten auf die zerfledderte Braut, während Casanova und ich uns in die Garage flüchteten und die weiteren Geschehnisse aus sicherer Entfernung beobachteten. Dabei freute ich mich, dass unser Plan aufgegangen war.

Casanova aber war still.

«Was ist? Freuen Sie sich nicht?», fragte ich ihn.

«Mir bereitet es keine Freude, Mademoiselle Nina wehzutun», sagte er.

«Mir schon», grinste ich und blickte zu Nina, die um Fassung rang.

Leider rang sie mit Erfolg. Sie entzog sich Alex' tröstender Umarmung und sagte: «Ist doch egal, wie ich aussehe. Hauptsache, wir heiraten.»

Die beiden lächelten sich daraufhin so innig an, dass ich mich am liebsten übergeben hätte.

Dann stiegen sie mit Lilly und meiner Mutter in die Limousine und brausten in Richtung Kirche davon.

39. KAPITEL

«Das war kein Erfolg», stellte Casanova fest.

«Nicht wirklich», erwiderte ich.

Wir schwiegen.

«Was tun wir jetzt?», fragte er.

«Nicht aufgeben», antwortete ich.

«Gute Idee.»

«Nicht wahr?»

Wir schwiegen weiter.

«Und wie sieht das mit dem Nichtaufgeben genau aus?», fragte er.

«Nun, was das betrifft, habe ich keine Ahnung.»

Wir schwiegen wieder.

«Wir müssen zur Kirche, und dann sehen wir weiter», beschloss ich, und wir rannten los.

Als wir hechelnd an der Kirche ankamen, waren alle Gäste schon drin, und wir konnten die Kirchentür nicht öffnen. Casanova und ich beschlossen uns daher zu trennen, um nach einem Eingang zu suchen. Er rannte links um die Kirche, ich rechtsherum. Ich fand eine leicht offen stehende Tür, drückte sie auf und stand vor einer Treppe. Aus Mangel an Alternativen hetzte ich sie hinauf – genau auf die Empore, auf der der bärtige Organist gelangweilt auf seinem Handy Tetris spielte, während unten der Pfarrer zur alles entscheidenden «Willst du»-Frage anhob.

Jetzt wünschte ich mir, dass ich als Katze wiedergeboren worden wäre, denn dann hätte ich locker in das Kirchenschiff springen und mir die Ringe schnappen können, ohne die die Hochzeit ja nicht möglich war.

Aber ich war nun mal keine Katze, sondern eine Hündin. Dementsprechend hatte ich auch keine biegsamen Knochen, die meinen Fall abgefedert hätten. Ich konnte ja nicht mal genau den Altar da unten erkennen. Mein überragender Geruchssinn half mir auch nicht sonderlich weiter. Er konnte keine Entfernungen erschnüffeln und verriet mir lediglich, dass der Organist hinter mir nicht an den Gebrauch von Deos glaubte. Es war mir also völlig unmöglich, vorherzusagen, wo und wie ich bei einem Sprung landen würde. Dafür dröhnte die Frage des Pfarrers gewaltig in meinen Ohren: «Willst du, Alex Weingart, diese Frau zu deiner dir angetrauten Ehefrau nehmen?»

Das letzte Mal, als Alex diese Frage gestellt worden war, war ich die Braut an seiner Seite. Es war in der sonnendurchfluteten Kirche San Vincenzo in Venedig, und er sah in seinem hellen Anzug einfach umwerfend aus. Ich war so hypernervös, dass ich sogar an der falsche Stelle «ja» antwortete. Der Pastor lächelte, sagte in gebrochenem Deutsch, «Sie sind gleich dran», und fuhr mit der Zeremonie fort. Als ich dann endlich zum richtigen Zeitpunkt zitternd «Ja, ich will», antwortete und Alex mir den Ring überstreifte, war ich der glücklichste Mensch der Welt.

Ich hatte nie jemanden so geliebt wie Alex damals.

Er war die Liebe meines Lebens – das konnte ich ganz klar sagen, war mein Leben doch schon lange vorbei.

Alex jetzt so mit Nina zu sehen machte mir schlagartig deutlich: Casanova hatte recht, ich hatte noch immer Gefühle für ihn.

Und plötzlich kullerten Tränen über meine kleine, ohnehin schon feuchte Schnauze.

Der Pastor blickte zu Alex. Nun würde er den Mund öffnen, um das verhängnisvolle Bekenntnis auszusprechen.

Ich wischte mit meiner Vorderpfote die Tränen von der Schnauze, hüpfte mit dem Mut der höchsten Verzweiflung auf die Balustrade, spannte meine Hinterbeinmuskeln – die bei einem Beagle nicht gerade sonderlich ausgeprägt waren – aufs äußerste an und sprang.

Für wenige Sekunden befand ich mich im freien Fall und hoffte, dass ich durch diese Aktion nicht wieder sterben würde.

Gott sei Dank brach ich mir nicht das Genick, sondern landete verhältnismäßig weich auf meiner Mutter, die danach Flüche ausstieß, die in dieser Kirche sicherlich noch nie zu hören waren. Ich vermutete, dass jeden Augenblick das Kruzifix vor Scham herunterfallen würde.

Durch meinen Stunt brach in der Kirche die Hölle los: Die Gäste redeten aufgeregt durcheinander, der Pastor brach mitten im Satz ab, und Nina zischelte Alex wütend zu: «Wir haben den Hund doch zu Hause gelassen!» Und man hörte förmlich heraus, wie sie dabei dachte: «Wir hätten ihn lieber an einer Raststätte aussetzen sollen. Am besten im Südjemen.»

Der einzige Mensch im ganzen Kirchenschiff, der sich aus vollem Herzen freute, mich zu sehen, war Lilly. Die Kleine lief auf mich zu und sagte: «Hey, Tinka, was machst du denn hier?» Sie wollte mich in den Arm nehmen. Und obwohl ich Lilly auch gerne gekuschelt hätte, wich ich ihr aus und rannte auf den Altar zu. Dort schnappte ich mir die Schachtel, in der die Ringe lagen, und sauste davon.

Nina schrie: «Haltet ihn!»

Martha ließ sich das nicht zweimal sagen und rannte hinter mir her. Ich war zwar schneller als sie, aber die Tür war ja geschlossen. Es war ein Weg, der zwangsläufig in einer Sackgasse enden musste. Meine Mutter war schon kurz hinter mir. Ich musste abbremsen. Jeden Augenblick würde sie mich packen ...

Doch da öffnete sich die Pforte. Casanova hockte auf der Klinke und grinste mich an. Er war eben ein Meister der Rettung in letzter Sekunde. Ich rannte aus der Kirche. Casanova folgte mir. Ebenso wie meine Mutter und noch einige andere Mitglieder der Festgemeinde. Doch sie hatten keine Chance, mich zu schnappen und die Ringe zu retten, denn im Gegensatz zu ihnen machte es mir nichts aus, durch den nahe gelegenen Fluss hindurchzuschwimmen.

40. KAPITEL

Am Abend kehrte ich zu unserem Haus zurück, begleitet von Casanova. Die Ringe hatten wir zuvor in der Nähe verbuddelt. Als wir uns dem Haus näherten, sah ich, wie Alex – noch immer im Smoking – auf der Terrasse saß und frustriert vor sich hin starrte. Nina war nirgendwo zu sehen. Vermutlich saß sie irgendwo im Haus und weinte. Ich bedeutete Casanova, hinter dem Gartenschuppen zu warten, und ging vorsichtig auf Alex zu.

Er schaute mich an. Nicht wütend. Nur matt.

Ich hockte mich zu ihm.

«Hi», sagte er müde.

«Hi», jaulte ich leise.

«Ich hab keine Ahnung, was in dich gefahren ist», sagte er. «Wenn ich es nicht besser wüsste, würde ich sagen, du bist Kim.»

Mein Herz stand still.

«Irgendwie wiedergeboren», ergänzte er schwach lächelnd.

Ich wusste nicht, was ich bellen sollte.

«Wenn du Kim bist, kannst du ja mit dem Schwanz wedeln», sagte Alex, halb bitter, halb spöttisch.

Was sollte ich nun tun. Mit dem Schwanz wedeln? Aber was dann?

Bevor ich mich überhaupt entscheiden konnte, redete er weiter: «Wenn du wirklich Kim wärst, würde ich dir verzeihen, dass du mich mit diesem Kohn betrogen hast.»

Ich blickte verschämt zur Seite.

«Und ich würde dich bitten, mir die Erlaubnis zu geben, Nina zu heiraten.»

«Nie im Leben!», kläffte ich.

Alex erwiderte: «Sie macht mich glücklich. Mit ihr kann ich die Zukunft leben. Mit dir nur in den Erinnerungen.»

Das verunsicherte mich.

«Ich würde auch noch sagen, dass Lilly eine Mutter braucht. Nina gibt sich alle Mühe, eine zu sein. Ich habe von ihr noch kein einziges böses Wort über die Kleine gehört.»

Ich auch nicht, wenn ich ehrlich sein sollte.

«Und Lilly ist drauf und dran, sie endlich zu akzeptieren.»

Ich dachte an Lillys strahlendes Lächeln, als Alex ihr ein Kompliment über ihr Rosenstreuerin-Kleid gemacht hatte.

Nina konnte besser mit Alex umgehen als ich, besser mit meiner Mutter – würde sie auch Lilly eine bessere Mutter sein, als ich es je war?

Das wäre wahrscheinlich nicht mal so schwierig, dachte ich plötzlich deprimiert.

«Aber vor allen Dingen», redete Alex weiter, «vor allen Dingen würde ich dich inständig bitten, mich mein Leben leben zu lassen.» Und dann fügte er nach einem tiefen Seufzer hinzu: «Aber du bist ja nicht Kim.»

Ich bellte hastig: «Doch, bin ich! Und ich kann vielleicht als Mensch wiedergeboren werden, und dann können wir uns in spätestens zwanzig Jahren treffen, und du bist dann erst zweiundfünfzig und ich zwanzig, und wir beide pfeifen dann auf den Altersunterschied und können nochmal richtig von vorn beginnen und alle Fehler vermeiden, die wir gemacht haben, und dann ist unser ganzes Leben so schön wie damals, als wir geheiratet haben, und dafür lohnt es sich doch, so lange auf mich zu warten und ... und ... und ... und ... und während ich das so belle, merke ich, dass das keine gute Alternative für dich ist. Du kannst nicht zwanzig Jahre auf mich warten.»

Alex blickte mich irritiert an.

«Und auch keine realistische», winselte ich traurig hinterher.

Ich blickte in Alex' trauriges Gesicht. Und mir war klar, dass ich nicht das Recht hatte, sein Leben zu torpedieren.

Und ich wusste jetzt auch, was die Lektion war, von der Buddha gesagt hatte, ich müsse sie noch lernen.

Sie lautete: Man muss als Tote auch loslassen können.

Und so führte ich Alex zu den Ringen.

41. KAPITEL

Diesmal lief die Hochzeitszeremonie ohne große Hindernisse ab. Casanova hatte getobt, dass ich Alex die Ringe wiedergegeben hatte, und wollte nun alleine die Hochzeit verhindern. Doch er tat es nicht, nicht zuletzt, weil ich ihm einige von Marthas Pillen in sein Futter mischte.*

Alex nahm mich gegen den Protest von Nina mit zu der Hochzeit. Natürlich glaubte er nicht wirklich daran, dass ich seine wiedergeborene Frau Kim war, aber er war der Ansicht, dass ich nun zur Familie dazugehörte.

So sah ich, wie Alex und Nina an den Altar traten. Sie war eine wunderschöne Braut in ihrem wieder hergerichteten Kleid.

Ich hörte, wie der Pastor den beiden erneut die «Willst du»-Frage stellte.

Erst antwortete Alex: «Ja, ich will!»

Dann hauchte Nina: «Ja, ich will ... von ganzem Herzen.»

Sie sah ihn total verliebt an.

In diesem Augenblick wurde mir klar: Nina würde ihre Chance nutzen und ein glückliches Familienleben leben.

Eine Chance, die ich als Mensch auch mal hatte.

Die ich aber nicht genutzt hatte.

Ich hatte mein Menschenleben verschwendet.

Und bei dieser Erkenntnis machte es «krrk».

Na ja, es machte nicht wirklich «krrk» – aber wie soll man das Geräusch beschreiben, das ein Herz macht, wenn es bricht?

* Aus Casanovas Erinnerungen: Ich habe nach einem Mahl noch nie so viele bunte Farben gesehen.

Vielleicht am besten so: Es ist das furchtbarste Geräusch, das es gibt.

Und mit Abstand der brutalste Schmerz.

Ein tödlicher Schmerz.

42. KAPITEL

Ich dachte immer, «am gebrochenen Herzen sterben» wäre ein Mythos so wie «die einzig wahre Liebe». Aber ich brach tatsächlich vor dem Altar zusammen. Und da man für einen Hund nur höchst selten einen Notarztwagen mit Defibrillator anfordert, verstarb ich noch in der Kirche. Damit gab ich der Trauung für ein paar Minuten eine – wie ich fand, auch irgendwie passende – tragische Note.

Wieder zog mein Leben an mir vorbei, aber ich versuchte nicht zuzuschauen, denn nochmal zu sehen, wie Alex und Nina heirateten, war mehr, als ich ertragen konnte. Allerdings ist es unglaublich schwierig, ein inneres Auge zu schließen. Um genau zu sein: Es ist völlig unmöglich. Und so durchlitt ich diesen furchtbaren Moment noch einmal, inklusive Herzschmerzinfarkt.

Und dann sah ich das Licht.

Es wurde immer heller.

Es war wunderschön.

Ich hoffte, dass ich von ihm diesmal endgültig aufgenommen würde ...

Natürlich wurde ich es nicht.

Ich wachte stattdessen in einem strahlend weißen Raum auf. Oder war es eine weiße Landschaft? Ich konnte absolut nicht erkennen, wo die Wände sein sollten, oder die Decke.

Und diese Landschaft, dieser Raum, dieser Planet – oder was das auch immer sein sollte – war komplett leer. Nichts, aber auch rein gar nichts war zu sehen, außer dem leuchtenden, die Seele wärmenden Weiß.

Ich war ganz alleine.

Und dann stellte ich etwas Unglaubliches fest: Ich lag nackt da ... in meinem Menschenkörper.

Er fühlte sich nach all der Zeit ungewohnt an.

So ... so ... limitiert.

Meine Beine waren nicht so flink wie die eines Meerschweinchens, mein Gehör nicht so gut wie das eines Hundes, meine Arme nicht so kräftig wie die der Ameise.

Ich rief: «Hallo?»

Keine Antwort.

«Hallo?!?»

Wieder keine Antwort.

«Ist das hier das Nirwana?»

Dabei dachte ich mir: Und wenn es das ist, ist es ganz schön unterwältigend.

«Nein, das hier ist nicht das Nirwana», sagte eine mir allzu bekannte wohlige Stimme. Ich blickte zur Seite: Buddha stand auf einmal neben mir. Er erschien mir in der Gestalt eines Menschen. Eines außerordentlich dicken Menschen. Und mein ästhetisches Empfinden hätte es sehr gut gefunden, wenn er sich etwas angezogen hätte.

Besonders untenrum.

«Wenn das hier nicht das Nirwana ist», fragte ich und vermied es, meinen Blick auf die Region unterhalb seines Bauchnabels fallen zu lassen, «was ist es dann?»

«Nun», antwortete Buddha, «es ist der Vorhof zum Nirwana.»

«Aha», antwortete ich mit einem jener Ahas, die übersetzt eigentlich «Ich verstehe so was von überhaupt nichts» bedeuten.

Buddha hatte wieder sein seliges Lächeln im Gesicht, und ich war mittlerweile fest davon überzeugt, dass es ihm ungeheuren Spaß machte, den rätselhaften Glückskeks zu geben.

«Dies ist der Ort, an dem ich mit den Menschen spreche, bevor sie ins Nirwana gehen.»

«Ich komm jetzt schon ins Nirwana?»

Buddha nickte.

«Aber ich bin doch noch kein gelassener Mensch, der in sich ruht. Niemand, der in Harmonie mit der Welt lebt und alle Menschen auf dieser Welt liebt, egal wer oder wie sie sind.»

«Beim Karmasammeln geht es einzig und allein darum, anderen Wesen zu helfen. Und das hast du getan.»

«Aber eine Mutter Teresa war ich nicht gerade ...», relativierte ich.

«Das kann ich nicht beurteilen. Für Mutter Teresa war jemand anders zuständig als ich», merkte Buddha an.

Meine Gedanken formten sich in meinem Kopf zu einem einzigen Fragezeichen.

«Das Nachleben ist differenziert organisiert», begann Buddha zu erklären. «Die Seelen der gläubigen Christen werden von Jesus verwaltet, die der Islamgläubigen von Mohammed und so weiter.»

«Und so weiter ...?», fragte ich irritiert.

«Nun, wer zum Beispiel an den nordischen Gott Odin glaubt, kommt nach Walhalla.»

«Wer glaubt denn heutzutage schon an Odin?», fragte ich.

«Kaum einer. Und glaub mir, das deprimiert den armen Kerl ganz schön.»

Irritiert stellte ich mir vor, wie Odin bei einem Abendessen mit Jesus und Buddha sein Leid klagt und sich überlegt, einen PR-Berater zu nehmen, um den Glauben an ihn wieder populärer zu machen.

«Jeder bekommt das Leben nach dem Tod, an das er zuvor geglaubt hat», ergänzte der dicke nackte Buddha. Und ich fand, dass das gerecht klang.

Das Ganze warf nur eine Frage auf: «Ich habe nie ans Nirwana geglaubt. Warum bin ich dann hier?»

«Ich bin nicht nur für die Seelen verantwortlich, die an den Buddhismus glauben, sondern auch für alle, die an gar nichts glauben», antwortete Buddha.

«Und warum?»

«Weil bei mir die Ungläubigen für ihren Unglauben nicht bestraft werden.»

Das leuchtete ein. Wenn sich Buddha um alle Konfessionslosen kümmerte, kamen die anderen Herren nicht in die unangenehme Lage, Seelen zu verdammen, nur weil sie ungläubig waren.

«Bist du nun bereit für das Nirwana?», fragte Buddha. Es sollte wohl eine rhetorische Frage sein. Er dachte sicher, dass ich jetzt «Aber hallo!» schmettern würde, doch ich war unsicher. Ich dachte an die Menschen, die mir etwas bedeuteten: Alex würde sicherlich glücklich ohne mich sein, aber ...

«Was ist mit Lilly. Wird sie glücklich bei Nina werden?», fragte ich.

«Das muss nicht mehr deine Sorge sein.»

«Nicht meine Sorge?»

«Nicht deine Sorge», lächelte der dicke nackte Mann.

«Es geht um meine Tochter!», beharrte ich.

«Es ist dennoch nicht deine Sorge, denn du gehst gleich ins Nirwana.»

Ich schluckte.

«Dort wirst du ewig währendes Glück verspüren.»

Das wollte ich gerne. So gerne. Und ich hatte es mir auch verdient – jedenfalls schien Buddha der Ansicht. Und er war ja eine anerkannte Autorität auf diesem Gebiet.

«Du wirst dich an nichts mehr aus deinen vielen Leben erinnern», sagte Buddha und ergänzte: «Du wirst all deinen Schmerz vergessen.»

Schmerz vergessen, ewiges Glück – es gibt keinen besseren Deal.

Daher nickte ich und sagte: «Ich bin bereit!»

Und dann sah ich das Licht.

Es wurde immer heller.

Es war wunderschön.

Diesmal wusste ich genau: Ich würde in ihm aufgehen können, es würde mich nicht wieder abstoßen. Diesmal nicht.

Das Licht umhüllte mich.

Sanft.

Warm.

Liebevoll.

Ich umarmte es und ging darin auf.

Ich fühlte mich so wohl.

So geborgen.

So glücklich.

Mein Selbst begann sich aufzulösen. All meine Erinnerungen verblassten: Die Schmerzen meiner Kindheit, die Trauer bei der Hochzeit von Alex und Nina, die Liebe zu Lilly ...

Lilly! Warum hatte Buddha so geblockt, als ich ihn gefragt hatte, ob sie glücklich bei Nina sein würde? Irgendetwas stimmte da nicht!

Ich konnte nicht ins Nirwana gehen, ohne von Buddha die Gewissheit zu bekommen, dass Lilly glücklich sein wird! Ich war ihre Mutter und durfte sie nicht alleinlassen, wenn sie unglücklich sein würde. Um keinen Preis der Welt, selbst wenn es sich bei diesem Preis um ewiges Glück handelte!

Und so kämpfte ich mit aller Macht gegen das Nirwana an.

Aber das olle Nirwana kämpfte zurück.

Und zwar indem es immer sanfter wurde.

Immer liebevoller.

Es wollte mich einfach nicht mehr loslassen. Ich hatte die Aufnahmekriterien erfüllt und sollte den Club nicht mehr verlassen.

Ich hatte noch nie etwas erlebt, was so überzeugend mit den Waffen Sanftheit und Liebe kämpfen konnte wie das Nirwana.

Ich aber konzentrierte mich auf Lilly: auf ihre traurigen Augen, ihre weiche Kinderhaut, ihre süße Stimme ...

Das Nirwana hatte nicht den Hauch einer Chance gegen die Liebe zu meiner Tochter.

Ich stieß das Nirwana ab, so wie es das so oft mit mir getan hatte.

Jetzt wusste es mal, wie so etwas ist!

Als ich wieder aufwachte lag ich wieder in dem Vorhof des Nirwanas. Und bei mir stand ein schwer verwirrter Buddha: «Noch nie hat ein Mensch das Nirwana abgestoßen.»

«Nirwana-Banana. Ich will meine Tochter nicht alleinlassen!»

«Sie muss aber ihr Leben alleine leben.»

«Nur wenn du versprichst, dass sie glücklich sein wird ohne mich.»

«Das kann ich nicht versprechen», sagte Buddha.

«Was wird mit ihr sein?», fragte ich alarmiert.

«Lilly wird dich vermissen», gab er nach etwas Zögern zu.

«Aber Nina verbringt mehr Zeit mit ihr, als ich es jemals getan habe.»

«Das schon ... aber sie ist nicht die leibliche Mutter!»

Wenn es überhaupt noch einen Zweifel gab, ob ich das Nirwana Nirwana sein lassen sollte, war er jetzt endgültig verflogen:

«Dann muss ich zu ihr!»

«Es ist Lillys Leben.»

«Lass mich wieder als Hund auf die Erde», wütete ich.

«Das geht nicht, dafür hast du zu viel Karma gesammelt.»

«Wenn ich dir jetzt in die Hand beiße, verliere ich sicher wieder welches», erwiderte ich und versuchte Buddha zu beißen.

Natürlich erwischte ich ihn nicht, denn weder er noch ich waren hier in diesem Nirwana-Vorhof von stofflicher Natur.

«Mich wollte noch nie jemand beißen», sagte Buddha erstaunt.

«Das wundert mich», motzte ich.

«Du willst wirklich nicht ins Nirwana», stellte er fest, und diese Tatsache verwirrte ihn ungemein.

«Und du Schnellmerker solltest dir mal überlegen, ob du selbst gutes Karma sammelst, wenn du jemanden gegen seinen Willen da reinschickst.»

Mit diesem Argument schien ich einen Nerv getroffen zu haben.

Buddha atmete tief durch. Als er damit fertig war, sagte er: «In Ordnung.»

«In Ordnung?»

«In Ordnung.»

«‹In Ordnung› klingt gut», fand ich und fügte nach kurzem Nachdenken hinzu: «Und was bedeutet es genau? Komm ich wieder als Hund auf die Welt?»

«Nein.»

«Als Meerschweinchen?»

«Nein.»

«O nein, bitte nicht wieder als Ameise.»

«Du kommst als Mensch auf die Welt.»

«Ich ... ich ... werde als ich selbst wiedergeboren?»

Ich konnte es gar nicht glauben. Es war zu wunderbar, um wahr zu sein. Und wie es so ist mit Dingen, die zu wunderbar sind, um wahr zu sein, sie sind zu wunderbar, um wahr zu sein.

«Nein, Kim Lange ist tot», erklärte Buddha, «und sie kann nicht einfach wiederauferstehen.»

«Warum nicht?»

«Zum einen würde so eine Wiedergeburt alle Menschen schocken, die dich kennen.»

«Und zum anderen?»

«Zum anderen verwest dein Körper schon längst. Er ist

schon halb verfault, die Maden fressen sich gerade durch die Augenhöhl...»

«Das reicht», sagte ich. «Das ist mir eindeutig zu plastisch!»

«Deine Seele wird in dem Körper einer Frau wiedergeboren, die in diesem Moment stirbt», verkündete er. «So eine Chance gewähre ich dir nur ein einziges Mal.»

Und das war das Letzte, was ich von ihm hörte, bevor ich mich erneut in Luft auflöste.

43. KAPITEL

Als ich wieder aufwachte, lag ich auf einem weichen Teppichboden und blickte an eine rosa tapezierte Decke. Ich spürte auf meinen Lippen Pizza-Geschmack (Hawaii) und versuchte mich aufzurichten. Das fiel mir nicht gerade leicht, hatte ich doch das gefühlte Gewicht eines Walrosses.

Ich blickte auf meine Arme und merkte nicht nur, dass es Menschenarme waren, sondern auch, dass sie hauptsächlich aus Speckrollen bestanden, die jedem Sumoringer zur Ehre gereicht hätten. Ich setzte mich auf und stellte fest, dass die Speckrollen an den Armen noch jede Menge Verwandte am Bauch und an den Beinen hatten. Und all diese lieben Verwandten schwabbelten herum, weil der weibliche Körper, in dem ich mich befand, nur mit Unterwäsche bekleidet war.

Rosa Unterwäsche.

Auf der Daisy Duck abgebildet war.

Ich blickte auf den Teppichboden, der vom gleichen Rosa war wie die Decke, und sah, dass dort die Pizza Hawaii lag – Käse und Auflage nach unten. Offensichtlich war der Frauenkörper, in dem ich mich befand, mit dem Essen zu Boden gekracht.

Ich versuchte aufzustehen, dabei stellte ich fest, wie schwer dieser neue Körper war: fast zweieinhalbmal so viel wie mein ehemaliger, den ich doch auch schon für zu dick gehalten hatte und der mir rückblickend leicht wie eine Feder vorkam. (Hätte ich damals schon gewusst, was es bedeutet, wirklich dick zu sein, hätten mich vier Kilo Übergewicht nicht so viele Frustanfälle gekostet.)

Ich stemmte meine Massen hoch und schnaufte durch. Noch nie in meinem Leben hatte ich eine solche Sehnsucht nach einem Sauerstoffzelt.

Ich sah an einer der rosa Wände einen Spiegel hängen, schleppte mich zu ihm und blickte hinein. Mir schaute eine außerordentlich dicke Frau entgegen, die – obwohl sie ein Doppelkinn hatte – ein sehr freundliches, geradezu warmherziges Gesicht besaß. Es war toll anzusehen und verbreitete eine wunderbare gute Laune. Trotz ihres merkwürdigen Geschmacks und trotz ihres dicken Äußeren hatte sie eine so freundliche Ausstrahlung, dass man sich irgendwie von Herzen wünschte, sie als beste Freundin zu haben.

Ich blickte mich weiter um, um noch mehr über die Person, deren Körper meine Seele nun bewohnte, herauszufinden. Die Wohnung bestand nur aus einem Zimmer mit einigen wenigen Möbeln, die allesamt von Ikea stammten und entsprechend wacklig zusammengebaut waren.

Auf dem Tisch lag neben einer TV-Zeitschrift eine Telefonrechnung, adressiert an Maria Schneider. Maria – ein schöner Name, ich hatte damals sogar kurz mit dem Gedanken gespielt, Lilly so zu nennen.

Lilly – schoss es mir durch den Kopf. Ich konnte mit diesem Körper zu Lilly fahren und mit ihr reden! Ich war völlig aufgeregt, spürte, wie diese Aufregung meinem Herzen wehtat. Nicht nur bildlich gesprochen, sondern auch tatsächlich: Ich hatte Herzstiche.

Ich stützte mich auf der wackligen Kommode ab und hoffte, dass sie nicht unter meinem Gewicht zusammenkrachen würde. Dabei erblickte ich an der Wand in einem Billigglasrahmen ein Poster, das Robbie Williams mit halbnacktem Oberkörper zeigte. Dieses Poster anzustarren war für Maria sicherlich das Erotischste, was sie in den letzten Jahren erlebt hatte.

Und während ich so den halbnackten Robbie anstarrte, stellte ich fest: Es war auch das Erotischste, was mir in den letzten beiden Jahren passiert war.

Ich stöberte weiter herum und fand Herztabletten. Und plötzlich war mir alles klar: Die arme Maria war wohl gerade einem Herzinfarkt erlegen. Die auf dem rosa Teppichboden pappende Pizza erhärtete den Verdacht.

Was wohl aus Marias Seele geworden war?

Nachdem ich gesehen hatte, welch nettes Gesicht sie hatte, hoffte ich, dass sie statt meiner ins Nirwana gegangen war.

Ich warf eine der Tabletten gegen die Herzstiche ein, schnaufte schwer, setzte mich aufs Sofa und fragte mich, was ich nun als Nächstes tun sollte. Da steckte jemand von außen einen Schlüssel ins Türschloss. Ängstlich hörte ich, wie er langsam umgedreht wurde, und bevor ich mir überhaupt ausmalen konnte, was da auf mich zukommt, ging auch schon die Tür auf.

Ein Mittvierziger, dessen Haupt wohl das letzte Mal vor fünfzehn Jahren von Haar bekränzt war, betrat den Raum.

Er blickte mich an.

Und ich erstarrte. Auf dem alten grünen Sofa sitzend. Nur mit rosa Unterwäsche bekleidet. Auf der Daisy Duck zu sehen war.

«Alles in Ordnung?», fragte er. Seine Stimme klang nett.

«Alles tipptopp», erwiderte ich gequält lächelnd.

Er schaute mich zweifelnd an, sah auf die Pizza, und ich erklärte hastig: «Ich bin damit hingefallen.»

«Okay», antwortete er und machte sich sofort daran, die Pizza aufzusammeln.

«Das musst du nicht tun», sagte ich.

«Schon gut», erwiderte er und werkelte weiter. Dabei erinnerte er mich in seiner Hilfsbereitschaft an Alex, nur dass dieser Mann hier so viel Ähnlichkeit mit Brad Pitt hatte wie ich im Augenblick mit Michelle Hunziker. Und obwohl er mir nett erschien, wollte ich ihn so schnell wie möglich loswerden. Ich wollte nicht, dass er merkte, dass ich – was Seele und Geist betraf – nicht Maria war.

«Das ist nett von dir, aber ich hätte jetzt gerne, dass du gehst», sagte ich.

«Was?», fragte der Mann recht erstaunt.

«Ich fühl mich nicht gut und möchte alleine sein. Geh nach Hause. Ich ruf dich nächste Woche an, dann geht es mir bestimmt besser.»

«Ich wohne hier», erwiderte er verblüfft.

Ich staunte.

«Und wir sind verheiratet.»

Ich blickte mich um und stellte fest, dass auf dem Bett tatsächlich zwei Bettdecken lagen. Da hatte ich einst als Talk-Moderatorin so viele Sendungen zu Hartz IV gemacht – und anschließend mit den Politikern bei Champagner über das mangelnde Leistungsprinzip in unserer Gesellschaft philosophiert – und erkannte nicht mal eine Sozialwohnung, wenn ich in einer war.

«Ähem ... ja ... entschuldige», stammelte ich und nahm einen Schluck aus dem Glas Wasser, das auf dem Tisch stand, um etwas Zeit zu gewinnen.

«Wirklich alles in Ordnung, Maria?»

«Ja, ja, mir geht es wirklich gut», ich nahm noch einen Schluck und zwang mich zu einem Lächeln, das ihn anscheinend ermutigte: «Ich hab die Kondome gekauft. Wenn du noch willst, können wir loslegen.»

Und ich prustete ihm vor lauter Schreck das Wasser ins Gesicht.

«Uähh», sagte er.

«Uahh», dachte auch ich bei dem Gedanken, mit diesem Wildfremden in einem wildfremden Körper Sex zu haben.

Jedenfalls hatte ich in meiner Annahme total danebengelegen, dass so eine dicke Frau keinen Mann abbekommen konnte. Wie sang doch einst Liselotte Pulver so schön? «Jedem Topf sein Deckelchen ...»

Während Marias Deckelchen sich mit dem Hemdärmel das Gesicht trocknete, fragte er: «Möchtest du nicht mehr? Eben warst du doch echt heiß.»

«Aber jetzt bin ich kalt», erwiderte ich hastig, «Und ... und ... und ich möchte spazieren gehen. An die frische Luft.» Ich stand vom Bett auf, schleppte mich in dem schnaufenden Körper zur Kommode und holte mir etwas zum Anziehen heraus.

Es ist nicht ganz einfach, sich schnell anzuziehen, wenn man in einem übergewichtigen Körper steckt, aber der Blick auf die Kondompackung beschleunigte meine Bewegungen. In meiner Hast wählte ich ein Ensemble, bestehend aus einem grünen Pulli und einer rosa Jogginghose.

Marias Deckelchen blickte sich das Ganze hilflos an, und wäre ich von der ganzen Situation nicht so überfordert gewesen, hätte ich sicherlich Mitleid gehabt: Die Verwandlung einer heißen in eine fliehende Ehefrau war sicherlich nicht einfach zu begreifen, geschweige denn zu verdauen.

Deckelchen fragte mich zaghaft: «Möchtest du, dass ich mitko...»

«Nein!», antwortete ich scharf und war aus der Wohnung draußen, bevor er den Mund wieder schließen konnte.

Nachdem ich die Treppe des Mietshauses runtergehechelt und durch die Tür in den Frühlingsabend getreten war, musste ich erst mal verschnaufen. Ich schwitzte wie in einer Sauna, die man mit nervigen Typen teilt, die alle nasenlang «Und noch einen Aufguss!» rufen.

Nachdem ich durchgeatmet hatte, blickte ich mich um: Sozialer Wohnungsbau, wohin man auch schaute. Des Weiteren fiel mir auf, dass kaum ein Mensch auf der Straße war und dass die Plakate an einer Litfaßsäule ein Spiel des Hamburger SV ankündigten.

Hamburger SV?

Ich hatte nicht allzu viel Ahnung von Fußball, aber eins war klar: Wenn in dieser Stadt der HSV so prominent angekündigt wird, dann befand ich mich definitiv nicht in Potsdam.

Ich versuchte mich zu beruhigen: Immerhin war es kein Ameisenhaufen, Kanada oder ein Tierversuchslabor. Von hier aus war es sicherlich kein Problem, nach Potsdam zu gelangen. Einfach eine Zugkarte, und «zack!» bin ich da.

Dummerweise befand sich in den Taschen der Jogginghose

kein Geld. Und zu dem Mann mit den Kondomen wollte ich auch nicht zurück.

Fünfzehn Minuten später stand ich an der nahen Autobahnauffahrt und hielt meinen Daumen raus. Nur um festzustellen, dass kein Autofahrer für eine übergewichtige Frau in Jogginghose anhält. Ich fragte mich, ob das Antidiskriminierungsgesetz für solche Fälle auch einen Passus bereithält.

Geschlagen, mit schmerzenden Gelenken und durchgeschwitzten Klamotten kämpfte ich mich Stunden später wieder «nach Hause» zurück. Viel zu kaputt, um vor Deckelchens Sexgelüsten noch Angst zu haben.

Er öffnete mir die Tür, betrachtete mich besorgt und wollte mich nach meinem Befinden fragen, doch ich fiel ihm nur ins Wort: «Ich leg mich jetzt hin. Und wenn du mich nur einmal berühren solltest, spring ich so auf dich drauf, dass du platt bist wie eine Flunder.»

Dann legte ich mich ins Bett und fiel sofort in einen traumlosen Schlaf.

Wenige Sekunden später – so kam es mir jedenfalls vor – klingelte der Radiowecker. Ich hörte einen völlig aufgekratzten Radiomoderator krakeelen: «Es ist so etwas von fünf Uhr fünfunddreißig auf 101 FM, und wir spielen die besten Hits aus den Achtzigern, Neunzigern und von heute.»

Ich hatte mich schon seit geraumer Zeit gefragt, welche hirnschädigenden Aufputschdrogen Radiomoderatoren heutzutage eigentlich einwerfen, und fand, dass es mal toll wäre, wenn einer von ihnen wahrheitsgemäß sagen würde: «Wir spielen die gleiche Soße wie all die anderen.» Aber ich war viel zu müde, um den Wecker auszustellen. Oder auch nur meine Augen zu öffnen.

«Maria, du musst aufstehen», sagte Deckelchen sanft und ruckelte an meinem Körper.

«Musssichnicht», murmelte ich.

«Du kommst sonst zu spät zur Arbeit», erwiderte er in einem Tonfall, der verriet, dass er in dieser Sache nicht lockerlassen würde. So richtete ich mich auf und besann mich darauf, dass ich Geld für eine Zugfahrkarte nach Potsdam brauchte: «Weißt du, wo mein Portemonnaie liegt?»

«Portemonnaie?», fragte Deckelchen. «Seit wann redest du so geschwollen Französisch?»

«Wo ist meine Börse?», korrigierte ich mich.

«Da ist doch eh nichts drin.»

«Fünfzig Euro werden wir ja noch haben», erwiderte ich genervt.

«Klar», sagte er, «gleich neben den Edelsteinen.»

Ich verzog das Gesicht.

«Wir sind völlig pleite, Maria. Die letzten 1,99 gingen für die Pizza drauf.» Er deutete auf den von ihm in meiner Abwesenheit gesäuberten Teppichboden.

Ich blickte in Deckelchens Augen, und die waren so traurig, dass mir klar wurde: Wir hatten tatsächlich nichts.

«Aber du bekommst heute deinen Wochenlohn», versuchte er mich aufzumuntern. «Doch dazu müsstest du zur Arbeit erscheinen. Pünktlich. Sonst rastet dein Chef wieder aus.»

Gut, dachte ich bei mir, ich würde also zu dieser Arbeit gehen, mir das Geld abholen und sofort zum Hauptbahnhof düsen. Es gab nur ein kleinen Haken bei diesem Plan: Ich hatte keine Ahnung, wo ich eigentlich arbeitete.

«Begleitest du mich?», fragte ich daher Deckelchen.

«Das mache ich doch immer», lächelte er nett zurück.

Die Siedlung hatte viel Ähnlichkeit mit der Plattenbausiedlung, in der ich selbst aufgewachsen war: kaputte Spielgeräte auf verwaisten Spielplätzen, Fassaden voll unfassbar schlechter Graffiti und Menschen, deren Äußeres im größtmöglichen Kontrast zu den sexy-fröhlichen Personen auf den Werbeplakaten rund um sie herum stand. Viele von ihnen hatten traurige Gesichter, die sagten: «Ich trinke Jägermeister, weil ich meine Chancen auf dem Arbeitsmarkt realistisch einschätzen kann.»

Marias freundliches Gesicht, das mir gestern im Spiegel entgegenblickte, war anders. Es war weicher. Kein bisschen verhärmt. Es ließ vermuten, dass sie trotz des mangelnden Geldes Zuversicht hatte.

Ich wollte mehr über sie erfahren.

Doch wie erfährt man Dinge über eine Person, von der die anderen denken, man sei sie selbst?

Mit einem romantischen Augenaufschlag.

Ich wandte mich mit einem Lächeln an Deckelchen, dessen echten Namen ich immer noch nicht wusste, und fragte: «Sag mir, was du an mir so liebst!»

Er war recht verblüfft, dass seine Maria wieder so freundlich war. Und so erleichtert, dass er gleich drauflosplapperte: «Du bist der optimistischste Mensch, den ich kenne. Wenn es regnet, sagst du, dass gleich wieder die Sonne kommt. Wenn Leute zu dir ungerecht sind, verzeihst du ihnen und glaubst, dass der Kosmos alles wieder ausgleichen wird ...»

Was der Kosmos – besser gesagt Buddha – ja auch tut, dachte ich als reinkarnationserfahrene Frau.

«Du bist immer ehrlich, und ...», fügte er mit einem Lächeln hinzu, «du bist eine Kanone im Bett!»

Das hatte mir noch nie ein Mann gesagt.

Warum eigentlich nicht?

War ich etwa keine?

Wollte ich wirklich je die Wahrheit darüber erfahren?

Jedenfalls war nach dieser Ansprache klar, dass sich Marias Seele nun im Nirwana befand. Und das freute mich aufrichtig für sie.

Ich blickte in die leuchtenden Augen von Deckelchen und fragte mich, ob ich ihm nicht die Wahrheit sagen sollte. Aber wenn ich ihm verraten hätte, dass ich Kim Lange bin, hätte er mich in die geschlossene Anstalt einweisen lassen, vorausgesetzt, er hätte das Geld für die Praxisgebühr gehabt.

Und selbst wenn er mir glauben würde, dass seine große Liebe tot ist, wäre es richtig gewesen, ihm so das Herz zu brechen? Wie tödlich so ein gebrochenes Herz sein kann, hatte ich ja als Beagle erfahren müssen.

«Was schaust du mich so traurig an?», fragte er mich besorgt.

«Alles gut», antwortete ich und bemühte mich um ein Lächeln. Es war ihm anzusehen, dass er spürte, dass ich nicht aufrichtig war. Und so schaute ich schnell weg und ging hastig weiter.

«Stopp», sagte er.

Ich hastete weiter.

«Mein Gott, Maria, du läufst an deinem Imbiss vorbei!»

Ich hielt inne, drehte mich um und sah eine Bude mit der Aufschrift «Wurst-Hans». In ihr stand ein dicklicher älterer Mann mit Augen, gegen die die von Kim Jong-Il warmherzig wirken. Er trug einen weißen Kittel – wobei «weiß» ein verdammt relativer Begriff war, wenn man die vielen verkrusteten Ketchup- und Senfflecken betrachtete. Der Mann war offensichtlich Wurst-Hans persönlich, und ich dachte bei mir, dass es ein hartes Schicksal sein muss, sein Leben mit dem Namen Wurst-Hans verbringen zu müssen.

Noch härter war das Schicksal allerdings, wenn man für den Mann namens Wurst-Hans arbeiten musste.

«Maria!», rief Wurst-Hans in einem rüden Tonfall. In Fernsehserien sind solche Männer wie Hans immer «Schnauzen mit Herz», aber im echten Leben gibt es keine «Schnauzen mit Herz», sondern nur «Schnauzen». Dass auch diese Schnauze kein Herz hatte, wurde klar, als ich sagte: «Ich bin krank und kann nicht arbeiten. Gib mir einfach den Lohn für diesen Monat.»

Er schaute mich so ungläubig an, als ob ich etwas völlig Verrücktes gesagt hätte, wie zum Beispiel: «Ich bin gar nicht Maria, sondern die verstorbene Talkshow-Moderatorin Kim Lange.»

Dann erwiderte er nur: «Beweg deinen fetten Hintern her und pack endlich an, bevor ich zur rasenden Wildsau werde.»

«Aber ich bin doch krank ...», versuchte ich weiterzuflunkern.

Doch Deckelchen raunte mir zu: «Geh, sonst feuert er dich und behält auch noch deinen Lohn.»

«Das wäre gegen das Gesetz», raunte ich zurück.

«Hast du die Kohle, ihn zu verklagen?»

Ich seufzte und begann meinen neuen Job als Frittenverkäuferin.

44. KAPITEL

Wenn man so durch den hektischen Fernsehalltag hetzt, von Konferenz zu Konferenz, von Sendung zu Sendung, von Intrige zu Intrige – da denkt man: «Hach, wäre es nicht schön, wenn man einen ganz einfachen Beruf hätte? Dann hätte man sicherlich ein stressfreieres Leben.» Aber wenn man dann mal so einen einfachen Job hat, so wie ich jetzt bei Wurst-Hans, dann denkt man über die damaligen Sehnsüchte nur eins, nämlich: «Bullshit!»

In dieser Bude zu stehen war die Hölle: Meine Gelenke taten mir schon nach zehn Minuten weh, und ich fragte mich, wie Maria es geschafft hatte, das Tag für Tag durchzuhalten.

Das Fett, das wir für die Pommes benutzten, war von vorgestern, und die Grillroste waren dermaßen dreckig, dass sich in ihrem Schmutz sicherlich schon intelligentes Leben entwickelt hatte. Ich stellte mir lieber nicht vor, wer hier alles als Bazillus reinkarniert wurde. Und natürlich war ich nicht dazu in der Lage, eine Wurst richtig zu grillen – schon die erste landete verkohlt im Abfall.

«Wieso schmeißt du die Wurst weg?», fragte Wurst-Hans schnarrend.

«Hmmm ... mal überlegen, weil sie fast schwarz ist?», antwortete ich mit leichter Ironie in der Stimme.

«Leg die wieder auf den Grill!»

«Wer die isst, bekommt Krebs!»

«Weißt du, was mir das ist?»

«Völlig wurscht?»

«Genau. Und jetzt hol sie raus und tu sie auf den Grill.»

«Wie heißt das Zauberwort?»

«Zack, zack!»

«Das mit den Zauberworten müssen wir noch üben», sagte ich, fischte das eklige Ding aus dem Abfalleimer, warf es auf den Rost und fragte mich: «Wie unangenehm wird das hier wohl noch?»

Etwas mehr als eine Stunde später bekam ich die Antwort. Ein circa fünfundzwanzigjähriger, glatzköpfiger Arbeitsloser mit Bomberjacke und Springerstiefeln beschwerte sich, weil der Kartoffelsalat ungenießbar war. (Was kein Wunder war, denn Wurst-Hans ließ sich nicht durch solch alberne Dinge wie Verfallsdaten beeinflussen.)

Der Kerl motzte: «Der Kartoffelsalat ist so eklig, wie du fett bist.»

«Besser fett als debil», konterte ich. Ich war sauer, dass er auf Marias Körper herumhackte, war sie doch so eine nette Frau gewesen. (Dass es mittlerweile mein Körper war, hatte ich immer noch nicht ganz kapiert.)

Der Typ verengte seine Augen bedrohlich: «Ich hab keine Ahnung, was debil heißen soll, aber du bekommst gleich was aufs Maul!»

Da ich mir nicht vorstellen konnte, dass er wirklich eine Frau schlägt, sagte ich: «Komm doch!»

Das war keine gute Idee.

«Okay», sagte er.

«Okay?», fragte ich mit mulmigem Gefühl.

«Jau», erwiderte er und öffnete die Tür zur Bude mit der festen Absicht, mir eine zu langen. Dies war eine Gegend, in der man es an Kavaliersdenken zu wünschen übrig ließ.*

Ich schaute zu Wurst-Hans, in der Hoffnung, dass er mir

* Aus Casanovas Erinnerungen: Um präzise zu sein, es war ein Jahrtausend, in dem man es an Kavaliersdenken zu wünschen übrig ließ.

helfen würde, aber er blickte nur feige zur Seite und murmelte etwas von: «Ich würde mich an deiner Stelle entschuldigen.»

Da auch Deckelchen schon lange weg war – Wurst-Hans mochte es nicht, wenn er an der Bude «herumlungerte» –, stand ich nun dem aggressiven Kerl alleine gegenüber.

Gott sei Dank gibt es viele nützliche Dinge in so einem Imbiss: Ketchuptube, Wischmopp und Grillzange.

Ich nahm reflexartig die Tube und spritzte dem Typen jede Menge Curryketchup in die Augen.

Er schrie: «Dich mach ich kalt, du Schlampe!»

Ich hatte ein außerordentlich geringes Interesse daran, kaltgemacht zu werden. Daher nahm ich den Wischmopp und rammte ihn mit meinem ganzen – beträchtlichen – Gewicht in seinen Bauch. Der Skinhead fiel mit einem dumpfen Schrei zu Boden. Ich nahm die Grillzange, hielt sie an seinen Schoß und drohte: «Wenn du nicht abhaust, wirst du dem Führer keinen Nachwuchs zeugen können.»

Der Skinhead nickte: «Ich verzieh mich ja», und ergriff dann die Flucht.

Ich blickte zu Wurst-Hans, der sichtlich beeindruckt war. Mit Grillzange und Ketchuptube in der Hand fragte ich: «Willst du der Nächste sein?»

Wurst-Hans schüttelte den Kopf.

«Dann gib mir mein Geld.»

Genau das tat Wurst-Hans auch, und ich verließ mit hundertdreiundvierzig Euro und achtunddreißig Cent die Bude.

Ich hörte zwar hinter mir, wie er «Morgen feuere ich sie» murmelte, doch ich ignorierte es. Ich hatte ja nicht vor, jemals zu diesem Imbiss zurückzukehren.

45. KAPITEL

Ich ging zur nächsten Bushaltestelle und schaute mir den Weg zum Bahnhof auf dem labyrinthartigen Fahrplan an. Aber als immer mehr Menschen von mir Sicherheitsabstand nahmen, weil ich so sehr nach Fett stank, überlegte ich, ob ich nicht lieber noch einen Umweg über die Dusche nehmen sollte. Doch wenn ich «zu Hause» duschen gehen würde, würde ich vielleicht Deckelchen begegnen, und das wollte ich auf keinen Fall. Ich wollte nicht in seine Augen sehen, wenn er merkte, dass seine geliebte Maria aus seinem Leben trat. Er würde denken, dass sie ihn nicht mehr liebt.

Was war härter? Zu wissen, dass jemand einen nicht mehr liebt? Oder dass dieser Jemand zwar verstorben, aber dessen Seele glücklich im Nirwana war?

Als der Bus ankam, stieg ich nicht ein. Stattdessen wählte ich einen anderen und fuhr zu Deckelchen.

Er öffnete die Tür und war erstaunt: «Wieso bist du schon wieder hier?»

«Das ist eine lange Geschichte», sagte ich. «Eine verdammt lange Geschichte.»

«Gut, ich höre», antwortete Deckelchen.

Ich zögerte.

«Maria …?» Deckelchen wurde mit jeder Sekunde, die ich wartete, unsicherer.

Ich wollte ihn nicht länger im Ungewissen lassen und ihm alles erklären. Aber als ich den Mund öffnete, begann ich nur zu singen: «Ein Vogel wollte Hochzeit machen in dem grünen Walde. Fiderallala, fiderallala, fiderallalalala.»

Deckelchen schaute mich überrascht an.

Und ich war noch viel überraschter, denn das hatte ich

nun ganz bestimmt nicht sagen wollen, sondern: «Ich bin Kim Lange. Meine Seele ist nun im Körper von Maria ...»

Ich versuchte es nochmal, doch ich sang wieder nur: «Der Sperber, der Sperber, der war der Hochzeitswerber. Fiderallala, fiderallala, fiderallalalala.»

Es war wie verhext!

Deckelchen war völlig verwirrt.

Verzweifelt wollte ich die Wahrheit nun herausschreien, aber ich schmetterte nur laut: «Der Seidenschwanz, der Seidenschwanz, der bracht' der Braut den Hochzeitskranz.»

Es hatte keinen Zweck.

Anscheinend hatte Buddha mein Sprachzentrum so beeinflusst, dass ich niemandem verraten konnte, wer ich war.

Aber ich gab nicht auf, ich nahm mir Block und Stift und wollte alles aufschreiben, die ganze Wahrheit über mich, Maria und das Nirwana.

Doch als ich fertiggeschrieben hatte, stand auf dem Papier nur: «Die Puten, die Puten, die machten breite Schnuten!»

Und die dazugehörigen Noten waren auch aufgemalt.

Ich mochte dieses blöde Lied noch nie.

Und noch weniger mochte ich Buddha. Er hatte nicht nur mein Sprachzentrum beeinflusst, sondern alle meine Kommunikationsmöglichkeiten. Und ich fand es einfach höchst unfair, dass er Deckelchen über die Wahrheit im Unklaren ließ, nur damit ich nicht all mein Wissen über das Jenseits ausplauderte.

Ich überlegte krampfhaft, was ich tun sollte. Ich wollte nicht, dass Deckelchen dachte, es wäre seine Maria, die ihn verließ.

Und schließlich fand ich auch einen Weg, ihm das zu zeigen, ohne von dem Nirwana zu berichten.

«Wie heißt du eigentlich?», fragte ich ihn.

«Was?», fragte Deckelchen irritiert.

«Ich hab keine Ahnung, wie du heißt.»

«Hast du dein Gedächtnis verloren?», kicherte er nervös.

«Ich hab deinen Namen noch nie gehört», erklärte ich.

Er war verwirrt.

«Schau in meine Augen», bat ich ihn.

Er kam näher.

«Tief.»

Er tat es.

Und er sah, dass ich die Wahrheit sagte.

Und dass in Marias Körper eine andere Seele wohnte.

Auch wenn er es nicht rational erfassen konnte, warum und wieso es so war, tief in seinem Inneren wusste er in diesem Augenblick genau, dass er seine große Liebe verloren hatte.

Und so sagte er tieftraurig: «Ich heiße Thomas.»

46. KAPITEL

Selbst als ich schon im IC nach Potsdam saß, musste ich noch an Thomas denken. Ich hoffte sehr für ihn, dass er damit klarkommen würde, plötzlich allein zu sein. Er hatte das Ganze nicht verdient.

Niemand hat den Tod von Angehörigen verdient.

«Na, haben Sie auch zwei Fahrkarten dabei?», fragte eine Stimme.

Ich blickte zur Seite und sah einen Schaffner mit Schnurrbart und Ohrring. Zwei Stilsünden auf einmal, fehlte nur noch der Vokuhila.

«Wie meinen?», fragte ich.

«Na, so dick wie Sie sind, kann sich ja niemand neben Sie setzen», grinste er.

«Sie sind so komisch wie eine Wurzelbehandlung», erwiderte ich gelassen.

Der Schaffner hörte schlagartig auf zu grinsen, knipste meine Fahrkarte, und ich war für den Rest der Fahrt alleine: Kein Fahrgast wollte sich neben mich quetschen.

Und das war für mich ungewohnt. Früher, als Kim Lange, war es für mich ganz normal, dass sich die Menschen nach mir umblickten. Frauen beneideten mich, Männer starrten auf meinen Busen (der war zwar nicht total beeindruckend, aber er gehörte immerhin zu einem prominenten Gesicht). All das war ebenso unangenehm wie schmeichelhaft. Nun blickten mich die Mitglieder beider Geschlechter abschätzig an, und das war einfach nur unangenehm.

Um mir die angewiderten Blicke der Mitmenschen zu ersparen, starrte ich auf die vorbeiziehende Landschaft. Ich fragte mich, ob die Kühe auf den Wiesen wiedergeborene Menschen waren. Oder was Leute wohl dazu bewegt, ihr Einfamilienhaus auf dem platten Land genau ans Bahngleis zu bauen. Und schließlich, wie ich wohl meiner Familie wiederbegegnen sollte und wie sie reagieren würde, wenn ich «Die Puten, die Puten, die zogen ihre Schnuten» trällerte.

Als ich in Potsdam ankam, beschloss ich, mir erst mal eine Bleibe für die Nacht zu besorgen. Ich konnte mir nur eins dieser Billighotels am Stadtrand leisten, in denen jedes Zimmer mit selbstreinigendem Duschklo ausgestattet war. Die ganze Nacht konnte ich kein Auge zutun. Zum einen, weil ich Hunger hatte – im Industriegebiet gab es weit und breit keinen Laden, in dem man nachts einkaufen konnte –, und zum anderen, weil die Jugendlichen im Stockwerk unter mir eine Party feierten mit Alkohol, Ghettoblaster und heiterem Bettgestell-aus-dem-Fenster-Werfen. Und da die Rezeption in solchen Hotels nachts nicht besetzt ist, konnten sie machen, was sie wollten.

So verbrachte ich die Zeit damit, aus dem Fenster auf das Industriegebiet zu schauen, das kalt beleuchtet in der Nacht lag. Dabei sah ich eine Katze über die Straße huschen. Mir war natürlich klar, dass sie nicht Casanova war, aber ich musste unwillkürlich an ihn denken. Höchstwahrscheinlich war er immer noch wütend auf mich, weil ich dafür gesorgt hatte, dass seine Nina Alex heiraten konnte.*

Ich überlegte mir, was ich als Nächstes tun sollte: zu Alex und Lilly gehen? Sollte ich mich ihnen als Fremde nähern?

Und wenn ja, wie?

Ich beschloss, erst mal das Naheliegende zu tun, das heißt, mir einen Job zu suchen, schließlich hatte ich kaum noch Kohle. Und ich wollte ja nicht als verwahrloste Obdachlose in der Nähe von unserem Haus rumlungern oder gar als solche Lilly begegnen.

Ich holte mir am nächsten Morgen eine Zeitung, suchte die Stellenanzeigen durch und geriet an das, was einige Menschen Schicksal nennen und andere Zufall.

Es gibt verschiedene Sorten von Zufällen: Zufälle, die daherkommen wie eine Katastrophe, aber sich dann zum Guten wenden. Zufälle, die daherkommen wie etwas Gutes

* Aus Casanovas Erinnerungen: Als ich merkte, dass die Hochzeit ohne mich stattgefunden hatte, verfluchte ich Madame Kim aus vollstem Herzen. Bis ich erfuhr, dass sie verstorben war. Da wurde ich milder und sagte zu mir: «Geschieht ihr recht.»

und dann zur Katastrophe werden. Und Zufälle, bei denen man extrem lange mit offenem Mund dasteht.

Ich meldete mich auf eine Anzeige, in der eine Putzfrau gesucht wurde – mir war klar, dass ich mit diesem Körper in meinem ursprünglichen Beruf als Fernsehmoderatorin so bald keine Stelle bekommen würde – und die Vermittlungsagentur schickte mich zu einer Adresse, die nur drei Straßen von unserem Haus entfernt lag.

Aber das war nicht der Zufall, der mir den Mund offen stehen ließ.

Ich ging die Auffahrt auf das Anwesen hoch – eine Vierhundert-Quadratmeter Villa aus dem vorletzten Jahrhundert –, und mir kam mein ehemaliger Chef Carstens entgegen.

Auch das war nicht der Zufall, der mir den Mund offen stehen ließ.

Natürlich erkannte mich Carstens nicht, er nickte mir nur kurz zu, stieg in sein Mercedes Cabrio und brauste davon.

Ich ging auf die Tür zu. An der Villa war kein Schild, der Besitzer war wohl gerade neu eingezogen. Ich klopfte mit dem massiven Türklopfer. Es donnerte. Nach einer Weile des Wartens ging die Tür auf. Sie knarzte. Und ich sah ... Daniel Kohn.

Das war der Zufall, der meinen Mund offen stehen ließ!

Und ich war mir nicht sicher, ob das nicht auch ein Zufall war, der in eine Katastrophe münden würde.

Daniel Kohn sagte: «Guten Tag, Sie müssen die Putzfrau sein?»

Mein Mund stand offen.

«Das ist der Augenblick, wo sie ‹Ja› sagen müssten», lächelte er.

Ich sagte gar nichts.

«Sie sind nicht sonderlich gesprächig, was?»

Ich merkte, dass ich irgendetwas sagen musste, nahm alle meine Kraft zusammen und stammelte: «Frmml ...»

Ich war viel zu überrascht, um ein vernünftiges Wort zu bilden.

«Kommen Sie doch erst mal rein», bot Daniel an.

Er zeigte mir seine Villa, die er gerade erst gekauft hatte, denn er hatte einen neuen Job: meinen. Carstens hatte ihm die Moderation für meine Talkshow angeboten, nachdem er zwei Jahre lang Nachfolgerinnen getestet hatte, die Kim Lange alle nicht das Wasser reichen konnten.

«Herzlichen Glückwunsch», gratulierte ich.

«Sie können ja doch reden», erwiderte Daniel.

«Wenn ich mir ganz viel Mühe gebe.»

Daniel lächelte und stieg die Wendeltreppe nach oben. Als ich die Stufen hinter ihm hochging, starrte ich direkt auf seinen knackigen Po. Ich erinnerte mich an unseren Sex, wie wunderbar er gewesen war, und für eine kurze Sekunde fragte ich mich, ob ich vielleicht mit ihm ...? Nein, das war absurd: Berühmter Moderator hat Sex mit dicker Putzfrau? Das ist eine Schlagzeile, die man doch eher selten in der «Bild» zu lesen bekommt.

Außerdem: Ich hatte doch meine Liebe zu Alex wiederentdeckt. Warum phantasierte ich hier noch wegen Daniel Kohn herum?

Meine Güte, da wird man zwei Jahre lang reinkarniert, sammelt gutes Karma, verliert es wieder, sammelt neues, und all das ändert nichts daran, dass man seine Gefühle nicht im Griff hat. Das konnte doch einfach nicht wahr sein!

Als wir im zweiten Stockwerk ankamen, musste ich erst mal verschnaufen. Daniel bot mir eine Erfrischung aus seiner Bar an, die in seinem Schlafzimmer stand. Dieses wiederum hatte einen dezenten Hauch von Liebeshöhle: herrlicher Futon, beeindruckende Bang-&-Olufsen-Stereoanlage und einen geschmackvollen alten Spiegel an einer strategisch interessanten Stelle.

«Sind Sie sicher, dass Sie in der Lage sind, hier zu putzen?», fragte Daniel Kohn mich skeptisch, da ich immer noch schnaufte.

Und ich fragte mich das auch: Wollte ich das Schlafzimmer putzen, in dem Daniel Kohn mit irgendwelchen Blondchen in den Spiegel blickte? Nein!

Aber wollte ich arbeitslos bleiben und obdachlos werden? Nein, nein, nein und nochmals nein!

Und da ein «Nein, nein, nein und nochmals nein!» ein «Nein!» eindeutig schlägt, nahm ich den Job an und wurde Daniel Kohns Putzhilfe.

47. KAPITEL

Daniel zahlte generös. Ich nahm mir eine kleine Ein-Raum-Wohnung am anderen Ende der Stadt und richtete sie schlicht ein (Bett, Kommode, nichts von Ikea). Dann fuhr ich jeden Tag zu Daniels Haus, putzte, bügelte seine Wäsche und staunte darüber, wie viele verschiedene Frauen so bei ihm ein und aus gingen. Und darüber, dass die allesamt das waren, was der gute Kapitän Haddock einst mit den Worten «geistige Pantoffeltierchen» beschrieb.

Für mich war es eine anstrengende Zeit, körperlich – ich musste weiterhin Marias Herztabletten schlucken –, aber vor allen Dingen seelisch: Ich hatte immer noch nicht die geringste Ahnung, wie ich jemals eine Begegnung mit meiner kleinen Lilly und Alex herbeiführen sollte. Mit jedem

Tag, den ich diese Konfrontation hinausschob, wurde meine Unsicherheit größer. Ja, ich ertappte mich manchmal sogar dabei, wie ich mich fragte, ob ich nicht besser ins Nirwana hätte gehen sollen.

Diese traurigen Gedanken gingen durch meinen Kopf, als ich an Daniel Kohns Haustür klopfte. Es dauerte eine Weile, bis er sie aufmachte, und er sah völlig fertig aus. Er stand da im Unterhemd. Unrasiert und offenkundig völlig deprimiert.

Ich starrte ihn an, und er fragte: «Was ist?»

«Nun, Sie sehen aus ...»

«... wie schon mal gegessen?»

«Und wieder ausgespuckt», ergänzte ich.

Er lächelte müde und winkte mich herein.

Als wir die Eingangshalle seiner Villa durchquerten, sagte er: «Die Quoten meiner ersten Sendung waren schlecht.»

«Sehr schlecht?», fragte ich.

«Nein. Apokalyptisch schlecht», erwiderte er und ergänzte: «Die Zuschauer vermissen immer noch Kim Lange und nehmen jedem neuen Moderator übel, dass er nicht sie ist.»

Ich musste grinsen, das schmeichelte mir.

«Was gibt es denn da zu grinsen?», fragte er leicht pikiert.

«Nichts, nichts», antwortete ich. «Kann ich mal die Sendung sehen?»

«Warum?»

«Vielleicht habe ich ja ein paar Tipps für Sie.»

Daniel überlegte, halb war er amüsiert, halb war er neugierig, und als Ganzes ergab das ein «Okay».

Wir schauten uns also gemeinsam seine Talkshow an, die einmal die meine war. Sechs Politiker stritten sich über das Thema «Rente – Fakt oder Fiktion?», und ich war überrascht, dass mir so etwas einmal so wahnsinnig wichtig war: Sechs alberne Menschen stehlen mit ihren Worthülsen den Fernsehzuschauern wertvolle Lebenszeit.

Nach nur fünf Minuten gähnte ich herzhaft.

«So werden wohl auch die Zuschauer reagiert haben», seufzte Daniel.

«Wenn sie nicht vor lauter Missmut Gegenstände gegen den Fernseher geworfen haben», grinste ich.

«Und, haben Sie nun einen Tipp für mich?», wollte Daniel wissen.

«Ja, hab ich. Machen Sie was anderes.»

«Was anderes?»

«Sie haben ein größeres Talent. Machen Sie etwas anderes als diesen Mist. Etwas, wo Sie zeigen können, was in Ihnen steckt.»

«Würde ich gerne ...»

«Aber?»

«Ich habe keine Idee, was das sein könnte.»

«Wie wäre es mit Reisereportagen?», schlug ich vor – schließlich war ich bei meinem Reinkarnationstrip einmal um die halbe Welt gereist.

Schlagartig war die Müdigkeit aus Daniels Augen verschwunden. Die Idee begeisterte ihn. Ich hatte einen Nerv getroffen.

In diesem Augenblick klopfte es an der Tür.

Daniel ging aus dem Wohnzimmer, um die Tür aufzumachen.

«Daniii», hörte ich eine schrille Stimme. Es war eine seiner blonden Freundinnen.

«Du, ich kann gerade nicht», hörte ich Daniel sagen.

«Was?», kiekste die Frau.

«Ich ... ich habe wichtigen Besuch», flunkerte er. Ich konnte es kaum glauben: Daniel Kohn schickte ein Blondchen weg, um mit mir weiterzureden?

«Aber Dani ...»

«Ich kann nicht.»

«Auch nicht, wenn ich mich nur mit zwei Dingen bekleide und sonst nichts?», fragte sie.

«Was für Dinge?», wollte er wissen.

«Erdbeeren und Sahne.»

Ich hörte förmlich, wie Daniel wankte: Sein Herz wollte mit mir über eine neue, erfülltere Karriere reden. Seine Libido wollte Erdbeeren mit Sahne.

Und da ich merkte, dass seine Libido kurz davor war zu gewinnen, kam ich hinzu und sagte: «Ich hätte noch ein paar andere Ideen für Reportagen.»

Die junge Frau, deren üppig gefülltes Top Auffahrunfälle verursachen konnte, war bass erstaunt: «Wegen der willst du mich nicht sehen?»

«Sie ist keine Konkurrenz für dich», versuchte Daniel sie zu beruhigen. Und mir gefiel diese Antwort ganz und gar nicht.

«Aber du schickst mich wegen ihr weg», motzte sie.

Daniel nickte.

«Ich gehe», sagte sie, «und meine Erdbeeren nehme ich auch mit!»

Daniel blickte ihr kurz nach, dann wandte er sich mir zu und sagte ungerührt: «Und, was haben Sie für Ideen?»

Den ganzen Tag plauderten wir darüber, was für tolle Dinge man machen könnte. In Gedanken drehten wir Reportagen über Fakire in Indien, die Traumwelten der Aborigines und die Drogenrituale der Amazonasindianer. Wir malten uns aus, wie eine Reise zum versunkenen Kontinent Atlantis aussehen könnte oder wie man Amundsens Expedition durch die Antarktis nachstellen könnte. Kurzum, Daniel und ich reisten einmal um die ganze Welt und bewegten uns dabei nur einmal von seinem Wohnzimmersofa weg, um dem Pizzaboten zu öffnen.

Es war ein wunderbarer Tag, an dessen Ende Daniel Kohn mich sogar durch den pladdernden Regen nach Hause fuhr.

In seinem Porsche saßen wir dank meiner Fülle sehr eng aneinandergedrängt, und jedes Mal, wenn er die Gangschaltung benutzte, berührte er mich zwangsläufig. Das versetzte mir einen wohligen Schauder. Es war das erste Mal, dass ich mich in meinem neuen Körper als Frau fühlte.

Als wir vor meinem Wohnblock hielten, sagte Daniel: «Das ist hier nicht gerade heimelig.»

«Ach, es gibt Schlimmeres», antwortete ich und dachte dabei an den Ameisenhaufen zurück.

«Sie sehen wohl alles von der sonnigen Seite», grinste Daniel.

Ich war erstaunt: Dass ich die Dinge sonnig sehe, hatte mir noch nie jemand gesagt. Hatte ich mich durch all meine Erlebnisse tatsächlich verändert? Würde ich etwa ein bisschen so werden wie Maria?

«Ich hab mich seit Jahren nicht mehr so gut mit jemandem unterhalten», sagte Daniel.

«Ich auch nicht», erwiderte ich, schließlich hatte ich mich in den letzten zwei Jahren ausschließlich mit Tieren unterhalten.

Er schaute mich an.

Ich schaute zurück.

Der Augenkontakt, die Enge im Porsche, normalerweise wäre das ein Rezept für einen ersten Kuss gewesen.

Aber natürlich war das absurd: Es würde nie zu einem Kuss zwischen uns kommen.

Doch Daniel schaute weiter in meine Augen.

Das verunsicherte mich.

Und ihn auch.

Und plötzlich war er völlig durcheinander.

«Was ist?», fragte ich.

«Sind wir ... sind wir uns schon früher mal irgendwo begegnet?»

Daniel hatte in meinen Augen meine Seele gesehen. Ich wollte ihm so gerne sagen, dass ich Kim Lange war. Ich wusste, dass Buddha mein Sprachzentrum so manipuliert hatte, dass es niemand erfahren durfte, aber ... aber vielleicht klappte es ja doch. Wenn ich mich ganz doll konzentrierte? Genau, das könnte klappen. Ich würde ihm sagen, dass ich Kim Lange war, die Frau, mit der er am Abend ihres Todes geschlafen hatte. Die Frau, auf deren Grab er eine Rose gelegt hatte.

Ich öffnete den Mund, konzentrierte mich mit aller Macht und sang voll innigem Gefühl: «Der lange Specht, der lange Specht, der macht der Braut das Bett zurecht.»

Daniel schaute irritiert: «Ist das was Anzügliches?»

Ich schüttelte den Kopf, verließ hastig den Porsche, rannte in mein Zimmer und beschloss, die nächsten Jahre nicht mehr unter meiner Decke hervorzukommen.

48. KAPITEL

Am nächsten Morgen klingelte es an meiner Tür. Ich blieb unter meiner Decke. Es war ein so toller Ort.

«Ich bin's, Daniel Kohn!»

Ich staunte unter meiner Decke.

«Ich will Ihnen etwas zeigen.»

«Augenblick!», rief ich. Ich zog mich an, warf eine Herztablette ein und fragte mich, was Daniel Kohn mir wohl zeigen wollte.

Ich öffnete die Tür, und er streckte mir ein Papier entgegen.

«Ähem, was ist das?»

«Das ist mein Konzept für die neue Reportagereihe! Ich hab die halbe Nacht daran gearbeitet.» Seine Augen leuchteten wie die eines kleinen Jungen. Ich hätte nie gedacht, dass sein sonst so charmant-abgebrühtes Gesicht so strahlen konnte.

«Wollen Sie es sich mal durchlesen?», fragte er.

«Hab ich eine Wahl?», lächelte ich.

«Natürlich nicht.»

Ich nahm das Konzept und las es. Viele Dinge, die wir uns gestern ausgedacht hatten, standen da drin. Inklusive Atlantis und Antarktis. Es wäre eine Sendereihe gewesen, die ich auch gerne gemacht hätte: «Das ist klasse!»

«Und viel besser als der Mist, den ich jetzt mache.»

«Allerdings!», grinste ich.

«Und wenn es klappt, werden Sie meine Assistentin.»

Ich lächelte und glaubte ihm natürlich kein Wort.

Daniel überredete mich dazu, mit ihm zum Sender nach Berlin zu fahren. Eine Stunde im Auto, so nah aneinandergequetscht, da entwickelte ich sexuelle Phantasien. Diese waren allerdings noch arg diffus, wechselten sich doch in ihnen mein Kim-Lange-Körper und der von Maria ständig ab.

Der sichtlich aufgeregte Daniel bat mich, draußen zu warten, rannte in den Sender und kam nach einer Weile grinsend wieder heraus.

«Dieses Grinsen sagt mir, dass Sie Erfolg hatten», sagte ich.

«Ich bin die Talkshow los und bekomme meine Reportagereihe.»

«Gratuliere.»

«Und Sie bekommen eine Stelle als meine Assistentin.»

Er meinte es doch ernst.

«Lassen Sie uns auf unsere neuen Jobs anstoßen», schlug er aufgekratzt vor.

Wir brausten zu seiner Villa, gingen nach oben zu seiner Bar (habe ich schon erwähnt, dass die im Schlafzimmer lag?), und er holte einen Champagner heraus, der älter war als wir beide zusammen.

«Den habe ich mir für einen besonderen Anlass aufgehoben.»

Er öffnete den Champagner und schenkte uns ein. Und ich hoffte, dass Alkohol mit meinen Tabletten kompatibel war.

«Auf Sie», sagte er, aufrichtig dankbar, dass ich ihm einen neuen Lebensweg eröffnet hatte.

«Auf Sie», erwiderte ich.

Wir tranken, und der alte Champagner schmeckte so eklig, dass wir ihn runterwürgen mussten.

Nach einem kurzen Schreck lachten wir beide laut los. Es war der erste Lachanfall, den ich seit Jahren hatte. Und es war herrlich. Wir gackerten, bis uns die Tränen über die Wangen kullerten.

Es war so heftig, dass ich mich auf seinen Futon setzen musste. Er plumpste neben mich.

Wir blickten uns in die Augen.

Tief.

Er sah meine Seele.

«Ich kenne Sie wirklich irgendwoher», sagte er ebenso verwirrt wie liebevoll.

Ich trällerte: «Fiderelalla.»

Und dann küssten wir uns.

49. KAPITEL

Innerhalb weniger Sekunden waren wir ausgezogen und fielen übereinander her. Früher hatte ich mich wegen meiner Orangenhaut immer ein bisschen geschämt, hatte das Gefühl, dass mein Körper nicht perfekt und nicht attraktiv genug war. Jetzt befand ich mich in einem Körper, den nun wahrlich keine einzige Frauenzeitschrift als perfekt ansehen würde, und es war mir so etwas von schnurzpiepegal. Nach zwei Jahren in allerlei Tierkörpern freute ich mich einfach, wieder ein Mensch zu sein. Ein Mensch, der Sex hatte. Mit Daniel Kohn.

Und auch ihm schien es egal zu sein, dass ich übergewichtig war. Er benahm sich beim Sex mit mir nach dem Motto: reinspringen und wohlfühlen. Zum einen, weil er meine Seele spürte, zum anderen – wie ich später herausfand – merkte er erst mit mir, dass er Rubensmodelle viel sinnlicher fand als die dünnen Blondchen, mit denen er sonst so geschlafen hatte. («Man tut sich an deren hervorstehenden Knochen immer so weh!»)

Ja, wenn Frauenzeitschriften jemals herausfinden würden, dass Männer wie Kohn die Knochen von dünnen Frauen unattraktiv finden, würde sie das in ihren redaktionellen Grundfesten erschüttern.

Jedenfalls war der Sex, wie damals in der Nacht, in der

ich zum ersten Mal starb, wunderbar. Und er war phantastisch.

Aber er war nicht ganz supercalifragilistischexpialigetisch!

Das lag nicht etwa daran, dass Daniel sich nicht ins Zeug legte. Um genau zu sein, er war schon fast olympiaverdächtig. Es lag daran, dass ich dabei noch an Alex dachte. Und an meine Gefühle für ihn.

Ich hatte kein schlechtes Gewissen gegenüber meinem früheren Mann. Der Abend war zu schön für ein schlechtes Gewissen. Und immerhin hatte Alex deutlich häufiger Sex mit Nina gehabt als ich mit Daniel.

Aber ich dachte ständig an ihn. Schon allein, weil Daniel nicht ganz so gut roch wie Alex. Zuerst schob ich es darauf, dass ich keine Hundenase mehr hatte und deswegen Daniel vielleicht nicht so gut riechen konnte, aber dann wusste ich, dass ich mir etwas vormachte: Alex hatte einfach einen sinnlicheren Geruch als Daniel.

Als Daniel und ich in einer Verschnaufpause Champagner tranken – diesmal einen jüngeren Jahrgang –, blickte er mich an und sagte: «Es war wunderschön.»

«Ja ...», erwiderte ich.

«So wie du es sagst, klingt es nach einem Aber.»

Ich schüttelte den Kopf. Ich wollte ihm nichts von Alex sagen.

«Ich mag keine Aber», sagte Daniel, der spürte, dass etwas nicht stimmte.

Wir schwiegen eine Weile.

«Schade, ich habe gedacht, aus uns könnte etwas werden», unterbrach Daniel die Stille.

«Wann hast du das gedacht?», fragte ich neugierig. Dass er so etwas von mir dachte ... unbegreiflich. So unbegreiflich wie die Tatsache, dass wir eben Sex miteinander hatten.

«Nun, irgendwann zwischen dem Kuss und deinem dritten Orgasmus», erwiderte er charmant.

«Du willst wirklich mit einer Putzfrau zusammen sein?»

«Du wärst ja jetzt meine Assistentin.»

Daniel meinte es wirklich ernst.

Das verunsicherte mich schwer.

Aber warum sollte ich es eigentlich nicht mit Daniel versuchen? Es war besser, als alleine zu sein, und er hatte Gefühle für mich – so irre das auch klang.

Ich war ziemlich durcheinander.

Daniel küsste mich erneut. Und nochmal. Und nochmal. Er benetzte meinen Hals mit Küssen. Und wir schliefen wieder miteinander. Und ich dachte dabei etwas weniger an den Geruch von Alex.

50. KAPITEL

Privatdetektiv Thomas Magnum würde in so einem Moment sagen: «Ich weiß, was Sie jetzt denken ...» Klar, wollte ich meine Familie wiederhaben. Doch wie realistisch war das? Ich schaffte es ja nicht mal, auf sie zuzugehen. Es war einfach viel bequemer, bei Daniel zu bleiben. Und nach dem Trubel der letzten beiden Jahre hatte ich doch ein bisschen Bequemlichkeit verdient, oder? Ach, Quatsch, ich hatte eine Überdosis Bequemlichkeit verdient! Ein ganzes Leben lang!

Ich ließ mich von Daniel verwöhnen, hatte jeden Abend Sex mit ihm und buchte von meinem Assistentinnengehalt eine Wellnessmassage in «Ricos Excellence Spa».

Rico stand am marmornen Empfangstresen und schaute mich erstaunt an, Leute mit meinem Körperumfang kamen sonst nie in seinen Luxustempel.

«Daniel Kohn hat einen Termin für mich vereinbart», sagte ich, nicht ohne Stolz, denn – hey, einer der heißesten Männer der Republik war mein Freund!

«Sind Sie seine ... ältere Schwester?», fragte Rico irritiert.

Ich war geschockt und sauer. Ohne nachzudenken, antwortete ich:

«Ich geb Ihnen gleich ‹ältere Schwester›!»

«Offensichtlich sind Sie es nicht.»

«Wenn Sie es genau wissen wollen, ich bin seine Freundin!», sagte ich stinkig.

Rico drehte sich hastig um.

Ich sah von hinten, wie er sich die Faust in sein strahlend weißes Gebiss stopfte, und hörte ein leises Prusten. Er kämpfte mit einem Lachanfall.

Und ich kämpfte mit dem Wunsch, ihm in den durchtrainierten Hintern zu treten.

Als Rico sich beruhigt hatte, drehte er sich um, schaute mich an, sagte: «Sorry», drehte sich erneut um und prustete laut: «Freundin ...»

Jetzt trat ich ihm in den durchtrainierten Hintern.

So viel zur Wellnessmassage.

Wütend fuhr ich mit der Straßenbahn zu Daniel. Ich war tierisch sauer darauf, dass Typen wie Rico mir beziehungsweise Maria das Leben vermiesten. Am liebsten hätte ich Rico das Herz rausgerissen, es in kleine Einzelteile zerhäckselt, anschließend in einen Mörser getan, es dort zu Brei zerstampft, den Brei dann an einen Hund verfüttert, den ich anschließend mit einer Dampfwalze überfahren hätte.

Im Schlafzimmer erzählte ich Daniel die ganze Geschichte. Und ich hoffte, dass er sich ähnlich empören würde wie ich und sich mit mir zusammen weitere Foltermethoden für Rico ausdenkt. Aber statt irgendwelche sinnvollen Vorschläge zu den Themen «Vierteilen», «Kreuzigung», «Rädern» und «Kombination der Vorhergenannten» zu machen, fragte er nur:

«Er hat wirklich darüber gelacht, dass du meine Freundin bist?»

«Ja!»

«Hmmm», sagte Daniel.

Hmmm war nicht gerade die Unterstützung, die ich mir gewünscht hatte.

«Findest du das etwa nicht unmöglich von ihm?», fragte ich.

«Natürlich, aber ...»

«Aber?», ich konnte es nicht fassen. In einer Antwort auf diese Frage hatte ein Aber nichts zu suchen!

«Es ist nur so: Ich hatte bisher wirklich andere Frauen ...»

«Dekoschnecken!», motzte ich getroffen. Daniel war ja dafür bekannt, immer die hübschesten Frauen an seiner Seite zu haben. Wenn jetzt plötzlich Fotos von ihm und mir auftauchten würden, gäbe es sicherlich Schlagzeilen wie: «Hat Daniel Kohn ein Augenleiden?», «Ich lieb dick» oder «Warum nicht gleich eine Sumoringerin?» Die positivste Schlagzeile wäre wohl noch: «Toll! Daniel Kohn ekelt sich wirklich vor gar nichts!» Fotos von ihm und mir würden seinem Ruf schaden, das war ihm in diesem Moment wahrscheinlich klar geworden. Und das machte mich wütend und traurig zugleich.

«Das hat mit Dekoschnecken nichts zu tun», versuchte Daniel zu beschwichtigen.

«Du würdest also mit mir überall hingehen und mich als deine Freundin präsentieren?», fragte ich spitz.

Daniel zögerte eine Zehntelsekunde. Das hätte er nicht tun sollen. Denn Zögern ist das Geständnis des Mannes.

«Ich bin dir nicht präsentabel genug», stellte ich fest.

«Rede nicht so einen Blödsinn!»

«Dann beweis mir das Gegenteil.»

«Und wie soll ich das machen?», fragte er gereizt.

«Nimm mich mit zur diesjährigen Fernsehpreis-Verleihung. Als deine Freundin. Sichtbar für alle Welt!»

Daniel zögerte jetzt sehr viel länger als eine Zehntelsekunde.

Und je länger er zögerte, desto mehr verschwand meine Wut und wich der Angst, dass er sagen würde: «Nein, ich will wirklich nicht, dass mich jemand mit dir sieht.»

Was würde ich dann antworten? «Hasta la vista, Baby!» oder «Schon gut, Hauptsache wir bleiben zusammen. Dann ist es auch egal, ob du zu mir stehst. Meine Würde ist mir egal. Wer braucht auch schon so eine blöde Würde?»

Schließlich rang sich Daniel durch und sagte: «Ich nehm dich mit. Und stell dich auch offiziell als meine Freundin vor.»

Meine Würde und ich freuten uns sehr darüber.

51. KAPITEL

Anstatt ins Hyatt zu gehen, hatte Daniel uns ein schönes schnuckeliges Hotel am Stadtrand von Köln ausgesucht. Wir räkelten uns im französischen Bett, bis der Bote mit meinem neuen Versace-Kleid kam. Daniel hatte die Maße durchgegeben und es für mich anfertigen lassen. Es war natürlich nicht zu vergleichen mit dem, das ich als Kim Lange getragen hatte. Um genau zu sein, es hatte mehr Ähnlichkeit mit einer Verhüllungsaktion von Christo.

Aber den weichen Stoff auf der Haut zu spüren, die Vorfreude auf den Fernsehpreis, das Wissen, dass ich gleich wieder die ganze Medienmeute sehen würde ... das bereitete mir ein enormes Kribbeln im Bauch!

Ein Teil von mir malte sich aus, wie ich gemeinsam mit Daniel aus der Limo steigen und Hunderte Fotografen Tausende Bilder von dem neuen, wunderbaren Paar schießen würden. Ein anderer Teil malte sich aus, wie ich als zukünftige Braut von Daniel Kohn prominent genug wurde, um Chancen auf eine eigene Sendung zu haben. Und ein ziemlich kleiner Teil von mir staunte über den Optimismus der ersten beiden Teile.

Ich wirbelte in all meiner Üppigkeit um die eigene Achse, um Daniel das Kleid zu zeigen: «Na, wie sehe ich aus?»

«Schön», sagte er, etwas abwesend.

«Du sagst das mit dem Enthusiasmus eines Valiumsüchtigen.»

«Nein, es ist wirklich schön.» Er rang sich ein Lächeln ab, das wenig überzeugend wirkte. Irgendetwas ging in ihm vor. Aber ein Teil von mir sagte: «Ist doch egal.» Ein weiterer Teil von mir hielt sich die Ohren zu und sang: «Lalalala ... da ist bestimmt gar nichts mit dem Daniel. Schon gar nicht wegen meiner geringen Vorzeigefrauqualitäten. Wir bleiben zusammen!» Und der dritte, kleinste Teil von mir war stiller Zeuge dieser Demonstration von Realitätsferne.

Daniel zog sich ins Bad zurück, und ich blieb allein im Hotelzimmer. Ich zappte durch das Fernsehprogramm, landete beim Pay TV und fragte mich: «Wer zum Teufel gibt zweiundzwanzig Euro aus für einen Pornofilm mit dem Titel «Carmens Traum – Flamenco mit acht Schwänzen»?

Ich machte den Fernseher schnell wieder aus und setzte mich aufs Bett.

Und als ich da so alleine saß, bekam ich ein Déjà-vu dritten Grades: Vor zwei Jahren saß ich ebenfalls vor einer Fernsehpreisverleihung einsam in einem Hotel mit einem neuen Kleid – und hatte ein schlechtes Gewissen gegenüber Lilly.

Jetzt hatte ich es wieder.

Eigentlich hatte ich es schon die ganze Zeit, aber ich hatte es in Daniels Armen mit aller Macht verdrängt. Auch gegenüber Alex hatte ich ein schlechtes Gewissen. Und selbst gegenüber dem bekloppten Buddha. Er hatte mich sicherlich nicht in diesen Körper zurückgeschickt, damit ich von einer Fernsehkarriere und einem Leben mit Daniel Kohn träume.

Aber während ich das so dachte, kam Daniel aus der Dusche heraus. Und sah einfach großartig aus. Bei diesem phantastischen Nacktanblick verlor ich mein schlechtes Gewissen gegenüber Buddha.

Aber nicht das gegenüber Lilly und Alex.

Auf der Fahrt in der Limousine war Daniel recht still und nestelte ständig nervös an seinem Kragen herum. Er hatte ganz eindeutig Angst vor dem öffentlichen Auftritt in meiner Begleitung – und dem Hohn und Spott, den ihm der einbrächte.

Ich war ebenfalls still: Ich dachte die ganze Zeit an Lilly. Ich konnte es nicht länger verdrängen: Mein Herz sehnte sich so sehr nach ihr. Viel mehr als nach Bequemlichkeit. Viel mehr als nach einer Fernsehkarriere. Und noch sehr viel mehr als nach einem Blitzlichtgewitter neben einem Mann, dem es peinlich war, neben mir zu stehen.

Je näher wir dem Saal der Fernsehpreisverleihung kamen,

desto beredter wurde Daniels nervöses Schweigen. Ich hätte eigentlich wütend auf ihn sein müssen, Phantasien entwickeln, in denen er auf eine Burg zugeht, auf deren Zinnen ich ihn sehnsüchtig erwartete – mit siedendem Öl.

Aber ich war einfach nur tieftraurig. Wegen mir selbst. Darüber, dass ich den einfachen Weg gehen wollte und ein Leben mit Kohn vorzog, anstatt meinen Mut zusammenzunehmen und meine Familie aufzusuchen.

Die Limousine hielt. Gleich mussten wir aussteigen und uns dem Blitzlichtgewitter stellen. Daniel schaute mich an, versuchte ein Lächeln. Versuchte. Seine Mundwinkel kamen kaum in die Waagerechte.

Ich bemühte mich nicht mal mehr um ein Lächeln.

«Wollen Sie nicht aussteigen?», fragte der Chauffeur.

Daniel zögerte.

Ich auch. Ich spürte genau, ich stand am Scheideweg: Gehe ich jetzt raus, bleibe ich bei Daniel. Und entscheide mich gegen Alex. Und gegen Lilly.

«Willst du nicht?», fragte er mich.

Ein Teil von mir rief: «Geh wieder ins geliebte Blitzlichtgewitter!» Ein weiterer Teil rief: «Und hab den Rest deines Lebens Sex mit Daniel Kohn.» Aber der dritte Teil sagte nur ganz leise die Worte, die die anderen beiden zum Schweigen brachten: «Aber wir alle drei werden so niemals glücklich.»

«Nein», antwortete ich Daniel.

«Nein?»

«Nein.»

«Ich höre immer nur ‹Nein›.»

«Das liegt hauptsächlich daran, dass ich es auch gesagt habe.»

Daniel schwieg.

«Die anderen Limousinen warten», drängelte der Chauffeur. Und tatsächlich, hinter uns bildete sich eine Schlange von circa zwölf Wagen, in denen überall Prominente saßen, die nichts sehnsüchtiger erwarteten, als von der Presse abgelichtet zu werden. In einer Limousine meinte ich eine wohlbekannte Fernsehdame zu erkennen, deren Mittelfinger sich uns jedoch in einer völlig undamenhaften Geste entgegenstreckte.

«Wir haben doch keine Zukunft», sagte ich zu Daniel, sehr schweren Herzens.

Und es tat mir weh, dass er nicht widersprach.

«Steig aus», bat ich.

«Und dann – sehen wir uns nie wieder?»

Ich antwortete nichts.

«Geständnis durch Schweigen», sagte er traurig und stieg aus.

Voller Haltung ging er allein ins Blitzlichtgewitter. Ich schaute eine Weile zu, wie er professionell lächelnd in die Kameras blickte. Dann sagte ich zu dem Chauffeur: «Bitte fahren Sie.»

52. KAPITEL

Als ich mitten in der Nacht in meiner kleinen Potsdamer Butze ankam, warf ich mich frustriert aufs Bett. Das war keine gute Idee. Es krachte zusammen.

Und während ich so auf dem zusammengekrachten Bett lag und an die von meinem Vormieter beeindruckend schlecht tapezierte Raufaserdecke starrte, fragte ich mich: Wie könnte ich mich meiner Familie nähern?

Es würde wohl kaum nochmal so einen Zufall geben wie

den, der mich zu Daniel Kohn geführt hatte. Und ich wäre auch nicht sonderlich scharf darauf gewesen, zum Beispiel die Dusche zu putzen, in der sich Alex und Nina vergnügt hatten.

Aber könnte es nicht einen anderen Job geben? Es waren doch Sommerferien, und Alex und Nina mussten arbeiten. Wer würde da auf Lilly aufpassen?

«Oma!», schrie Lilly. «Komm endlich.» Lilly trat mit einer Sporttasche in der Hand aus dem Haus. «Wir kommen sonst zu spät zu dem Spiel!»

«Eine alte Frau ist kein D-Zug», rief meine Mutter, der keine ausgeleierte Metapher zu blöd war, und trottete aus der Villa heraus. Ich hatte mich hinter einem Fiat Panda auf der gegenüberliegenden Straßenseite versteckt – bei meiner Körperfülle eine Leistung an sich.

Die beiden spazierten zur Bushaltestelle. Ich schaute ihnen nach. Martha kümmerte sich also um die Kleine. Wie konnte Alex ihr nur Lilly anvertrauen? Da hätte er sie ja gleich in die Obhut von Rasputin geben können. (War meine Mutter vielleicht der wiedergeborene Rasputin? Nun, das würde den Alkoholkonsum erklären.)

Der Bus kam, und ich trat hinter dem Fiat hervor. Ich konnte meine Tochter doch nicht mit dieser Frau alleinlassen! Ich war nicht weit von der Haltestelle entfernt, vielleicht 250 Meter. Ich rannte los.

Ich keuchte, ich schnaufte, ich krächzte, ich pfiff aus dem letzten Loch. Da hatte ich noch 200 Meter vor mir.

Jetzt wünschte ich mir meine Meerschweinchenbeine zurück oder meine Beaglebeine oder, noch besser, den verdammten Sportwagen von Daniel Kohn.

Ich schwitzte, ich tropfte, ich sabberte. Da waren es noch 160 Meter.

Ich stolperte, ruderte mit den Armen, fiel hin. Noch 158 ¾ Meter.*

Der Busfahrer stieg schnell aus und lief auf mich zu: «Brauchen Sie Hilfe?»

Ich wollte «Ja, bitte» sagen. Aber ich röchelte nur: «Krrhhhh ...», was aber im Wesentlichen das Gleiche aussagte.

Der Busfahrer stand nun neben mir: «Kommen Sie, ich helf Ihnen auf.»

Kurz darauf sagte er: «Scheiße, meine Bandscheibe!»

Es dauerte eine Weile, bis der Mann mir aufgeholfen hatte.

«Geht's Ihnen gut?», fragte Lilly, die ebenfalls aus dem Bus gestiegen war. Und ich musste lächeln. Bei ihrem Anblick vergaß ich meinen schwachen Atem, mein stechendes Herz und die Tatsache, dass ich nach meinem Sprint stank wie eine Otterherde. Ich erwiderte Lillys Lächeln und trällerte aus vollem Herzen: «Der Pfau mit seinem bunten Schwanz macht mit der Braut den ersten Tanz.»

«Was fällt Ihnen ein, meiner Enkelin so was Versautes vorzusingen!», herrschte meine Mutter mich an. Und das, obwohl sie mir früher nie Kinderlieder vorgesungen hatte, dafür aber ziemlich häufig Rod Stewarts «Do You Think I'm Sexy?».

Ich schaute sie nur matt an, während sie Lilly in den Bus zog. Der Fahrer folgte ihr, hielt dabei seinen Rücken und

* Aus Casanovas Erinnerungen: Ich beobachtete von einem Baum aus, wie die dicke Frau, von der ich nicht ahnte, dass es sich bei ihr um Madame Kim handelte, zusammenbrach. Aber ich registrierte es kaum: Ich hatte wegen Mademoiselle Nina viel zu schweren Liebeskummer und war daher der einzige Kater auf dieser schnöden Welt, der litt wie ein Hund.

fluchte: «Das kommt davon, wenn man Leuten hilft.» Er wusste ja nicht, dass er gerade gutes Karma gesammelt und so die Wahrscheinlichkeit verringert hatte, eines Tages in einem Ameisenhaufen aufzuwachen.

Ich stieg ebenfalls in den Bus. Meine Mutter zog Lilly auf eine Bank, weit weg von mir. Aber ich ließ sie nicht aus den Augen. Ich wollte ja nicht die Haltestelle verpassen, an der sie ausstiegen. Und ich war schwer überrascht: Meine Mutter spielte mit Lilly zum Zeitvertreib Tsching-Tschang-Tschong. War das wirklich meine Mutter? Die, die mit mir früher höchstens Spiele machte wie «In welcher Hand habe ich die Zigarette?».

Die beiden stiegen in der Nähe eines Fußballplatzes aus. Ich folgte ihnen in gebührendem Abstand. Am Sportplatz angekommen, wurde Lilly stürmisch von anderen Kindern begrüßt, die meisten von ihnen Jungen – in dieser Altersklasse spielte man wohl in gemischten Mannschaften. Meine Mutter begrüßte die anderen Eltern mit: «Heute treten unsere Kleinen den anderen gehörig in den Arsch!»

Ich zuckte zusammen, dachte ich doch, dass man das als unangenehm empfinden würde. Tatsächlich aber kamen als Antwort Sprüche im selben Stil zurück: «Und danach gibt's noch was auf den Sack!»

Hier ging es anscheinend robust zu. Und meine kleine, zarte Lilly war da mittendrin? Mir wurde mulmig zumute. Doch kaum war das Spiel angepfiffen, wirkte meine kleine Tochter gar nicht mehr so zart: Sie grätschte, kämpfte und rackerte – aus dem kleinen Mädchen, das nachts ohne ihren Schnuff nicht einschlafen konnte, war eine Mischung aus Pippi Langstrumpf und Berti Vogts geworden (Gott sei Dank sah sie wesentlich hübscher aus). Ob sie mit dieser Härte versuchte, den Verlust ihrer Mutter zu kompensieren?

Jedenfalls wurde sie dabei von Martha heftigst angefeuert. Sie rief: «Hack ihn um!», «Die Lusche machst du fertig!» und «Die sind doch alle schwul!» So war es wenig verwunderlich, dass Martha bei den Eltern der jungen Gegenspieler nicht sonderlich beliebt war.

Doch dann wurde Lilly umgenietet, brutal von hinten. Von einem Jungen, der dabei auch noch breit grinste. Dieser Mistkerl hatte meine Tochter getreten, und ich wollte ihn am liebsten schütteln, bis seine Milchzähne ausfielen. Doch bevor ich überhaupt was sagen konnte, schrie meine Mutter: «Was soll das, du Flachwichser?»

«Der Junge ist erst sieben», versuchte der Schiedsrichter zu beschwichtigen.

«Und wenn er nicht aufpasst, wird er keine acht», konterte meine Mutter.

Während der Schiri noch die passende Antwort suchte, baute sich der Gästetrainer vor Martha auf. Ein bulliger Mann mit diversen Tätowierungen, die so aussahen, als ob sie von einem betrunkenen Chinesen für vier Euro achtzig das Stück gemacht worden waren.

«Halt's Maul, Alte!», blaffte er meine Mutter an.

«Halt selber dein Maul, Vollidiot», erwiderte meine Mutter.

«Wen nennst du hier einen Vollidioten?», wollte der Trainer wissen und kam nun bedrohlich nah.

«Dich nenn ich einen Vollidioten, du Hirntoter!»

Ich war beeindruckt. Meiner Mutter konnte man viel vorwerfen – und das hatte ich in all meinen Leben auch mehr als genug getan –, aber sie war mutig. Sie hätte sich auch von Krttx, Tierversuchlern oder kanadischen Cowboys nichts sagen lassen. Und in diesem Augenblick kam mir ein überraschender Gedanke: Die Unerschrockenheit hatte ich von ihr. Also war nicht alles, was sie mir mitgegeben hatte, suboptimal.

«Sei froh, dass hier Kinder sind, sonst würde ich dir eine langen», sagte der Tattoo-Mann und zog ab. Der Rest des Spieles verlief vergleichsweise friedlich. Die gegnerischen Kinder hatten so viel Respekt vor Martha, dass sie die Zahl ihrer Fouls an meiner Tochter auf ein Minimum begrenzten. Ich aber schaute Lilly gar nicht mehr zu, sondern betrachtete die furiose Dame genauer: Sie war zwar bollerig wie immer, aber irgendwie sah ihr Gesicht gesünder aus. Trank sie nicht mehr? Hatte Nina ihr etwa so gutgetan?

Irgendwann würde ich von diesen «Nina tut gut»-Gedanken Migräne bekommen.

Als das Spiel zu Ende war, verschwanden die Kinder, um sich umzuziehen, und ich ging auf die draußen wartende Martha zu.

«Waren Sie das nicht eben beim Bus?», wollte sie wissen.

«Ja, ich arbeite im Vereinsheim», flunkerte ich und fragte scheinheilig: «Na, wollen wir auf den Sieg anstoßen?»

«Nö, ich trinke nicht.»

«Nicht mal ein bisschen?», fragte ich erstaunt.

«Nein!», erwiderte sie heftig, und ich schwieg. Sie blickte mir in die Augen und wirkte mit einem Male verwirrt. Anscheinend sah sie – ähnlich wie Daniel Kohn – meine Seele. Nach einer Weile fragte sie: «Sagen Sie mal, kennen wir uns?»

Mir war es zu blöd, als Antwort «Die Vogelhochzeit» zu trällern, deswegen ließ ich es bleiben und schwieg weiter.

Aber Martha wurde milder, der Blick in meine Seele schien dazu geführt zu haben, dass sie sich mir öffnete: «Ich trinke seit zwei Jahren nicht mehr.»

Wegen Nina, dachte ich, vielleicht sollte ich mich doch aus dem Leben meiner Familie raushalten.

Martha fuhr fort: «Mein Arzt hat mich früher immer gewarnt: Wenn ich weiter so viel saufe, wie ich saufe, kratze ich bald ab. Aber über das Sterben hab ich mir nie Gedanken gemacht. Das Leben war so scheiße, dass ich es mir schönsaufen musste. Aber dann ist meine Tochter gestorben. Und ich hab plötzlich gemerkt, dass man tatsächlich sterben kann. Und ich hab eine Scheißangst vor dem Tod.»

Da hatte mein Tod wenigstens etwas Gutes gehabt. Und Marthas verändertes Verhalten hatte nichts mit Nina zu tun.

«Na ja, jedenfalls kümmere ich mich jetzt um die Kleine meiner Tochter.»

Martha wollte alles gutmachen, was sie bei mir falsch gemacht hatte.

Und ich wollte alles gutmachen, was ich bei Lilly falsch gemacht hatte.

Anscheinend kann der Tod Menschen auch beleben.

53. KAPITEL

Abends lag ich wieder auf meinem durchgekrachten Bett. Ich war beeindruckt vom Willen meiner Mutter. Und es tat mir gut, dass nicht alles Positive im Leben meiner Familie mit Nina zu tun hatte. Ansonsten war ich keinen Schritt weiter: Wie konnte ich mich in das Leben meiner Familie wuseln? Babysitterin zu sein wäre einfach super gewesen.

Aber dazu müsste ich meine Mutter aus dem Verkehr ziehen.

Noch am Morgen wären mir dazu jede Menge Phantasien gekommen, die mir allesamt kein gutes Karma eingebracht hätten: Ich hätte Martha im Treppenhaus ein Bein gestellt oder die Eltern der anderen Mannschaft dazu bewogen, ihr zu zeigen, was echte Blutgrätschen sind.

Doch jetzt hatte ich gar keine negativen Gefühle mehr. Ihr Verhalten rührte mich (okay, vielleicht nicht, dass sie kleine Kinder «Flachwichser» nannte). Und ich hatte sogar das erste Mal in meinem Leben das Gefühl, dass ich ihr etwas zu verdanken hatte.

Ich musste also einen Weg finden, meine Mutter auf nette Art und Weise für eine Weile aus dem Verkehr zu ziehen.

«Oma, wenn du schon im Tor stehst, musst du dich auch hinwerfen! Wie Olli Kahn!»

«Ich bin aber nicht Olli Kahn. Ich kann nicht so gut halten. Aber dafür seh ich besser aus!», motzte meine Mutter, die kaputt wirkte. Anscheinend hatte sie schon jede Menge Bälle halten müssen.

Ich ging auf unseren Garten zu und sagte: «Hallo!»*

«Was machen Sie denn hier?», fragte meine Mutter überrascht.

«Ich habe gestern gesehen, dass Sie hier wohnen. Und ich wollte nochmal mit Ihnen sprechen. Allein.»

* Aus Casanovas Erinnerungen: Ich sah von meinem Baum aus wieder die dicke Dame. Aber sie war mir gleichgültig. Ich war viel zu sehr damit beschäftigt, Gedichte über meinen Liebeskummer zu verfassen. Sie hießen: «Qual», «Unendliche Qual» und «Nenne mich Tantalus».

Meine Mutter wandte sich an Lilly: «Geh doch mal bitte rein und hol uns Wasser.»

«Ich hab aber keinen Durst!»

«Auch nicht auf eine Cola?»

«Cola? Super!» Lilly rannte los. Kinder sind nun mal wie italienische Behörden: Wenn man etwas von ihnen will, muss man sie bestechen.

«Was wollen Sie?», fragte Martha misstrauisch, als Lilly außer Hörweite war.

«Sie haben in den letzten Jahren viel durchgemacht», sagte ich.

«Wäre mir so nicht aufgefallen», erwiderte Martha lakonisch.

«Schon mal über Urlaub nachgedacht, um sich etwas zu erholen?»

«Oft», seufzte sie. «Die Stiefmama von der Kleinen hat sogar ein Reisebüro. Wissen Sie, wo ich mal hin will?»

«Sie werden es mir sicher gleich sagen.»

«In die Dominikanische Republik.»

«Und warum machen Sie da dann keinen Urlaub?»

«Wer soll denn dann auf Lilly aufpassen? Die Eltern arbeiten beide.»

«Och, ich hätte Interesse daran», grinste ich.

«Aber Sie arbeiten doch im Vereinsheim.»

«Ach, da habe ich gekündigt», spann ich die Vereinsheim-Notlüge weiter.

«Ich weiß nicht», zögerte Martha. «Ich lass die Kleine nur ungern allein.»

«Ist ja nur für eine kurze Zeit.»

Martha war noch nicht völlig überzeugt.

«In der Dominikanischen Republik soll es schöne Strände geben», machte ich ihr die Sache schmackhaft.

«Und hübsche Männer», lächelte Martha nun.
«Und hübsche Männer», lächelte ich zurück.
Ja, wir beide lächelten uns tatsächlich an.
Das erste Mal seit ... ich weiß nicht, wann.

54. KAPITEL

Nina und Alex waren überrascht über die Urlaubspläne meiner Mutter, aber Martha ließ sich durch nichts davon abbringen. Ich hatte sie zuvor in einem längeren Gespräch überzeugt, dass ihr so ein Urlaub guttäte, und gönnte ihn ihr auch von ganzem Herzen. Sie hatte in ihrem Leben viel durchgemacht und sich jetzt die Belohnung für ihren neuen Lebenswandel mehr als verdient.

Natürlich waren Nina und Alex zögerlich, eine Frau als Babysitterin zu engagieren, die keine Referenzen hatte, und lehnten erst mal ab, mich einzustellen. Stattdessen setzten sie eine Anzeige in die Zeitung. Auf die meldeten sich unter anderem: eine nicht Deutsch sprechende Frau nicht definierbarer Nationalität, ein Mathematikstudent im siebenundzwanzigsten Semester und eine Frau, die als vorherigen Beruf «Revuetänzerin» angab.

Plötzlich war die dicke Maria eine ziemlich gute Alternative.

Die nächsten vier Wochen war ich Lillys neue Babysitterin. Vier Wochen, die ich also Zeit hatte, Nina und Alex' Ehe zu zerstören!

Dann, so mein Kalkül, hätte ich die Chance, meine Familie wiederzuerobern. Ich hatte schon lange meine Gefühle für Alex wiederentdeckt und fand es mittlerweile gar nicht mehr so unwahrscheinlich, dass sich Alex in mich verlieben konnte, wenn Nina erst einmal weg war. Wenn es selbst bei so einem Mann wie Daniel Kohn geklappt hatte ...

Eine Ehe zu zerstören ist natürlich nicht unbedingt etwas, mit dem man gutes Karma sammelt. Mir war klar: Wenn ich Erfolg haben würde, würde ich höchstwahrscheinlich nach meinem Tod wieder in einem Meerschweinchenstall landen. Oder als Nashorn im Berliner Zoo, mit sechs Nashorn-Männchen, die allesamt kastriert sind. Aber mir war das absolut egal. Meine zukünftigen Leben interessierten mich jetzt nicht. Jetzt ging es um mein aktuelles Leben. Und um das von Lilly!

Das Zerstören einer Ehe vollzieht sich in vier Phasen.

Phase eins: Feindbeobachtung

Erst mal fügte ich mich, wie es eine Babysitterin nun mal so tut, in den Alltag in dem Haus, das mal das meinige war, ein. Dabei beobachtete ich, wie es um die Qualität der Beziehung zwischen Alex und Nina bestellt war. Wie groß war die Liebe der beiden wirklich?

Ich sah, wie Alex und Nina sich küssten, bevor sie zur Arbeit gingen. Ich sah, wie sie scherzten. Und ich sah, wie er ihr sehnsüchtig nachblickte.

Und das alles war sehr ermunternd.

Warum? Nun, als wir damals frisch verheiratet waren, dauerten die Abschiedsküsse nie unter einer Viertelstunde und endeten nicht selten mit Sex. Wenn wir scherzten, dann bekamen wir minutenlange Giggelanfälle, die auch nicht selten mit Sex endeten. Und wenn ich das Haus verlassen wollte, schaute er mir nicht sehnsüchtig nach, er hielt mich zurück und ... genau, hatte Sex mit mir.

Bei Nina gab es nie Sex nach einem Abschiedskuss. Wenn gelacht wurde, dann nur für eine angemessene Zeit und ebenfalls ohne anschließenden Sex. Und das sehnsüchtige Hinterherblicken von Alex endete mit dem Zuschlagen der Haustür, völlig sexfrei.

Diese Liebe hier war nicht so stark wie unsere damals. Die hier könnte ich zerstören. Ich hatte ja sogar unsere kaputt gekriegt.

Und während ich so den Feind beobachtete, spielte ich mit Lilly.

«Kannst du denn überhaupt kicken?», war eine der ersten Fragen, die sie mir stellte.

«Nein, aber ich kann gut im Tor stehen. Es ist ganz schön schwer, an jemandem wie mir vorbeizuschießen», sagte ich.

Lilly musste grinsen.

Und dann begannen wir zu kicken.

Lilly schoss, was das Zeug hielt, und ich hielt, was das Zeug hielt. Es machte einen unglaublichen Spaß. So viel Spaß hatte ich als Kim Lange nie mit der Kleinen gehabt, weil ich ständig von Termin zu Termin gehastet war. Erst jetzt – als Maria – konnte ich unbeschwert mit meiner eigenen Tochter spielen, ohne dabei ständig auch an die Arbeit zu denken. (Wen lade ich in die nächste Sendung ein? Was für ein Thema wähle ich? Wem gebe ich die Schuld, wenn die Quote schlecht wird?)

Ich war schweißgebadet, aber es machte mir absolut nichts aus. Nicht mal meinem Herzen. Das Fußballspielen mit der lachenden Lilly sorgte dafür, dass in mir jede Menge Glückshormone ausgeschüttet wurden, die anscheinend besser wirkten als meine Herztabletten. Und auch Lilly hatte einen Riesenspaß.

«Du bist viel netter als die blöde Nina», sagte Lilly dann auch, während wir beide ein Nutella-Pfannkuchen-Wettessen veranstalteten.

«Magst du Nina nicht?», fragte ich überrascht nach. Anscheinend tat Nina der Kleinen doch nicht so gut, wie ich dachte.

«Nina ist doof», motzte Lilly. Damit sprach sie mir aus dem Herzen, wobei ich noch ganz andere Adjektive als «doof» benutzt hätte.

«Sie ist eine richtige Scheiß-Kacker-Kuh!» Hach, was konnte meine Tochter doch schön treffend mit Worten umgehen. Ich grinste so breit, gegen mich wirkten Honigkuchenpferde suizidgefährdet.

«Das ist überhaupt nicht zum Grinsen», sagte Lilly traurig. «Sie hat mich nicht wirklich lieb.»

Mein Grinsen fiel mir aus dem Gesicht, und beschämt musste ich mir eingestehen: Hier ging es nicht darum, ob Nina eine «Scheiß-Kacker-Kuh» war oder nicht. Hier ging es um meine kleine Tochter.

Ich nahm die Kleine in die Arme, drückte sie ganz fest an meinen verschwitzten Sumo-Leib und beschloss, Phase zwei in Angriff zu nehmen.

Phase zwei: Eifersucht schüren

Um Eifersucht zwischen Liebenden zu schüren, muss man erst mal verbal den Boden bereiten: «Lilly hat mir erzählt, dass ihre Mutter gestorben ist», sagte ich beiläufig zu Nina, als ich ihr half, Wäsche im Garten aufzuhängen.

«Ja.»

«Muss hart gewesen sein. Auch für Ihren Mann.»

«Es hat lange gedauert, bis er sich mir öffnen konnte.»

«Hmmm ...», sagte ich so bedeutungsschwanger, dass

man genau hören konnte, dass ich einen Hintergedanken hatte.

«Was meinen Sie mit ‹Hmmm›?», fragte Nina, die den Köder geschluckt hatte.

«Nichts, nichts», sagte ich.

«Kommen Sie schon.» Wie alle anderen Menschen auch konnte Nina es nicht ertragen, wenn jemand etwas für sich behält, was einen selber betrifft.

«Na ja ... haben Sie nie das Gefühl, dass Sie nur ein Trostpflaster sind?», fragte ich nun sehr direkt.

«Nein. Habe ich nicht!», antwortete Nina sauer.

«Meine Schwester war mit einem Witwer verheiratet», flunkerte ich. «Und als sie den seelisch aufgepäppelt hatte, hat er sich eine andere genommen und ...»

«Ihre Schwester interessiert mich nicht», antwortete Nina in einem Tonfall, der deutlich machte: Noch ein Wort, und ich erwürge Sie mit der Wäscheleine!

Ich schwieg, und wir beschäftigten uns die nächsten zehn Minuten stumm mit der Wäsche. Dann kam der richtige Augenblick, aus der nassen Jacke von Alex eine Kondompackung herauszuziehen, die ich vor dem Waschgang reingeschmuggelt hatte.

«Oh, die sind wohl mitgewaschen worden», sagte ich unschuldig.

«Alex ... benutzt keine Kondome», stammelte Nina.

«Ist das nicht seine Jacke?», fragte ich noch unschuldiger.

Nina war verwirrt.

«Das klärt sich sicherlich auf», sagte ich hilfreich. Wissend, dass eine Kondompackung allein nicht dazu führen würde, dass sie dachte, Alex ginge fremd. Dazu bedurfte es noch eines ganzen Haufens anderer Indizien. Und natürlich durften die nicht alle mit mir in Verbindung gebracht werden, sonst würde ich Verdacht erregen. Ich brauchte also einen Komplizen. Zum Beispiel einen Kater.

«Hey, Casanova», rief ich, als ich den Kater nach langem Suchen endlich auf einem Baum entdeckte. Er lag auf einem Ast und wirkte schwer deprimiert.*

«Ich bin's, Kim!»

Casanova wachte aus seiner Lethargie auf.** Er miaute erfreut.

«Wir Menschen können ja nicht verstehen, was Menschen, die als Tiere wiedergeboren wurden, sagen oder kläffen oder miauen. Aber du ... du kannst mich verstehen», sagte ich zu ihm. «Ich habe einen Plan. Also hör mir genau zu ...»

Casanova zu motivieren war nicht schwer: Er war ja noch immer in Nina verliebt. Und mein «Ehe-Zerstör-Plan» verlieh ihm anscheinend neuen Lebensmut. Er kletterte, wie ich ihn geheißen hatte, auf den Zaun, der unser Grundstück umgab. Als Alex von der Arbeit nach Hause kam, sprang der Signore ihm direkt auf die Schultern. Alex schrie erschrocken auf. Aber Casanova ließ nicht locker und biss in seinen Hals. Er saugte und saugte. Und als er endlich abließ, hatte Alex einen wunderbaren Knutschfleck.***

* Aus Casanovas Erinnerungen: Zu diesem Zeitpunkt verfluchte ich, dass Selbstmord aus Liebeskummer keinen Sinn macht. Man wird ja leider wiedergeboren.

** Aus Casanovas Erinnerungen: Als sich Madame Kim zu erkennen gab, dachte ich: Selbst Rubens wäre diese Dame zu rubenshaft gewesen.

*** Aus Casanovas Erinnerungen: Ich war kein Liebhaber der Homoerotik und spülte die nächste Stunde meinen Mund mit Pfützenwasser aus.

Als Nina in der Küche diesen Knutschfleck sah, war sie erschüttert. «Woher hast du den denn?», fragte sie, nicht ahnend, dass ich das Gespräch vom Flur aus belauschte.

«Das hat diese wilde Katze gemacht, die auch schon dein Kleid zerfetzt hat. Das Biest hat mich einfach angesprungen.»

«Aha.»

«Glaubst du mir nicht?»

Nina wollte das wohl gerne glauben, wirkte aber etwas verunsichert – garantiert wegen der Kondome, die sie allerdings nicht erwähnte.

Alex blickte Nina an und lächelte: «Ich liebe dich. Nur dich.»

Das versetzte mir einen Stich. Es gibt nun mal Sätze, die gefallen einem einfach nicht, wenn sie zu jemand anderem gesagt werden.

Nina nickte nach einer Weile nachgiebig. Dann lächelte Alex noch einmal, verließ die Küche und ging grußlos im Flur an mir vorbei in Richtung Dusche, um sich Fahrradöl und Katzengeruch abzuspülen.

Ich schlich vorsichtig in die Küche und erwischte Nina in einem Moment der Schwäche.

«Er liebt eine andere», sagte sie und rang dabei mit den Tränen.

Das schockte mich: Alex liebte eine andere? Ich musste gar kein Verhältnis erfinden? Was war da los? Hatte ich etwa noch eine Konkurrentin? Eine Kundin aus seinem Laden? Irgendeine Fahrradfahrerin vielleicht? Die sich fürs Bett womöglich auch noch dopt?

«Und wen?», fragte ich ebenso irritiert wie aufgewühlt.

Nina war offensichtlich erschrocken, dass ihr das so rausgerutscht war, und wusste nicht, wie sie reagieren sollte.

«Ich weiß, es geht mich nichts an, aber wenn Sie eine Schulter zum Ausweinen brauchen ...», bot ich heuchlerisch an.

Sie überlegte eine Weile. Dann antwortete sie: «Er liebt seine verstorbene Frau.»

«Gott sei Dank», seufzte ich.

Nina schaute mich irritiert an.

«Ähem, ich mein natürlich ... das tut mir leid.»

«Er hat sie immer mehr geliebt als mich und tut es noch», erklärte Nina.

Es war verdammt schwer, sich ein Lächeln zu verkneifen.

«Dabei war sie eine dumme, egoistische Kuh!»

Es war verdammt schwer, sich eine Ohrfeige zu verkneifen.

«Sie wusste nicht, was sie für ein tolles Leben hat.»

Es war verdammt schwer, sich ein trauriges Nicken zu verkneifen.

«Und ich muss jetzt in ihrem Schatten leben», schluchzte Nina.

Es war verdammt schwer, sich eine tröstende Umarmung zu verkneifen.

Phase drei: Pausieren

In der nächsten Woche stellte ich meine «Ehe-Zerstör-Aktionen» fürs Erste ein. Ich sabotierte lediglich den Sex, indem ich Ninas Verhütungscomputer so manipulierte, dass er ein paar Tage mehr als üblich Rot anzeigte.

Mir machte ein Gefühl zu schaffen, das ich nie im Leben für möglich gehalten hatte: Ich hatte Mitleid mit Nina.

Jetzt, wo ich das erste Mal seit Jahren meiner Familie so nahe sein konnte, sah ich, wie anstrengend ihr Leben als Frau eines Witwers war. Nina bemühte sich, es allen recht zu machen. Und Alex bemühte sich, ihr nie zu zeigen, dass er mich vermisste. Aber sie wusste, dass er es tat. Genauso wie Lilly. Und wenn die beiden nicht hinsahen, konnte ich beobachten, wie die Trauer darüber in Ninas Augen stieg.

Kater Casanova kam in dieser Zeit immer wieder zu mir und miaute, was das Zeug hielt. Er war wütend, dass ich nichts mehr unternahm.

Der Einzigen, der es wirklich gutging, war ... meine Mutter. Sie schickte folgende Karte aus der Dominikanischen Republik:

Liebe Maria,
hier ist es wunderbar. Ich habe einen sehr netten Mann kennengelernt! Julio! Er ist einen Kopf kleiner als ich. Ehrlich gesagt dachte ich zuerst: Kleiner Mann, kleiner Schniedel. Aber, es ist unglaublich: Er hat ein Ding, mit dem kann man Tokio zum Einsturz bringen. Und er weiß es zu benutzen. Ich war noch nie so berauscht, ohne besoffen zu sein. Wir haben uns ineinander verliebt! Ich verlängere den Urlaub noch ein bisschen.
Ich danke Dir aus ganzem Herzen,
Deine Martha

Nachdem ich Alex diese Karte gezeigt hatte, nahm er mich in der Küche zur Seite und sagte: «Es sieht so aus, als ob wir Sie noch länger brauchen werden.»

Ich wollte antworten, aber ich brachte kein Wort heraus. Alex stand so nah bei mir, dass ich wieder merkte, wie toll er roch. Selbst mit meiner Menschennase war es wunderbar.

«Ist was?», fragte er.

Ja, am liebsten würde ich mich auf dich raufwerfen, selbst wenn du dann nicht mehr atmen kannst!

«Nein, nein», sagte ich.

Und nun schaute er mir das erste Mal, nach all den Wochen, die ich in seinem Haushalt war, direkt in die Augen.

«Wir kennen uns», stellte er verwundert fest.

Er fragte nicht «Kennen wir uns von irgendwoher?» wie Daniel Kohn, als er meine Seele gesehen hatte. Oder wie meine Mutter. Nein, Alex stellte ganz klar fest: «Wir kennen uns.»

Er war sich sicher. Er schien meine Seele intensiver zu spüren als jeder andere!

Natürlich konnte er nicht begreifen, was genau er da spürte. Aber alle Gefühle, die er je für mich hatte, loderten gerade wieder auf, das konnte ich erkennen.

Auch meine Gefühle loderten lichterloh, mit dem Unterschied, dass ich genau wusste, warum.

Alex begann zu zittern.

Ich hatte schon vor ihm damit begonnen.

Es knisterte zwischen uns.

Es war eine Situation, in der alles passieren konnte.

Da rief Nina von oben: «Scheiße, schon wieder Rot!»

Und der Zauber war zerstört.

Phase vier: Den Plan komplett ändern

Knutschflecke, Kondome unterjubeln, Verhütungscomputer manipulieren – all das waren nur alberne Spielereien. Dies hatte ich nun dank Alex' Reaktion auf mich erkannt! Ich musste ran an den Speck. Oder besser gesagt, dafür sorgen, dass Alex an den Speck rangeht. An meinen. Ohne Umwege. Ohne Tricksereien.

Ich musste also nochmal eine Situation herstellen, in der alles passieren konnte. Nur wie?

Während ich mit Lilly Fußball spielte, grübelte ich über die Frage nach. So intensiv, dass ich einen von Lillys Torschüssen gar nicht bemerkte. So bekam ich den Ball voller Wucht ins Gesicht.

«Au!», schrie ich.

«Deine Nase blutet, Maria», sagte Lilly betroffen.

«Pfon gut, pfon gut», nuschelte ich, während der Schmerz unerträglich war. Hatte ich einen Nasenbeinbruch?

«Soll ich Ihnen helfen, die Blutung zu stillen?», fragte Alex, der gerade durch die Gartenpforte getreten war.

«Pfer gerne», murmelte ich, die Nase tat wirklich schweineweh.

«Es tut mir so leid», sagte Lilly und sah schuldbewusst drein.

«Da kannst du nipfts für», nuschelte ich. «Wirklipf nicht.» Ich bemühte mich um ein Lächeln. Das verursachte noch mehr Schmerzen. Aber ich lächelte weiter. Lilly sollte kein schlechtes Gewissen haben. Ich streichelte ihr über den Kopf. Sie wirkte beruhigt, und ich ging mit Alex ins Haus, während sie weiter im Garten den Ball gegen den Schuppen kickte.

«Sie sind sehr lieb zu Lilly», sagte Alex dankbar.

«Sie ist auch ein ganpf bepfonderepf Kind», antwortete ich.

In der Küche bot Alex mir einen Stuhl an, während ich beschloss, trotz des Schmerzes die Situation zu nutzen.

«Pfie waren mit Kim Lange verheiratet, oder?», fragte ich.

«Ja», nickte er und holte ein Kühlpack aus dem Eisfach.

«Muss merkwürdig gewepfen pfein mit pfo einer Berühmtheit verheiratet zu pfein.»

«Anstrengend trifft es besser.» Er legte mir das Kühlpack auf die Nase. Der wummernde Schmerz nahm etwas ab.

«Pfie hatte pficher kaum Zeit für die Familie?»

«Sie müssen die Nase hochhalten», sagte Alex. Er wollte offenbar nicht darauf eingehen.

«Ich bin mir pficher, Kim Lange würde ihr Leben jetzt anderpf führen.» Ich wollte, dass er das weiß.

«Was macht sie so ‹pficher›?», fragte Alex spitz.

«Im Leben nach dem Tod merkt man, was wichtig ipft im Leben vor dem Tod.»

«Sie sind da wohl eine ganz Spirituelle», spottete er.

Ich antwortete nichts. Ich war nicht spirituell, ich hatte ganz handfeste Erfahrungswerte.

«Nina nimmt sich nicht wichtiger als die Familie», sagte er mit unterdrückter Wut. «Ich habe es gut mit ihr getroffen. Da muss ich nicht nachdenken, was meine Frau im Leben nach dem Tod, was es, ganz nebenbei bemerkt, meiner Meinung nach nicht gibt, denken würde.»

Zack, das saß. Er wollte nicht mehr darüber reden.

Ich schon: «Vermipfen pfie pfie?»

«‹Vermipfen pfie pfie?›», fragte Alex. Er hatte mich nicht verstanden. Scheißnase!

«Vermipfen pfie pfie?»

«Vermipfen?»

«Vermipfen!»

«Vermischen?»

«VERMIPFEN! VERDAMMTE PFEIPFE», sagte ich laut.

Alex zuckte zusammen.

«Verpfeihung», sagte ich kleinlaut.

«Ob ich sie vermisse?», fragte er verwirrt.

Ich nickte.

Er nach einigem Zögern auch: «Ich wünsche mir jeden Tag, sie wäre noch da ...»

Das erste Mal sah ich, wie tieftraurig er war. Und ich konnte ihm nicht «Ich bin da! Ich lebe!» entgegenschleudern.

Aber …

… ich konnte ihn küssen.

Ich näherte mich ihm. Mit meinen großen, dicken Lippen.

Er war sichtlich verwirrt, durcheinander.

Und er blickte mir wieder in die Augen.

Meine Lippen berührten die seinen.

Und seine erwiderten den Kuss. Sein Hirn hatte anscheinend komplett ausgesetzt. Nur sein Herz lenkte ihn.

Es war der intensivste Kuss in all meinen Leben: Mein Rücken kribbelte, mein Herz schlug bis zum Hals, mein ganzer Körper war elektrisiert … es war wundervoll!

Schade eigentlich, dass Nina in die Küche kam.

Phase fünf (Ja, ich weiß, ich dachte vorher auch, es gäbe nur vier Phasen): Die Kacke beginnt zu dampfen!

Nina konnte nicht fassen, was sie da sah: Alex betrog sie. Mit einer Frau, die dreimal so viel wog wie sie selbst.

«Alex …», stammelte Nina fassungslos.

Alex ließ von meinen vollen Lippen («voll» war die freundliche Art, sie zu umschreiben) ab.

«Was machst du da …?» Ninas Hirn konnte das Ganze offenbar nicht prozessieren.

Und Alex' Hirn auch nicht: «Ich … ich weiß nicht.»

«Hast du den Knutschfleck von ihr?»

«Nein, von der Katze … hab ich doch gesagt …»

«Und die Kondome hast du wohl auch von der Katze, was?», sagte sie tief verletzt und holte dabei die gewaschene Kondompackung aus einer Schublade. «Die habe ich in deiner Jacke gefunden.»

«Ich … hab die noch nie gesehen», stammelte er.

Nina schaute ihn nur verächtlich an und verließ dann das Zimmer. Sie heulte nicht, stand aber sichtlich kurz davor.

«Nina!», rief Alex ihr nach.

«Lapf sie ...», bat ich. Ich wollte, dass er bei mir blieb. So gerne!

Aber er blickte mich nur sauer an, als ob ich ihn verhext hätte, und sagte: «Sie haben das alles eingefädelt. Mit dem Kater und den Kondomen ...»

Es fiel mir schwer, das zu dementieren.

«Was für ein krankes Spiel treiben Sie eigentlich?»

Und die Wahrheit konnte ich ihm auch nicht sagen. Mistbuddha!

«Sie sind gefeuert!», blaffte Alex noch wütend und rannte dann Nina hinterher.

Das Ganze war nicht halb so gut gelaufen wie erhofft.

In der Nacht wälzte ich mich schlaflos hin und her. Durch den Kuss hatte ich endgültig erkannt, dass ich nur Alex liebte. Mit Daniel Kohn, das war kribbelnd, das war aufregend, das war ein Abenteuer.

Aber mit Alex ... das war die wahre Liebe.

Endlich hatte ich meine Gefühle sortiert!

Dumm nur, dass Alex mich zum Teufel gejagt und gefeuert hatte. Ich hatte keinen Job, kein Geld und durfte Lilly nicht mehr sehen.

Am nächsten Morgen ging ich wieder zu unserem Haus. Ich hatte zwar keinen Plan, aber dafür die Hoffnung, dass Alex jetzt vielleicht milder gestimmt sein würde. Doch er war gar nicht da. Lilly auch nicht. Und Nina erst recht nicht. Die Türen waren verschlossen. Die Fenster ebenfalls. Was war da los?

«Casanova», rief ich, und er sprang aus dem Baum auf mich zu.

«Wo sind sie alle hin?», fragte ich ihn nervös. Wenigstens

war meine Nase mittlerweile abgeschwollen, und ich konnte wieder deutlich reden.

«Miau, miauuuu, miaaa», antwortete der Signore.

Das half nicht sonderlich weiter.

«Miau, miaaaa, miauuu», miaute er weiter und sprang dabei wie wild umher.

Diese Inter-Spezies-Kommunikation konnte einen in den Wahnsinn treiben.

Der Signore überlegte, tigerte auf und ab, da schien ihm eine Idee zu kommen. Er begann zu buddeln.

«Willst du was ausgraben?»

Er schaute mich nur strafend an und buddelte dann weiter.* Das letzte Mal hatte ich ihn graben gesehen, da war er noch eine Ameise und wollte ...

«Du willst fliehen?», fragte ich irritiert.

Er rollte genervt seine Kateraugen.

«Okay, okay, war blöd. Aber damals hast du dich auch aus dem Ameisengefängnis gegraben, und als du noch ein Mensch warst, aus den Bleikammern ...»

«Miau!!» Er stellte den Schweif hoch und blickte mich entschlossen an.

«Bleikammern? Was ist mit den Bleikammern?»

Er schaute ungeduldig. Und dann fiel endlich der Groschen. Ich wusste, wo meine Familie war!

* Aus Casanovas Erinnerungen: Erst als Tier merkt man so richtig, wie schwer von Begriff die Menschen sind.

55. KAPITEL

«Venedig?» Daniel Kohn sah mich ungläubig an, wie ich so mit dem schnurrenden Casanova auf den Schultern vor seiner Villentür stand. «Du gibst mir den Laufpass, und dann willst du, dass ich dir Geld für eine Venedigreise gebe?»

«Das ist ... ähem ... ziemlich gut zusammengefasst», erwiderte ich mit einem möglichst netten Lächeln.

«Und warum sollte ich das tun?»

«Weil es um mein Leben geht.»

«Und ich gehe wohl recht in der Annahme, dass du mir nicht sagen willst, warum genau es um dein Leben geht.»

«Du gehst recht.»

Daniel gefiel das nicht, aber ich wollte ihm jetzt auch nicht erzählen, dass ich hinter einem anderen Mann her war, der offensichtlich mit Nina einen Spontanversöhnungsurlaub in Venedig machte und dabei Lilly mitgenommen hatte. Zuerst war ich etwas verblüfft, dass die beiden ausgerechnet diese Stadt gewählt hatten, bis ich kapierte, dass nicht nur ich, sondern auch Nina sich dort in Alex verliebt hatte.

«Bitte», sagte ich leicht flehentlich.

«Du kriegst das Geld nicht», erwiderte Daniel.

Ich schluckte: «Gut, verzeih mir ...» Und ich wandte mich zum Gehen.

«Aber ich fahr dich gerne nach Venedig.»

Ich drehte mich schnell wieder um. Daniel grinste. Er wollte wissen, was los war, und mich nach Venedig zu fahren war die einzige Chance, es vielleicht doch herauszukriegen.

Ich musste nun abwägen: Ging ich auf Daniels Angebot ein, würde das eine ohnehin schon nicht unkomplizierte Lage noch komplizierter machen, oder ließ ich Alex und Nina ihren Versöhnungsurlaub machen, der dazu führen könnte, dass sie ein Paar bleiben und die dicke Maria endgültig aus ihrem Leben verbannen?

Casanova krallte sich demonstrativ fest in meine Schulter. Für ihn war die Sache klar. Und für mich auch: «Fahren wir!»

Daniels Porsche brauste mit zweihundert Sachen durch die Nacht gen Italien. Casanova war anfangs eingeschüchtert von dem Tempo, dann beeindruckt, und schließlich schlief er zwischen meinen Füßen ein. Als wir durch die Alpen fuhren, fragte ich mich, wann Daniel wohl nachfragen würde, um was es geht. Aber er fragte nicht. Stattdessen telefonierte er mit jungen Frauen, die allesamt tief enttäuscht waren, dass er die Dates mit ihnen cancelte, weil er für die nächsten Tage zu einer «spontanen Konferenz» musste. Nach dem dritten Anruf stellte ich leicht genervt fest: «Du hast dich aber schnell getröstet.»

«Stört dich das?»

«Nein», sagte ich, durchaus etwas gestört.

«Es stört dich doch.»

«Tut es nicht», dementierte ich und ärgerte mich, dass er recht hatte. Es verletzte meinen Stolz.

«Wer dementiert, hat was zu verbergen», grinste er frech flirtend.

«Ich hab nichts zu verbergen.»

«Du dementierst schon wieder.»

«Ich dementiere nichts.»

«Und wieder ein Dementi.»

«Du machst mich wahnsinnig.»

«Ich weiß.» Daniel grinste noch breiter und erhöhte das Tempo. Wir fuhren nun Serpentinen bergab. Mit zweihundertzwanzig. Mein Atem stockte. Mein Puls raste. Mein

Herz schrie: «Ich brauch eine Tablette. Sofort!» Ich öffnete die Dose, warf mir gierig eine von den roten Kapseln ein und stellte dabei entsetzt fest, dass ich nur noch eine Tablette übrig hatte.

«Soll ich langsamer fahren?», fragte Daniel mitfühlend.

«Nein», sagte ich nach kurzem Überlegen. «Ich will so schnell wie möglich in Venedig sein.»

Und Daniel drückte das Gaspedal ganz durch.

Die letzten Kilometer in die Stadt der Gondeln fuhren wir natürlich nicht mit dem Auto, sondern mit dem Wassertaxi. So über das Meer auf diese wunderbare Stadt zuzusausen, mit einem so gut aussehenden Mann wie Daniel Kohn an der Seite, dabei die Meeresgischt auf der Haut zu spüren und die «Urlaub, mach mal Urlaub!»-Luft zu schnuppern war für mich ja schon unglaublich, aber Casanova hatte wahre Tränen der Rührung in den Augen.*

56. KAPITEL

Daniel hatte für uns in einem süßen kleinen Luxushotel reserviert, einem alten kleinen Palazzo**, nur zehn Minuten vom Markusplatz entfernt. In der schnuckeligen Lobby hin-

* Aus Casanovas Erinnerungen: Nach über zweihundert Jahren kehrte ich wieder heim. In diesem Augenblick konnte ich noch nicht ahnen, dass in den nächsten vierundzwanzig Stunden jemand aus unserer illustren Reisegesellschaft versterben würde.

** Aus Casanovas Erinnerungen: In diesem Palazzo ging ich einst als junger Mann ein und aus. Ich hatte hier viele hübsche Dinge verloren: einen wertvollen Ring, eine handgeschnitzte Pfeife aus Elfenbein, meine Unschuld ...

gen drei wunderschöne alte Bilder, die edle Renaissancemenschen zeigten, wie sie müßiggingen, und es gab einen kleinen Tisch mit zwei wunderbaren, über dreihundert Jahre alten Stühlen, auf die ich mich nicht traute zu setzen, da ich keine Haftpflichtversicherung hatte.

Wir traten an die Rezeption, und ich konnte kaum glauben, was ich da erfuhr: «Was soll das heißen, wir bekommen eine Suite für zwei Personen?», fragte ich.

«Sie hatten keine zwei Einzelzimmer mehr», lächelte Daniel und gab sich nicht mal Mühe, seine Absicht, mit mir im Bett zu landen, zu verschleiern.

«Dann nehmen wir ein anderes Hotel!»

«Ich mag aber das hier.»

«Dann geh ich in ein anderes!»

«Und mit welchem Geld?» Daniel hatte ganz offensichtlich seinen Spaß.

Ich verdrehte die Augen: «Damit eins klar ist, du lässt deine Finger von mir.»

«Wenn du es schaffst, deine von mir zu lassen ...», grinste er frech zurück. Der Mann war von sich überzeugt, und ich erinnerte mich daran, dass ich schon lange keinen Sex mehr hatte, und eine Nacht mit ihm war ja immer kribbelnd, aufregend, ein Abenteuer ...

Da kratzte Casanova an meinen dicken Schenkeln, er hatte anscheinend die Lust in meinen Augen gesehen und wollte mich auf das Wesentliche aufmerksam machen.

«Ich muss jetzt erst mal jemanden suchen», sagte ich daher zu Daniel und ließ ihn mit dem Gepäck stehen.

Vor dem Hotel stand ich dann mit Casanova auf den Schultern und ohne einen blassen Schimmer: Wie sollte ich in dem Gewühl von Touristen jemals Alex und Lilly finden?

Ich latschte stundenlang in der Hitze durch die Gassen und über die Brücken Venedigs und hielt Ausschau. Der Schweiß tropfte mir von der Stirn, und ich rempelte dabei viele Touristen an – diese verdammten Brücken waren vielleicht eng. Die Angerempelten fanden das nur bedingt lustig, und so hörte ich mir «Fette Kuh» in allen den Vereinten Nationen bekannten Sprachen an. Schließlich gab ich auf: So hatte ich keine Chance, meine Familie zu finden!

Ich keuchte in das Hotel zurück, viel zu kaputt, um irgendetwas zu unternehmen. Casanova aber suchte weiter nach Nina, seiner großen Liebe. Daniel erwartete mich schon im Zimmer und fragte nett: «Und, Erfolg gehabt?»

Ich schaute ihn nur leer an.

«Klingt nach einem Nein.»

Ich ging unter die Dusche. Als ich nach zwei Stunden endlich fertig war, schlüpfte ich in meinen Riesenschlafanzug und wollte nur noch eins: ins Bett. Aber Daniel lag schon darauf. «Ich zahl das Zimmer, da schlaf ich nicht auf dem Boden», lächelte er.

«Du willst Sex», stellte ich fest.

«Wir sind aber eingebildet.»

Ich war müde, ich vermisste meine Familie, und ich hatte keine Lust auf Spielchen. Ich warf mich aufs Bett und sagte: «Ich will schlafen.»

Daniel begann als Antwort meinen Nacken zu massieren.

«Lass das!», forderte ich.

«Das meinst du nicht wirklich.»

Okay, er hatte recht – ein bisschen massiert werden, was war denn schon dabei?

Er machte es gut, so gut.

Und von draußen hörte ich die Gondolieri im Kanal «Volare» singen. Unter normalen Umständen hätte mich dieses nervige Geträller verspannt, aber Daniel hatte inzwischen begonnen, meinen Nacken zu küssen.

Ein bisschen geküsst zu werden, was war denn schon dabei?

Daniel fing an, mein Schlafanzugoberteil sanft hochzuschieben, um meinen Rücken zu massieren. Ich kämpfte mit mir, man musste ja nicht gerade Nostradamus sein, um zu erkennen, wo das enden würde. Sollte ich es zulassen?

Ein bisschen Sex, was war denn schon dabei?

Natürlich ein ganzer Haufen, wenn man eigentlich seine Familie wiederhaben will ... aber es war so schön ...

Und dann gab ich endlich nach, sagte: «Ach, was soll's?», und warf mich lüstern auf ihn.

«Umpfhh», ächzte er.

Ich ignorierte das, und wir begannen zu knutschen. Wild.

Ich seufzte glücklich. Auch weil Daniel der Yehudi Menuhin des Zungenspiels war. Wir hätten sicherlich innerhalb der nächsten zweiunddreißig Sekunden miteinander geschlafen, wenn, wenn ... ja, wenn Casanova nicht über den Balkon ins Zimmer gekommen und anschließend mit seinen voll ausgefahrenen Krallen auf meinen Rücken gesprungen wäre.

«Ahhh, tickst du noch ganz sauber?», fluchte ich.

Der Signore deutete nur mit seiner Pfote zur Tür.

«Was es auch ist, es wird wohl Zeit haben», blaffte ich ihn an.

Casanova schüttelte den Kopf.

«Die Katze kann dich verstehen?» Daniel konnte es nicht glauben.

Casanova rannte zur Tür und kratzte daran. Ich sollte sie aufmachen. Jetzt begriff ich endlich: Der Signore hatte eine

Spur.* Ich zog mich in Windeseile an, während Daniel – nur halb im Scherz – sagte: «Ich fühl mich benutzt.»

Ich ging nicht darauf ein, öffnete die Tür und folgte dem Signore. Allerdings nicht allein, denn Daniel zog sich ebenfalls an.

«Du bleibst hier!», sagte ich zu ihm.

«Ich denk gar nicht dran», erwiderte er und lief hinter mir her.

Wir stürzten zu dritt in die venezianische Nacht. Dass ich Daniel im Schlepptau hatte, war etwas, von dem ich keine Ahnung hatte, wie ich es Alex erklären sollte. Und genauso schwer: Wie sollte ich Daniel erklären, dass ich ausgerechnet hinter Alex, dem Witwer von Kim Lange, der Frau, die auch er geliebt hatte, her war? Ein «Fiderallala» würde wohl kaum reichen.

Casanova führte uns in eine ganz schmale Gasse, vorbei an einem Kanal, der nach «Venedigs Bürger bräuchten dringend mal ein besseres Abwassersystem» roch, hin zu einem kleinen Platz, hinter dem das freie Meer begann. Keine Menschenseele war hier zu sehen, kaum ein Tourist würde sich so spät so weit vom Zentrum wegbewegen. Und mitten auf dem Platz, vom Vollmond, den Sternen und einer schwachen Straßenlaterne beleuchtet, stand die kleine Kirche San Vincenzo.

Die Kirche, in der Alex und ich geheiratet hatten.

* Aus Casanovas Erinnerungen: In Venedig gab es eine enorme Anzahl von Katzen, und eine besonders scheußliche hatte Lilly erspäht. Doch das hässliche Geschöpf wollte den Aufenthaltsort des Mädchens nur gegen einen Liebesdienst preisgeben. Mir war bewusst: Dies ist ein Moment, in dem ein Kater tun muss, was ein Kater tun muss.

An der Kirche hing ein Schild mit der Aufschrift «Vietato l'accesso! Pericolo di vita!» Da das Einzige, was ich auf Italienisch sagen konnte «Uno espresso per favore» war, verstand ich nicht, was es bedeuten sollte, aber in Verbindung mit dem verwitterten Absperrband und dem Wissen, dass die Kirche schon zur Zeit unserer Hochzeit baufällig gewesen war, konnte ich davon ausgehen, dass es keine allzu brillante Idee war, da hineinzulaufen. Kater Casanova tat es natürlich dennoch. Er flitzte unter dem Band hindurch, an den aufgesprungenen Bodenplatten vorbei und durch die angelehnte Kirchenpforte hinein.

Ich seufzte, hob das Absperrband hoch und bückte mich drunter durch.

«Du willst da rein?», fragte Daniel skeptisch.

«Nein, ich will mit dem Band rhythmische Sportgymnastik machen», erwiderte ich leicht schnippisch.

«Da steht was von Lebensgefahr», gab er zu bedenken.

«Mir wäre lieber gewesen, das nicht zu wissen», sagte ich genervt und ging in Richtung Kirche.

Daniel seufzte: «Frag mich mal», und folgte mir.

Als wir in die Kirche eintraten, fiel das Vollmondlicht durch die alten Buntglasfenster und verlieh dem Gebäude eine wohlige Sommernachtsatmosphäre.

Die Kirche war wunderbar schlicht, hier gingen vor Jahrhunderten keine venezianischen Dogen ein und aus, sondern ganz normale Leute, deswegen fanden Alex und ich sie ja damals auch so romantisch. Doch mittlerweile war sie so baufällig, dass überall Baugerüste standen, die seit langem verlassen wirkten. Anscheinend hatte die Stadtverwaltung beschlossen, dass diese Kirche den Aufwand nicht lohnte und das Geld lieber in Hochglanzbroschüren gesteckt werden sollte.

Ich betrachtete den Altar, und es war wie eine gedankliche Zeitreise: Ich sah mich als Kim, daneben Alex, wie er mir den Ring überstreifte, und ich erinnerte mich an den Kuss, den er mir gab ... die Erinnerungen waren so wunderschön und vermengten sich mit dem Schmerz, dass Alex mit Nina zusammen war, zu einem leisen traurigen Aufschluchzen.

«Psst», sagte Daniel.

«Ich lass mir von dir doch nicht das Weinen verbieten», pampte ich ihn an.

«Das mein ich nicht ... hör doch.»

Ich lauschte und ... tatsächlich, da war etwas: ein kleines rhythmisches Schnarchen. Ich hätte es überall auf der Welt erkannt, hatte ich es doch sowohl als Hund als auch als Ameise so genossen, es zu hören.

«Lilly!»

«Wer ist Lilly?», fragte Daniel.

Ich antwortete nicht und rannte in Richtung des Geräusches.

«Ich gewöhn mich langsam daran, keine Antworten zu bekommen», lakonisierte Daniel und folgte mir durch die Kirchenbänke in die erste Reihe. Dort lag Lilly zusammengerollt und schnarchte leise vor sich hin. Das Licht des Vollmondes fiel direkt auf ihr süßes Gesicht.

Ich setzte mich neben sie und streichelte über ihre zarte Wange: «Hey, Kleines, wach auf.»

Ihre Augen öffneten sich.

«Mmmaria?», murmelte sie.

«Ja, was machst du denn hier?»

«Meine Mama und mein Papa haben hier geheiratet.»

Ich lächelte tief gerührt, während sie von der Bank aufstand.

«Wer sind denn deine Mama und dein Papa?», fragte Daniel.

Und noch bevor ich Lilly die Hand auf den Mund legen konnte, antwortete sie: «Alex und Kim Lange.»

Daniels Kinnlade fiel ungefähr auf Unterschenkelhöhe.

Er starrte mich an.

«Äh ...», war der erste Laut, den er nach einer Weile formulieren konnte, und der zweite war auch nicht bedeutend artikulierter: «Häh ...?»

In diesem Augenblick miaute Casanova hocherfreut. Und das nahm ich als Warnsignal, denn wenn er so miaute, konnte das nur bedeuten ...

«Lilly, du hast uns einen Schreck eingejagt. Einfach so wegzulaufen, wir haben schon die Polizei alarmiert ...»

Nina war da.

«Was machen Sie denn hier, Maria?»

Und Alex auch.

Nun sah Alex, dass Daniel Kohn ebenfalls anwesend war: «Und was machen Sie hier?!?»

«Äh ...», stammelte Daniel ein weiteres Mal. Alex' Anwesenheit schien seine Gehirnprozessoren endgültig zur Kernschmelze zu bringen. Er richtete den Blick auf mich, so wie es Alex nun auch tat. Beide wollten eindeutig eine Erklärung.

Es war das erste Mal, dass ich gerne eine Ameise gewesen wäre.

«Hast du diese Frau hierhergebracht?», fragte Nina Alex in einer Mischung aus Eifersucht und Mordlust.

Und jetzt hätte ich gerne meine Ameisensäurendrüse gehabt.

«Ich ... hab sie nicht mitgebracht», antwortete Alex verwirrt.

«Haben Sie sie mitgebracht?», fragte Nina nun Daniel, der schwach nickte.

«Das ergibt doch alles keinen Sinn», schimpfte Nina. «Was macht ein Promi wie Sie mit so einem Michelin-Weibchen?»

Und jetzt hätte ich gerne eine Stalinorgel gehabt.

«Ich ... ich begreif das alles hier nicht», stammelte Alex.

«Ich schon», sagte Daniel.

Wir alle starrten ihn an. Alex. Lilly. Nina. Ich. Kater Casanova.

«Na, da bin ich aber mal gespannt!», fand Nina als Erste ihre Worte wieder.

Und ich war es noch viel mehr.

«Also, das mag sich alles verrückt anhören», begann Daniel, «aber ... sie liebt den Ehemann von Kim ... Und ich liebe sie ... So wie ich Kim geliebt habe ... Und sie taucht in unser aller Leben auf ... dabei ist sie doch eigentlich eine Putzfrau aus Hamburg ...»

«Kommt da jetzt noch was Erhellendes?», fragte Nina genervt.

«Ja ...», erwiderte Daniel, «für all das kann es nur eine Erklärung geben ...»

«Und welche?» Nina ging Daniels Gestammel offensichtlich auf den Geist.

«Maria ... Maria ... ist ... Kim.»

Nun fielen mehrere Kinnladen auf Unterschenkelhöhe: Ninas. Alex'. Meine.

Nur Casanova leckte sich genüsslich seine Pfote. Und Lilly schaute mich hoffnungsfroh an.

«Irgendwie wiedergeboren ... oder Seelenwanderung ... oder irgendetwas», stammelte Daniel weiter. «Was ... was gibt es sonst für eine Erklärung für all den Irrsinn?»

«Komm, Alex, wir müssen uns diesen Schwachsinn nicht anhören.» Nina zog an seinem Ärmel und wollte raus. Aber Alex blieb stehen.

«Alex!», insistierte Nina, doch er schaute nur mich an.

«Stimmt das?», fragte er mich.

«Du ... du glaubst das doch nicht etwa?», fragte Nina.

«Es würde alles erklären ...», sagte Alex.

«Hat die Alte euch Psychopharmaka verabreicht?» Nina war sauer, jeden Augenblick konnte man weißen Schaum auf ihren Lippen erwarten.

«Also?», fragte Alex mich. «Hat er recht?»

Was sollte ich sagen? Ich blickte zu Lilly, die mich mit leuchtenden Augen ansah: «Bist du meine Mama?»

«Die Schnepfe, die Schnepfe setzt auf den Tisch die Näpfe», trällerte ich schwach.

«Das macht sie immer», stellte Daniel fest.

«Weil sie einen größeren Dachschaden hat als diese Kirche!», ergänzte Nina.

Ich schaute Alex verzweifelt an, zeigte auf meinen Mund und deutete an, dass ich nicht reden kann.

«Du kannst nicht darüber reden?»

«Wenn du nicht sprechen kannst, dann nick einfach», sagte Alex. «Bist du Kim?»

Nicken. Super Idee. Ich musste nichts sagen. Nicht schreiben. Einfach nur nicken. Das konnte Buddha doch wohl kaum verhindern, oder?

Ich versuchte also zu nicken, aber mein Kopf drehte sich nur im Kreis! Und je mehr ich verzweifelt dagegen ankämpfte, desto schneller drehte er sich.

«Versucht sie einen Rundenrekord?», fragte Nina nur trocken, während beide Männer und Lilly von meiner Reaktion mindestens genauso enttäuscht waren wie ich.

(Wenn ich Buddha nochmal treffen sollte, dann würde ich ihm – um es mit den Worten meiner Mutter zu sagen – «gehörig in den Arsch treten».)

«Wir gehen jetzt», bestimmte Nina. Aber Alex ging gar nicht darauf ein und betrachtete mich weiter voll Hoffnung.

«Wir gehen jetzt!», insistierte Nina. Ich glaubte, nun wirklich die ersten weißen Schaumbläschen auf ihren Lippen erkennen zu können.

Alex schaute verwirrt zu ihr. Aber bevor er etwas stammeln konnte, rief Lilly: «Nein!»

«Jetzt fang nicht auch noch an zu nerven!», schäumte Nina. «Wir haben uns den halben Tag auf der Suche nach dir die Füße wund gelatscht und ...»

«Du hast mir gar nichts zu sagen!», schimpfte Lilly und rannte durch ein weiteres Absperrband Richtung Altar.

«Lilly, komm sofort her!», schrie Nina.

«Ich bleib hier!», rief die Kleine und begann, auf eines der wackligen Baugerüste zu klettern.

«Lilly!», riefen Alex und ich unisono. Wir schauten uns kurz an, nickten uns flüchtig zu, weil wir uns als Eltern in unserer Sorge verbunden fühlten, und rannten der Kleinen hinterher.

«Komm runter», rief Alex Lilly zu.

Doch sie kletterte immer weiter hoch. Dass das Gerüst unter ihr bedenklich schwankte, interessierte sie nicht.

«Ich komme erst runter, wenn ich weiß, ob du meine Mami bist oder nicht.»

Wie sollte ich ihr das nur beweisen?

Ich konnte es nicht. Und damit enttäuschte ich sie. Sehr. Sie begann zu weinen. Und sie saß mittlerweile ganz oben auf dem Gerüst.

«Ich hol sie runter», sagte Alex entschlossen.

«Das Gerüst sieht nicht so aus, als ob es dein Gewicht tragen könnte», sagte ich besorgt.

«Deins erst recht nicht», rief Nina patzig dazwischen.

Ich blickte mich zu ihr um. Eine Stalinorgel hätte mir jetzt nicht mehr für sie gereicht.

«Du bist die Einzige, die leicht genug ist, da raufzugehen», erwiderte ich.

Nina zögerte, blickte zu der weinenden Lilly.

«Maria hat recht», sagte Alex.

«Ich bin doch nicht lebensmüde!»

«Es geht um Lilly!» Alex konnte es nicht fassen, dass Nina zögerte.

«Komm runter!», schrie Nina zu Lilly hoch.

«Schrei sie nicht an!», motzte Alex, bevor ich es motzen konnte.

«Schrei du mich nicht an!», erwiderte Nina verletzt.

«Ich will meine Mama wieder», weinte Lilly. Mein Herz schmerzte.

«Hilf ihr!», bat Alex Nina. Die blickte nach oben. Der Aufstieg war ihr eindeutig zu riskant.

«Ich hol Polizei oder Feuerwehr oder so etwas!», antwortete sie und hastete auf einen der Seitenausgänge zu.

Casanova rannte ihr hinterher, er miaute und sprang ihr in den Weg. Wie wild. Er wollte sie aufhalten. Wegen Lilly?

«Hau ab, du Mistvieh!», fluchte Nina. Aber Casanova ließ nicht locker.

«Hau ab!» Sie verpasste ihm einen bösen Tritt, in den sie all ihre Wut auf Alex, mich und die Situation legte.* Casa-

* Aus Casanovas Erinnerungen: Meinen ersten Körperkontakt mit Mademoiselle Nina hatte ich mir in meinen Tagträumen durchaus romantischer ausgemalt.

nova flog ein paar Meter durch die Luft und knallte gegen eine Kirchenbank.

Ich aber blickte wütend zu Nina. Da sah ich, dass über dem Seiteneingang, aus dem sie hinauswollte, ebenfalls ein Gerüst stand – ein noch viel instabiler wirkendes als das, auf dem Lilly saß. Und jetzt wusste ich auch, warum der Signore hinter ihr her war: Er hatte etwas gesehen, was Nina in ihrer Wut nicht bemerkt hatte: Es war extrem gefährlich, aus diesem Ausgang zu gehen! Würde Nina die Tür öffnen, würde sie damit gegen eine der wackligen Stützen schlagen und damit das Gerüst über sich zum Einsturz bringen. Es würde Nina unter sich begraben. Casanova wollte ihr Leben retten!

Dies war der Augenblick, in dem ich Nina hätte warnen müssen!

Doch stattdessen sausten mir jede Menge Gedanken durch den Kopf. Ein Teil von mir sagte: «Wenn Nina stirbt, ist Alex endgültig für dich frei.» Und ein weiterer Teil sagte: «Dann können wir unser Leben so leben, wie wir wollen.» Aber der dritte – skeptische – Teil gab zu bedenken: «Hallo, sie wird steeeerben!!!!!»

«Schon», erwiderte der erste Teil seelenruhig. «Aber das ist gar nicht so schlimm.» Und der zweite Teil ergänzte: «Sie wird ja wiedergeboren.» Und der dritte Teil sagte bass erstaunt: «Hey, ihr habt ja recht!»

Und Nina wäre ja auch nicht lange tot gewesen. Sie wäre ja wiedergeboren worden. Vielleicht als hübsches Karnickel oder als ein tolles Pferd – sie mochte ja Pferde. Und so viel Schlimmes hatte sie ja in ihrem Leben nicht getan, dass sie weiter unten auf der Reinkarnationsleiter landen würde. Oder? Dass sie einmal abgetrieben hatte, würde doch nicht für den Ameisenhaufen reichen. Oder? Buddha war ja nicht wie der Papst. Oder …?

Oder?!?!?!?

Ich wünschte niemandem so eine Ameisen-Versuchslabor-Reinkarnations-Tortur, wie ich sie durchgemacht hatte. Nicht mal Nina! Und wegen all der blöden Oder konnte ich mir nicht völlig sicher sein, dass sie nicht doch demnächst Gummibärchen durch die Gegend schleppen würde, wenn ich sie nicht warnen würde.

«Nina!», schrie ich.

«Halt's Maul, fette Kuh!», rief sie. Sie war nur noch einen Meter von der Tür entfernt.

Ich setzte meinen Körper in Bewegung und rannte los. Alex und Daniel blickten mir verwirrt nach, während ich im Hintergrund immer noch Lillys Schluchzen hörte.

«Nicht die Tür öffnen!», japste ich.

Nina ignorierte mich und legte die Hand auf die Klinke. Ich rannte schneller. Sie drückte den Griff runter.

«Nein!», schrie ich und hatte sie nun fast erreicht.

Aber genau in diesem Moment zog sie die Tür auf und stieß damit gegen die Stütze des Gerüsts. Es rumpelte, gleich würden die Trümmer auf sie stürzen. Ich sah Ninas erschrockenen Blick. Und mir war klar: Sie wird in einigen wenigen Momenten als Tier wiedergeboren, vielleicht sogar als Ameise … wenn ich sie nicht rettete.

Genau das tat ich auch, ohne weiter über die Konsequenzen nachzudenken. Ich riss Nina zu Boden und beschützte sie mit meinem massigen Körper. Die Bretter des Gerüstes knallten mir auf den Kopf, den Rücken, die Beine.

Als der Staub sich legte, spürte ich, wie Nina unter meinem schweren Körper atmete.

Ich hatte ihr das Leben gerettet. Dank meines Fetts.

Ich lächelte zufrieden.

Und das war der Moment, in dem mein Herz versagte.

57. KAPITEL

Bumm-bumm-bumm. Kein Film, in dem mein Leben an mir vorbeilief.

Bumm-bumm-bumm. Kein Nirwana, das mich in sich aufnehmen wollte.

Bumm-bumm-bumm. Kein Licht, das mich umarmt.

Bumm-bumm-bumm. Keine Gefühle von Liebe und Geborgenheit.

Bumm-bumm-bumm. Nur mein Herz, das schlug.

Wie lange hatte es das nicht getan? War ich noch in der Kirche?

Ich machte die Augen auf und sah, dass ich wieder in dem strahlenden Weiß des Nirwana-Vorhofes lag. Und über mich beugte sich der nackte Buddha!

«Au Mann, kannst du dir nicht mal was anziehen?», fragte ich.

«Du bist auch nackt», lächelte Buddha.

Das stimmte. Wir beide sahen so aus, als ob der Weight-Watchers-Kurs einen FKK-Ausflug veranstaltete.

«Ich bin also schon wieder tot», stellte ich fest, während ich mich aufrappelte.

«Nicht ganz», lächelte der Dicke.

«Nicht ganz?», fragte ich skeptisch. «Nicht ganz tot ist wie nicht ganz schwanger.»

«Er ringt noch um dein Leben.»

«Wer?»

«Alex.»

Ich war erstaunt. Und ich hoffte: Hatte Alex etwa eine Chance, mich wiederzubeleben?

«Und ... gewinnt er?», fragte ich.

«Sieh selber.»

Buddha streckte mir seinen wabbeligen Bauch entgegen. Und bevor ich sagen konnte: «Uahh, das ist nicht sonderlich ästhetisch, und ich weiß, dass ich das eigentlich nicht sagen dürfte, weil ich auch ziemlich fett bin, aber bitte, bitte, bitte streck mir nicht deinen Leib so hin», verwandelte sich sein Bauch in eine Art Guckloch in die Kirche San Vincenzo.

«Whoa, du hast einen eingebauten Fernseher», scherzte ich bemüht.

Und je klarer das Bild, desto aufgeregter wurde ich: Alex und Daniel hatten anscheinend die Bretter, die auf uns Frauen lagen, abgetragen. Und während Lilly das alles ängstlich von ihrem Hochsitz aus betrachtete, rappelte Nina sich auf und blickte zusammen mit Daniel auf Alex, der verzweifelt versuchte, mich mit einer Herzmassage zu reanimieren.

«Die Dicke ... hat mich gerettet ...», sagte Nina fassungslos.

«Ja», hauchte Daniel beeindruckt.

«Das ... das ... ist der Beweis», stammelte Nina.

«Wofür?», fragte Daniel.

«Dass sie nicht Kim ist. Kim hätte so etwas nie getan ...»

Ich schnaubte verächtlich.

«Sie hat recht», lächelte Buddha, «die Kim, die du einst warst, hätte das nie getan. Du hast dich sehr verändert.»

Ich blickte ihn erstaunt an. Sein Bauch-Fernseher änderte das Programm: Ich sah, wie ich in meinem Leben als Kim Lange meine Moderations-Vorgängerin Sandra Kölling ohne Skrupel aus ihrem Job verdrängt hatte.

Das Bauch-Bild änderte sich, und ich sah nun, wie ich mir als Kim Lange schwor, nie wieder auch nur einen Fingernagel für eine meiner Redaktionsassistentinnen zu riskieren. Und dann schaltete der Bauch erneut um, und ich konnte mir plötzlich selbst als Meerschweinchen zuschauen. Ich stand auf der Straße in Potsdam. Es war der Moment, in dem der Renault Scenic auf Depardieu zuraste. Damals war ich nicht eine Sekunde lang darauf gekommen, Depardieu zu retten, so wie ich jetzt Nina gerettet hatte.

«Ich bin anscheinend zu einer echten Gutes-Karma-Sammlerin mutiert», sagte ich.

«Genau», bestätigte Buddha erfreut.

«Ich hab es aber gar nicht absichtlich getan.»

«Ich weiß. Umso besser ist es ja.»

«Was?»

«Du sammelst nun gutes Karma, ohne nachzudenken. Unter Einsatz deines Lebens. Und mit reinem Herzen!»

Das berührte mich. Tief. Ich musste – trotz allem – stolz lächeln.

«Und vor allen Dingen: Du bist bereit, für andere etwas Besonderes zu opfern!»

Ich hörte auf zu lächeln. Buddha hatte recht: Um Nina zu retten, hatte ich mein Leben riskiert. Ein Leben mit meiner Familie.

«Du weißt noch, was ich dir gesagt hatte, als du nicht ins Nirwana gehen wolltest?», fragte Buddha.

Sein Bauch änderte wieder das Programm, schaltete zu unserer letzten Begegnung, kurz bevor ich in Marias Körper aufgewacht war: Ich stand vor dem nackten Buddha als nackte Kim Lange. (Gott, war ich dünn, und meine Schenkel waren echt schlank.) Er sagte zu mir: «So eine Chance gewähre ich dir nur ein einziges Mal.»

Buddha schaltete auf Standbild und verkündete: «Du gehst jetzt ins Nirwana.»

«Da will ich aber nicht hin!», protestierte ich.

«O doch, das willst du», lächelte Buddha.

«Will ich nicht!»

«Diesmal wirst du mich nicht umstimmen können.»

Das Bild des Fernsehbauches schaltete wieder zurück in die Kirche San Vincenzo: Alex massierte mein Herz: «Komm schon! Komm schon!»

Er wurde immer verzweifelter.

So verzweifelt, dass er sagte: «Komm schon ... Kim!»

«Ich will ja!», rief ich und blickte Buddha flehentlich an. Aber der reagierte nicht.

Ich blickte zum Bauch und sah, dass Nina Daniel flüsternd fragte: «Glauben Sie wirklich, dass das Kim ist?»

Daniel nickte stumm.

Nina blickte den verzweifelten Alex an, wie er mein Herz massierte und meinen Namen ständig wiederholte, und flüsterte tieftraurig zu Daniel: «Gegen diese Liebe habe ich keine Chance.»

Und Daniel nickte, als ob er sagen wollte: «Ich auch nicht.»

«Kim, bitte!», rief Alex, dem schon die Tränen in den Augen standen.

Auf dem Gerüst weinte Lilly leise in ihren Ärmel: «Bitte, Mama ...»

«Bitte», flehte ich nun auch Buddha an.

Doch er antwortete nur: «Du gehst jetzt ins Nirwana.»

Ich blickte in seine freundlichen Augen. Und seine freundlichen Augen sagten mir ganz deutlich: «Das ist nicht mehr verhandelbar.»

Ich war am Ende. Ich durfte nicht zu Alex zurück und zu

meiner Lilly ... mir schossen ebenfalls die Tränen in die Augen.

«Es ist so weit», sagte Buddha.

Ich sah noch ein letztes Mal auf meine Familie. Dann schloss ich die Augen und verkniff mir mit aller Macht die Tränen: Wenn, dann wollte ich würdevoll ins Nirwana gehen.

58. KAPITEL

Als ich die Augen wieder öffnete, gab es einen außerordentlichen Mangel an Licht und Nirwana.

Ich lag wieder in der Kirche San Vincenzo und blickte in die Augen von Alex.

Der konnte sein Glück kaum fassen.

Ich meins auch nicht. Ich war völlig verwirrt: Ich dachte, ich müsste ins verdammte Nirwana. Was war denn jetzt los?

«Alles okay?», fragte Alex.

Ich hatte überall blaue Flecken, Prellungen und Schürfwunden. Mein Herz musste sich noch daran gewöhnen, die Arbeit wiederaufzunehmen. Aber trotz allem lächelte ich: «Es könnte nicht okayer sein.»

Daniel sah, wie Alex und ich uns anstrahlten, und flüsterte niedergeschlagen zu Nina: «Ich glaube, wir können gehen.»

Nina nickte, all das war zu viel für sie gewesen.

Daniel legte die Hand um ihre Schultern und wandte sich mit ihr zum Gehen.

«Sie hat die Katze getreten», rief die kleine Lilly, die noch – völlig durcheinander – auf dem Gerüst saß.

Ich blickte zu Casanova. Er lag völlig regungslos bei der Holzbank, gegen die Ninas Tritt ihn geschleudert hatte. Erschrocken richtete ich mich auf, zuckte aber gleich wieder zusammen: Mir tat alles höllisch weh.

«Ich helf dir», Alex stützte mich mit seinen sanften Armen.

«Danke», antwortete ich und humpelte mit seiner Hilfe schnell zum Signore. Schon bevor ich bei ihm war, erkannte ich: Casanova atmete nicht mehr. Sein Katzengenick war gebrochen. Das machte mich fertig. Und wütend auf Nina.

Aber nur für eine Sekunde. Sie war so traurig, dass ich ihr nicht auch noch Vorwürfe machen wollte.

Außerdem dachte ich mir, dass Casanova ja gestorben war, weil er Nina retten wollte. Und ohne ihn hätte ich auch nichts mitbekommen, Nina wäre vom Gerüst erschlagen und nicht durch mein Fett gerettet worden. Sicherlich hatte der Signore so gutes Karma gesammelt, und vielleicht war er ja sogar ins Nirwana gekommen. Man brauchte also nicht um ihn zu trauern!

«Du musst kein schlechtes Gewissen haben. Der Körper ist nur eine Hülle für die Seele», wollte ich Nina aufmuntern.

Sie erwiderte nichts, starrte nur vor sich hin.

Daniel Kohn, der das Ganze bemüht tapfer nahm, legte ihr tröstend die Hand auf die Schultern: «Vielleicht sollten wir jetzt wirklich gehen.»

Sie blickte kurz zu Alex, dann zu mir und sagte schließlich tieftraurig: «Nicht nur vielleicht.»

Alex wollte etwas antworten, aber er erkannte, dass kein Wort von ihm Nina trösten konnte. Und so sagte er nur leise, aber mit fester Stimme: «Entschuldige.»

Nina nickte. Dann führte Daniel sie aus der Kirche heraus. Sie tat mir unglaublich leid, hatte sie doch alles verloren, was sie sich erträumt hatte.

Vielleicht, so hoffte ich aus tiefstem Herzen, würden sie und Daniel ja jetzt ein Paar werden. Da klingelte Daniels Handy, und er ging ran. «Babsi?», fragte er. «Ja klar, meine Konferenz ist zu Ende. Ich bin morgen in Potsdam ... Schokopudding? Ja, das ist ein wunderbares Kleidungsstück für dich ...»

Gut, vielleicht würden Nina und Daniel aber auch nicht ein Paar werden.*

Die beiden verließen nun die Kirche. Als die Tür hinter ihnen zuschlug, waren Alex, Lilly und ich das erste Mal seit dem Tag meines ersten Todes miteinander alleine.

Die Sonne ging mittlerweile wieder auf, und die ersten Strahlen fielen durch das wunderbare Buntglasfenster. Die blauen, grünen, roten, violetten und weißen Felder des Fensters brachen das Licht so, dass wir dastanden wie unter einem Zauberfarbenhimmel.

Nur dass Lilly unter diesem Zauberfarbenhimmel immer noch auf dem Gerüst saß.

«Komm bitte runter», rief ich ihr besorgt zu.

* Aus Casanovas Erinnerungen: Wie Madame Kim ließ Buddha auch mir die Wahl, ob ich ins Nirwana gehen wollte oder nicht. Wie ich mich entschieden habe? Formulieren wir es mal so ... Mademoiselle Nina war höchst erstaunt, dass ein so beleibter Mann so ein phantastischer Liebhaber sein kann. Wir erfüllten Mademoiselle Ninas – vorher von ihr nie formulierten – tiefsten Herzenswunsch: Wir setzten ein halbes Gros von Kindern in die Welt. Wir waren dabei wie die Karnickel, pardon Meerschweinchen. Und wir lebten mit unserer Großfamilie in meiner wunderschönen Heimat Venedig. Die bezaubernde Nina, die mittlerweile selbstverständlich meine Madame war, unterhielt dort ein Reisebüro, und ich verdiente mit dem Verfassen von Erotikfibeln Geld. Um unseren Nachwuchs kümmerte sich Nina einfach vortrefflich und sammelte so sicherlich gutes Karma. Und ich sammelte es, indem ich mit meinen Fibeln das Liebesleben vieler Menschen so unendlich viel kreativer machte.

«Erst, wenn ich weiß, ob du meine Mama bist.»

Ich wollte so gerne herausschreien: «Ja, ich bin es!»

Obwohl ich wusste, dass ich gleich die Vogelhochzeit trällern würde, öffnete ich meinen Mund und sagte: «Ja, ich bin deine Mama.»

Kein «Fideralla», kein Sperber, keine Pute, kein Specht, überhaupt kein bescheuertes Federvieh – einfach nur: «Ich bin deine Mama.»

Ich war völlig perplex! Hatte Buddha den Bann gegen mich aufgehoben?

Lilly strahlte mich an: «Wirklich?»

«Ja!», schrie ich laut lachend.

Auch sie lachte fröhlich auf und begann, von dem Gerüst herunterzukrabbeln.

«Pass auf!», rief ich und «Sei vorsichtig!»

«Mama, ich bin jetzt schon groß!», erwiderte Lilly.

Während meine Tochter behände das Gerüst runterstieg, lächelte Alex mich an: «Ich ... ich kann das immer noch nicht glauben.»

«Ich ... ich auch nicht ...», erwiderte ich.

Ich verstand einfach immer noch nicht, warum ich nicht in dem bekloppten Nirwana war. Buddha hatte doch klar und deutlich gesagt: «Du gehst jetzt ins Nirwana.»

Eine Angst durchzuckte mich: Würde Buddha mich jetzt doch noch ins Nirwana ziehen? Weg von Lilly und Alex?

Ich schaute die beiden an: Würde ich sie gleich wieder verlieren? Das könnte ich nie verwinden. Selbst nicht im ewigen Glück des Nirwanas!

«Wo ... warst du die letzten Jahre ...?», fragte Alex.

«Manchmal in eurer Nähe», erwiderte ich wahrheitsgemäß.

«Habt ihr nun genug gequasselt?», fragte Lilly.

Sie stand jetzt genau neben uns. Ihr endlich sagen zu können, dass ich ihre Mutter bin, das war für mein Herz besser als jeder siebenfache Bypass.

«Wenn du wirklich Mama bist, darf ich dann mit dir kuscheln?», unterbrach Lilly meine Gedanken.

«Klar», sagte ich, nahm sie in meine dicken Arme und drückte sie im Zauberfarbenhimmelslicht fest an meinen Bauch; noch ein bisschen fester, und sie hätte Atemprobleme bekommen.

Aber das machte Lilly nichts aus, sie war einfach nur happy.

Ich schloss die Augen und genoss diesen «Mama hat ihr Kind wieder»-Augenblick.

Da räusperte sich Alex. Ich öffnete die Augen und schaute zu ihm.

«Darf ich mitdrücken?», fragte er. Unter seinem Lächeln war er immer noch völlig aufgewühlt.

«Klar!», antwortete ich.

Und dann drückte ich auch ihn an meinen Schwabbelbauch.

Ich schloss wieder die Augen.

Ich spürte meine Tochter.

Und meinen Mann.

Meine Familie war wieder vereint.

Und wir waren uns näher denn je.

So nahe, wie ich ihr als Kim Lange nie kommen konnte.

Oder wollte.

Es war wunderschön.

Meine Familie umhüllte mich.

Sanft.

Warm.
Liebevoll.
Ich umarmte sie und ging in ihr auf.
Gott, ich fühlte mich so wohl.
So geborgen.
So glücklich.

Und in diesem Augenblick verstand ich, warum Buddha mich ins Leben zurückgeschickt hatte:

Fürs Nirwana braucht man kein Nirwana!

Einen großen Dank an alle, die mir bei diesem Buch geholfen haben:

Volker Jarck, Ulrike Beck, Marcus Hertneck, Katharina Schlott, Marcus Gärtner und Almuth Andreae.

Und einen ganz speziellen Dank an Michael Töteberg, den besten Agenten im uns bekannten Universum.

Ildikó von Kürthy

«Mit ihren Romanen trifft Ildikó von Kürthy den Nerv von Hunderttausenden Frauen.» Der Tagesspiegel

Mondscheintarif
Roman. rororo 22637
Cora wartet auf seinen Anruf. Stundenlang. Bis sich ihr Leben verändert.

Herzsprung
Roman. rororo 23287
Vielleicht hätte sie erst mit ihm reden müssen, bevor sie seine Anzüge mit Rotwein übergießt. Aber sie will Rache.

Freizeichen
Roman. rororo 23614
Gestern mit Übergepäck und Über gewicht in Hamburg, heute mit neuem Liebhaber auf Mallorca. Kein Problem für Annabel.

Blaue Wunder
Roman. rororo 23715
Abserviert! Und nur ein Monat Zeit für Elli den Mann ihres Lebens zurückzuerobern.

Höhenrausch
Roman. rororo 24220«Liebe! Romantik! Ein supertolles Buch!» Harald Schmidt

Schwerelos
Roman
Werd endlich unvernünftig!
Geschafft! Jetzt muss ich nur noch «ja» sagen. Happy End, endlich. Gäbe es da nicht ...
Und ich frage mich plötzlich, ob «Ja» die falsche Antwort ist ...

rororo 24774

Weitere Informationen in der Rowohlt Revue *oder unter* www.rororo.de

Liebe Leser,

in meinem ersten Roman «Mieses Karma» wurde die Heldin, weil sie so viel schlechtes Karma angehäuft hatte, als Ameise wiedergeboren. Damit Ihnen und mir so ein Schicksal erspart bleibt, habe ich die «Gutes Karma Stiftung» ins Leben gerufen.

Spaß beiseite: Es ist nicht so relevant, ob man an Wiedergeburt glaubt oder an einen Himmel, um hier in diesem Leben etwas zu ändern. Es geht nicht darum, nach dem Tod für seine Taten belohnt oder bestraft zu werden, sondern darum, dass es jetzt, für diesen Augenblick, richtig ist, Menschen zu helfen, die es nicht so gut haben wie wir. Das tut nicht nur denen gut, sondern – und das kann man sich ruhig eingestehen, selbst wenn es nicht ganz so selbstlos ist – es bereitet einem auch selber Freude.

Die «Gutes Karma Stiftung», die nicht zuletzt durch den Erfolg meiner Romane möglich wurde, will Kindern in aller Welt helfen. Dabei liegt der Schwerpunkt auf Bildung. Durchgeführt werden sollen große und kleine Bildungsprojekte in aller Welt – auch bei uns in Deutschland. Zum Start finanziert die Stiftung bereits einen Schulbau in Nepal, der über siebenhundert Kindern die Möglichkeit geben wird, unter guten Bedingungen von der ersten bis zur zehnten Klasse zur Schule zu gehen.

Umgesetzt werden diese Projekte mit wechselnden, seriösen Partnern, bei denen gewährleistet ist, dass Ihre Spenden vor Ort sinnvoll verwendet werden. Also egal, ob Sie verhindern wollen, als Ameise wiedergeboren zu werden, oder einfach nur Gutes tun möchten, hier können Sie konkret helfen.

Weitere Infos erhalten Sie auf der Webseite www.gutes-karma-stiftung.de.

Mit allerbesten Grüßen,
Ihr David Safier